MÍDIA E MEMÓRIA

**A PRODUÇÃO DE SENTIDOS
NOS MEIOS DE COMUNICAÇÃO**

MÍDIA E MEMÓRIA

A PRODUÇÃO DE SENTIDOS
NOS MEIOS DE COMUNICAÇÃO

Ana Paula Goulart Ribeiro
Lucia Maria Alves Ferreira

organizadoras

*m*auad X

Copyright @ by Ana Paula Goulart Ribeiro e Lucia Maria Alves Ferreira (orgs.), 2007

Direitos desta edição reservados à
MAUAD Editora Ltda.
Rua Joaquim Silva, 98, 5º andar
Lapa — Rio de Janeiro — RJ — CEP: 20241-110
Tel.: (21) 3479.7422 — Fax: (21) 3479.7400
www.mauad.com.br

Projeto Gráfico:
Nucleo de Arte/Mauad Editora

Revisão:
Sandra Pássaro

CIP-BRASIL. CATALOGAÇÃO-NA-FONTE
SINDICATO NACIONAL DOS EDITORES DE LIVROS, RJ.

M487

Mídia e memória : a produção de sentidos nos meios de comunicação / organizadoras Ana Paula Goular Ribeiro, Lucia Maria Alves Ferreira. – Rio de Janeiro : Mauad X, 2007.

Inclui bibliografia

ISBN 978-85-7478-239-3

1. Comunicação de massa - História. 2. Mídia - História. I. Ribeiro, Ana Paula Goulart. II. Ferreira, Lucia Maria Alves

07-3808.   CDD: 302.2
                                                       CDU: 316.77

Sumário

Apresentação	7
PARTE 1 – MÍDIA, MEMÓRIA E HISTÓRIA	13
Meios de comunicação e história: um universo de possíveis Marialva Carlos Barbosa	15
A ordem da memória: a imprensa e o imaginário político do Estado Novo Maurício Parada	35
Uma memória da normatização da conduta feminina na imprensa Lucia M. A. Ferreira	57
Memória e legitimação do Samba & Choro no imaginário nacional Micael Herschmann e Felipe Trotta	71
Identidades como dramas sociais: descortinando cenários da relação entre mídia, memória e representações acerca da Baixada Fluminense Ana Lucia Enne	93
Escrevendo a história cultural da TV no Brasil: questões teóricas e metodológicas João Freire Filho	115
Identidade jornalística e memória Fernanda Lima Lopes	137
Jornalistas de economia no Brasil: juventude, formação especializada e relações de parentesco no mercado de trabalho Hérica Lene	155
Em busca da notícia: memórias do *Jornal do Brasil* de 1901 Nilo Sérgio Gomes	177

PARTE 2 – IMPRENSA, DISCURSO E NARRATIVA — 197

Imprensa, produção de sentidos e ética — 199
Bethania Mariani

Memória e narrativa jornalística — 219
Ana Paula Goulart Ribeiro e Danielle Ramos Brasiliense

**Discurso ocidentalista como arma de guerra:
a construção de alteridades na mídia** — 237
Branca Falabella Fabrício e Luiz Paulo da Moita Lopes

**O papel da imprensa na construção
de espaços democráticos no Brasil:
o caso das cotas no acesso ao ensino superior público** — 259
Anna Elizabeth Balocco

**Representatividade homossexual em tempos de ditadura:
algumas reflexões sobre o jornal *Lampião da Esquina*** — 279
Almerindo Cardoso Simões Junior

**Colunistas em campo pela tradição:
as memórias da seleção brasileira na Copa de 2002** — 297
Sérgio Montero Souto

Censura e silenciamento no discurso jornalístico — 319
Carla Barbosa Moreira

**Quem é o leitor? Uma reflexão sobre o discurso
de divulgação científica para crianças** — 343
Angela Corrêa Ferreira Baalbaki

Apresentação

Os meios de comunicação desempenham, nas sociedades contemporâneas, um papel crucial na produção de uma idéia de história e de memória. Ao mediar a relação dos sujeitos com as transformações do seu cotidiano, produzem no âmbito do senso comum sentidos para os processos históricos nos quais esses sujeitos estão inseridos, da mesma forma que participam da constituição das próprias subjetividades. Além disso, a mídia – sobretudo a jornalística – aponta, entre todos os fatos da atualidade, aqueles que devem ser memoráveis no futuro, reinvestindo-os de relevância histórica. Constitui-se, assim, em um verdadeiro "lugar de memória" da contemporaneidade.

A mídia impressa brasileira estará completando, em 2008, seu segundo centenário, e pensamos que este seria o momento oportuno para divulgar a reflexão que muitos de nós vêm desenvolvendo sobre os processos, mecanismos e rituais de produção de sentidos relacionados aos meios de comunicação e ao seu papel na constituição dos sujeitos e da memória social.

Estudiosos de diferentes áreas/lugares das ciências humanas e sociais têm lançado seus olhares sobre esse objeto multifacetado, que se apresenta sempre como um desafio a ser descrito e compreendido, independentemente da configuração conceitual adotada ou do recorte temporal e empírico. Decidimos, então, reunir textos produzidos por pesquisadores vinculados a diversas linhas de pesquisa e programas de pós-graduação do Rio de Janeiro que, trabalhando a partir de perspectivas teórico-metodológicas distintas, têm como foco principal questões relacionadas à prática discursiva da mídia brasileira.

Devido à diversidade dos recortes teóricos efetuados e dos procedimentos metodológicos utilizados, optamos por organizar a coletânea em torno de dois blocos temáticos amplos. O livro está, assim, dividido em duas partes. A primeira foi dedicada mais especificamente às questões da memória e da história e começa com o artigo de Marialva Barbosa. Partindo do pressuposto de que para recuperar a historicidade dos meios de comunicação é necessário considerar textos configurados em outros tempos que chegam ao presente sob a forma de rastros, a autora se apóia na noção de narrativa de Paul Ricoeur, segundo a qual o ato de narrar é uma forma de estar no mundo e de entendê-lo. A autora toma, então, a produção literária como um vestígio do passado e, a partir de três textos de Clarice Lispector, propõe uma reinterpretação da história dos meios de comunicação.

Em seguida, Maurício Parada apresenta uma reflexão sobre a imprensa e o imaginário político do Estado Novo. O autor parte da uma indagação: como se consegue o compartilhamento de significados em sociedades urbano-industriais complexas? Tomando a década de 1930 como o início da transição brasileira para uma configuração política e cultural dirigida para a urbanidade e para a sociedade de massa, Parada busca problematizar essa questão. Para ele, se configurou, naquele momento, no país, um projeto político que mexeu com os fundamentos da memória coletiva e alterou concepções sobre nação e cidadania. Isso implicou a criação de uma nova comunidade de significados que mobilizou, de forma descentralizada, diversas instâncias, como o calendário, a escola e a mídia.

Em seguida, Lucia Ferreira, tomando como pressuposto que imprensa, ao selecionar e organizar os acontecimentos do cotidiano, se constitui em um lugar de saber sobre os sujeitos, examina os sentidos relacionados à figura feminina colocados em circulação em matérias jornalísticas de diferentes momentos da história. Das indagações ao *corpus*, composto de textos produzidos nos séculos XIX, XX e XXI, depreende que, nos sentidos postos em circulação pela imprensa, inscreve-se também a sua historicidade, um saber discursivo que vai constituindo uma memória não apenas das operações de discursivização da imprensa, mas também da constituição de um sujeito feminino.

O artigo de Micael Herschmann e de Felipe Trotta analisa as estratégias de determinados atores sociais em reconstruir representações que legitimam e reinscrevem de forma destacada gêneros musicais populares, como o samba e o choro, na memória e no imaginário social. Relacionados direta e indiretamente ao circuito cultural independente da Lapa, esses agentes formulam ações que resultam na sedimentação dos dois gêneros como representantes de certa visão de música nacional. Busca-se repensar o papel central de certas narrativas e práticas na mobilização de expressivos segmentos sociais e, de modo geral, na reconsagração destes gêneros musicais como expressões culturais emblemáticas ou *canônicas* da cultura nacional.

Em seguida, Ana Lucia Enne se dedica à questão das identidades sociais através da análise da relação entre mídia, memória e representações. A autora mapeia o processo através do qual foram sendo construídas, através de práticas discursivas diversas, as representações acerca da Baixada Fluminense no decorrer dos últimos sessenta anos. Aponta também como se consolidou, na região, uma preocupação com a questão da memória e da história. Os dois processos estão profundamente interligados, como a pesquisadora demonstra ao longo do texto.

João Freire Filho analisa questões teóricas e metodológicas que envolvem a história da televisão no Brasil. Após constatar que a academia começa a despertar para as ausências e fragilidades no conhecimento existente sobre o veículo, buscando compreensão mais sólida de seu passado e de seu desenvolvimento social e cultural, o autor apresenta um breve panorama dessa área de pesquisa e examina os embaraços teóricos e metodológicos enfrentados pelo historiador da televisão, destacando as linhas de investigação mais promissoras.

Fernanda Lopes se propõe a investigar a identidade profissional do jornalista, procurando discutir como ela é formada a partir de vários elementos que são continuamente negociados e constantemente revistos e transformados no tempo. Ao organizarem sua memória associando seus atos passados a mitos ou posições ideológicas dominantes, os jornalistas reforçam o sentido de sua permanência no tempo, procurando elaborar sua imagem como a de um grupo coerente, sólido e competente, que tem autoridade e poder de fala.

O texto de Hérica Lene também é dedicado aos jornalistas. A autora estuda os profissionais especializados na cobertura de economia no Brasil. Levando em consideração uma série de fatores – como formação acadêmica e complementar, regiões de ingresso no mercado de trabalho, ocupação de cargos nas redações e relações de parentesco –, tenta traçar um perfil desses profissionais e busca perceber como suas características mudaram ao longo do tempo: da chamada "Nova República" ao final do século XX.

APRESENTAÇÃO

Nilo Sérgio Gomes analisa o *Jornal do Brasil* de 1901, buscando reconstituir, através das notícias publicadas nesse ano, memórias sobre um período de grandes transformações na cidade do Rio de Janeiro. O autor buscar perceber como essas mudanças – sobretudo na arquitetura urbana e na saúde pública – foram percebidas pelo jornal, que iniciava naquele momento uma gestão empresarial e capitalista, modernizando suas máquinas, sua sede e seu discurso.

Os artigos reunidos na segunda parte do livro mobilizam principalmente as noções de discurso e narrativa, para abordar diferentes efeitos de sentido produzidos nos textos jornalísticos. No primeiro capítulo do segmento, Bethania Mariani, considerando o papel da imprensa na construção do imaginário social, na cristalização de uma memória do passado e na construção da memória do futuro, destaca o aspecto político e ético do trabalho do analista do discurso, a quem cabe questionar o processo histórico-discursivo de uma produção de evidências de sentidos que narra e organiza a fragmentação e a dispersão do cotidiano.

A seguir, Ana Paula Goulart Ribeiro e Danielle Brasiliense discutem os conceitos de memória e narrativa. Tomando a "Chacina da Candelária" como um caso exemplar, as autoras procuram perceber de que forma o episódio foi construído e reconstruído ao longo de dez anos pelos textos jornalísticos. A idéia foi tentar perceber como, num certo fluxo temporal e narrativo, esses textos se articularam com o processo de constituição de um senso comum sobre o fato e sobre um conjunto de sentidos a ele associados.

Em seguida, Branca Falabella Fabrício e Luiz Paulo da Moita Lopes, com base na analítica foucaultina do poder, na Análise Crítica do Discurso e em teorias pós-colonialistas, abordam a construção de alteridades na prática discursiva da mídia, no cenário contemporâneo depois de 11 de setembro de 2001. Os autores concluem que o discurso, se abordado de uma perspectiva fundamentalista, pode ser utilizado como arma de guerra.

Examinando um conjunto de textos sobre o sistema de cotas veiculados em jornais de grande circulação, Anna Elizabeth Balocco destaca o papel da imprensa na produção de identidades discursivas e políticas e na constituição do 'discurso democrático', um significante disputado ideologicamente pelos diferentes segmentos sociais que debatem o acesso diferenciado à universidade pública.

No artigo a seguir, Almerindo Cardoso Simões Jr. estuda o *Lampião da Esquina* (1978-1981), primeiro jornal homossexual de circulação nacional. Através da análise da seção "cartas na mesa", discute a formação das identidades homossexuais construídas no e pelo discurso e a construção de uma memória social representativa deste grupo.

Sérgio Montero Souto, por sua vez, analisa o papel da seleção brasileira de futebol na formação da identidade nacional a partir do ponto de vista de três colunistas esportivos durante a cobertura da Copa do Mundo de 2002 e verifica que a representação da seleção como símbolo nacional passa por um processo de ressignificação no discurso dos colunistas.

No capítulo seguinte, Carla Barbosa Moreira examina matérias jornalísticas do período da ditadura militar para compreender como a censura, alterando a ordem do dizível e do não-dizível, do dito e do não-dito, interfere na determinação de um imaginário político e social que se constrói através dos jornais.

No último capítulo dessa seção, o artigo de Angela Baalbaki examina o discurso de divulgação científica como um jogo complexo de interpretação. Através da análise da revista mensal *Ciência Hoje das Crianças*, a autora busca entender como a textualização jornalística do discurso da ciência imputa novos gestos de interpretação, constituindo um determinado "efeito-leitor".

Fechamos esta Apresentação esperando que a reunião dos diferentes trabalhos apresentados possa oferecer ao leitor um quadro de referências teóricas e empíricas que lhe permita melhor entender esse complexo e controverso campo de pesquisa e suas implicações culturais, éticas e políticas.

As organizadoras

Parte 1 – Mídia, Memória e História

Meios de comunicação e história: um universo de possíveis

*Marialva Carlos Barbosa**

As pesquisas, envolvendo a relação mídia e história, ocupam hoje lugar central na preocupação de dezenas de pesquisadores de múltiplas áreas de conhecimento, com ênfase, evidentemente, à história e à própria comunicação. O olhar que cada campo direciona do ponto de vista teórico e metodológico faz dessa relação o que estamos chamando universo de possíveis. Enquanto a comunicação vê prioritariamente a história como possibilidade de adentrar o passado e recuperar, neste mesmo passado, fontes inteligíveis que podem trazer o passado para o presente, a história considera emblematicamente os meios de comunicação como ferramentas disponíveis para a compreensão de um contexto mais amplo invariavelmente localizado no passado.

---

* Graduada em Comunicação Social, mestre e doutora em História pela Universidade Federal Fluminense. Atualmente é vice-coordenadora do Programa de Pós-graduação em Comunicação e professora titular da UFF. Pós-doutora em Comunicação pelo Laios-CNRS, Paris - França. É coordenadora dos Núcleos de Pesquisa da Intercom, da Rede de Pesquisadores de História da Mídia (Grupo de Trabalho Jornalismo). Possui dezenas de artigos em revistas nacionais e internacionais e é autora dos livros *Os Donos do Rio: Imprensa, Poder e Público* (Vício de Leitura) e *História Cultural da Imprensa* (Mauad X). No momento pesquisa a linguagem da televisão em seus múltiplos aspectos. Dedica-se também às pesquisas que fazem a interconexão entre História e Comunicação. (mcb1@terra.com.br)

Evidentemente que mais de 30 anos de pesquisa na área complexificaram esses estudos. Mas ainda assim, *grosso modo*, podemos considerar a pesquisa sobre a relação meios de comunicação e história distribuída em cinco grandes eixos de análise: os estudos que se utilizam uma perspectiva meramente factual; os que priorizam as modificações e a estrutura interna dos jornais como fator de mudança do curso da história; os que enfocam os meios de comunicação como portadores de conteúdos políticos e ideológicos; os que enfatizam o contexto histórico, desconsiderando a dimensão interna do meio, a lógica própria do universo comunicacional; e, finalmente, um quinto grupo que considera a dimensão processual da história e a comunicação como sistema, no qual ganha relevo o conteúdo, o produtor das mensagens e a forma como o público entende os sinais emitidos pelos meios (Barbosa e Ribeiro, 2005). Contempla, portanto, o que podemos chamar dimensão interna e externa do processo comunicacional numa perspectiva histórica.

E o que seria esta perspectiva histórica? Como incluir textos com pretensão à verdade produzidos pelos meios de comunicação numa análise, como a histórica, que também procura visualizar a integralidade do passado na perspectiva do verdadeiro?

Evidentemente que há múltiplas formas de se considerar a história. A sua forma narrativa assumirá um aspecto ou outro em função de como a trama foi engendrada e a partir dos objetivos do historiador. Pode-se pressupor a idéia de processo e a perspectiva diacrônica: nesse caso, salientar-se-á a mudança e a transformação no processo histórico. Pode-se, ao contrário, adotar a perspectiva sincrônica ou estática: aqui o que se acentuará será o fato na continuidade estrutural.

O historiador pode achar que sua tarefa é evocar um certo espírito da época passada ou acreditar que lhe cabe sondar o que está por detrás dos acontecimentos a fim de revelar "leis" ou "princípios" de um tempo. Alguns consideram que sua obra é fundamental para o entendimento dos problemas e conflitos sociais existentes no presente. Outros eliminam esse tipo de preocupação e tentam determinar em que medida o passado era diferente daquilo que conceituamos como contemporaneidade.

Ou seja, há múltiplas formas de fazer história, de considerar a história, de visualizar a relação história e comunicação. Essa relação é, portanto, também um universo de possíveis.

Do ponto de vista metodológico, é esse olhar que determina a forma como a pesquisa será realizada. Se o passado for visualizado como algo que pode ser recuperado, as fontes, documentos e emblemas do passado que chegaram até o presente, sob a forma de rastros, serão privilegiados na interpretação. Se, por outro lado, considera-se que o que chega do passado são vestígios memoráveis, permanentemente reatualizados pelas perguntas que do presente são lançadas ao pretérito, o que será destacado é a capacidade de invenção da narrativa. Ou seja, não se pode eliminar a categoria interpretação da história, da mesma forma que a história será sempre uma narrativa.

White (1994, p. 22) disse certa vez que, para ele, a diferença entre história e ficção é o que historiador "acha" suas estórias, ao passo que o ficcionista as "inventa". Mas não é só isso: o grau de "invenção" também tem relevante papel na tarefa do historiador.

Ao escolher durante todo o tempo, selecionando fatos, idéias, palavras, tramas, ao encadear o seu texto de uma forma ou de outra, ao narrar, o historiador – por mais que se cerce de elementos teóricos e metodológicos – está também "inventando" a sua história.

História é comunicação

Se considerarmos, por outro lado, que toda história se refere ao fracasso ou ao sucesso de homens que vivem e trabalham juntos em sociedades ou nações, com pretensão ou ao verdadeiro ou ao verossímil, a história é, na verdade, o fragmento ou o segmento de um mundo da comunicação. São os atos comunicacionais dos homens do passado o que se pretende recuperar como verdade absoluta ou como algo capaz de ser acreditada como verídico. É nesse sentido que estamos dizendo que a história é sempre um ato comunicacional.

Por outro lado, há sempre uma expectativa comunicacional envolvida nas histórias que contamos: queremos que sejam únicas, singulares, coisas que ninguém nunca foi capaz de escrever (Ricoeur, 1996, p. 216-217). Ou seja, mesmo nos textos envolvidos com a pretensão da ciência contam-se histórias e estas devem ser governadas pela lógica narrativa. O que confere unidade orgânica ao que contamos – como modos de comunicação –, seja o que genericamente traz o passado para o presente, seja o que se refere prioritariamente aos meios de comunicação, é o ato de seguir a narrativa.

Só haverá entendimento se a história puder ser seguida por aquele que a lê, a decifra e a interpreta. Mas as histórias só merecem ser narradas e seguidas se a sua temática se referir a interesses e a qualidades humanas. Há sempre um nexo com os sentimentos nas histórias que contamos.

Com isso não queremos retirar da história o seu estatuto de ciência, construído como um lugar emblemático de sua fala e fundamental para o desenvolvimento da disciplina histórica. Também não negamos toda a discussão que governou o século XX e que procurou construir novos parâmetros e novas bases para a disciplina, privilegiando a estrutura e a conjuntura nos tempos de longa duração. Tal como Ricoeur (1994, p. 134), o que estamos enfatizando é que "o saber histórico procede da compreensão narrativa sem nada perder de sua ambição científica".

É a partir de restos e vestígios que chegam do passado ao presente também que podemos recontar as histórias que envolvem prioritariamente as ações comunicacionais do passado. Muitas vezes nessas ações, o objetivo último é prefigurar os sistemas de comunicação existentes em dado momento e lugar. Nesse instante, a história que afinal é comunicação, se torna história da comunicação.

Portanto, duas noções teóricas são fundamentais no ato de seguir a história que, afinal, é fazer história: a questão da narrativa e a noção de rastro ou vestígio. Assim, num primeiro momento, neste texto, nos deteremos na explanação desses dois conceitos e, num segundo momento, faremos o exercício metodológico de utilizar a noção de rastro num estudo envolvendo privilegiadamente a ação dos meios de comunicação nos anos 1950/1960 no Rio de Janeiro.

Entre a narrativa e o rastro

Evidentemente que a questão da narrativa já foi objeto de múltiplas reflexões, algumas vezes emblemáticas, como é o caso dos textos de Walter Benjamin, que, ao construir suas análises em torno da mudança de sentidos do mundo na modernidade, traçou uma espécie de paradigma em torno da definição do narrador, enfatizando a morte da narrativa, após o surgimento do narrador-jornalista[1].

---

[1] Cf. "O narrador" e "Paris do segundo império de Baudelaire". In: Benjamin, W. *Obras Escolhidas*. São Paulo:Brasiliense, V.I, 7ª ed., 1994.

Para Benjamin, a verdadeira narrativa pressupunha a articulação com a categoria experiência e na medida em que, com o advento da imprensa, o jornalista passou a não mais falar da sua experiência (e dar conselhos), mas a reportar a experiência de um outrem, a verdadeira narrativa não mais existiria.

Ampliando a categoria conceitual, Paul Ricoeur (1994, 1995 e 1996) usa metaforicamente narrativa para definir uma espécie de lugar no mundo. Mundo sujeito às interpretações dos sujeitos que vivem e padecem sua própria história. Produzimos narrativas na maneira como nos colocamos no mundo, produzimos narrativas quando nos deparamos com as narrativas dos meios de comunicação, já que todo sujeito é capaz de elaborar reinterpretações. Considerar a pluralidade de interpretações significa visualizar a diversidade humana, perceber que as diferenças entre pessoas e grupos sociais são construídas pelas representações que se produz sobre o mundo social.

Inscrita na teoria dos gêneros, a questão da narrativa, portanto, não se resume a uma problemática lingüística. Narrar é uma forma de estar no mundo e, dessa forma, entendê-lo. É através da narrativa que se pode reunir e representar no discurso as diversas perspectivas existentes sobre o tempo. Essa unificação, segundo Ricoeur, se dá por uma operação mimética.

A evidência de que a nossa cultura produz inúmeras definições do ato de narrar, transformando-o em gêneros plurais, fez com que se produzisse também uma dicotomia entre os textos: de um lado os com pretensão à verdade (o discurso da ciência, incluso o da história, e do jornalismo, por exemplo) e de outro as narrativas ficcionais, sejam as que utilizam a linguagem escrita (literatura), sejam as que utilizam a imagem (filmes, fotografia, telenovelas, etc.).

É contra esta "classificação sem fim" que Ricouer (1994, p. 24) constrói a sua hipótese: a existência de uma unidade entre os múltiplos modos e gêneros narrativos. Para isso parte do pressuposto que o caráter temporal é o comum da experiência humana. "Tudo o que se narra acontece no tempo, desenvolve-se temporalmente; e o que se desenvolve no tempo pode ser contado."

Para ele, só se pode reconhecer o processo temporal porque é narrado. A nossa experiência no mundo se desenvolve no tempo. E através da vida elaboramos, como os meios de comunicação (espécies de síntese da contemporaneidade), textos ficcionais e outros tantos com pretensão à verdade. Como na vida, os textos também são embaralhados. Afinal, nenhum de nós ocupa apenas um lugar no mundo.

Mas afinal o que é o ato narrativo? Seguindo Aristóteles, Ricoeur designa intriga (o *muthos*) a *composição verbal* que faz com que o texto se transforme em narração. A organização da intriga consiste, pois, na operação de seleção e organização dos acontecimentos (as ações contadas) que permite a história contada (qualquer que seja ela) ser completa e uma, com começo, meio e fim.

A ação é, assim, apenas o começo de qualquer história, que se converte em meio se provocar, na história contada, uma mudança de destino, uma "peripécia" surpreendente, uma sucessão de incidentes aterradores. E essa mesma história só constrói o seu fim quando conclui o curso da ação, desatando o nó inicial, selando, por exemplo, o destino do herói e produzindo no ouvinte a *katharsis* da piedade e do terror.

Aqui, podemos fazer uma digressão em direção aos discursos midiáticos. Nos discursos dos meios de comunicação observamos o quanto a questão da peripécia é fundamental. Na telenovela, por exemplo, todos os dias novas peripécias são adicionadas à intriga (isto é, ao enredo), produzindo rupturas que são solucionadas mais adiante e construindo um modo de narrar que, longe de ser linear, se produz pelo regime de sobressaltos.

Também nos atos jornalísticos observamos que peripécia é fundamental para instaurar o acontecimento. Baseado em convenções de veracidade, o discurso jornalístico é acreditado como verídico por antecipação, mas só se configura em algo a ser publicado se instaurar uma ruptura. A excepcionalidade do jornalismo nada mais é do que a peripécia. Por outro lado, nas narrativas do cotidiano, sobretudo aquelas que apelam aos valores imemoriais de contar as histórias – como é o caso, por exemplo, das narrativas policiais –, os apelos à piedade, ao terror, às emoções são constituintes mesmo desses textos. O que se produz é a *katharsis* do público.

Qualquer intriga possui inteligibilidade: a intriga é, pois, o conjunto de combinações através do qual os acontecimentos são transformados em história ou uma história é tirada de acontecimentos (Ricouer, 1994, p. 26). A intriga é, pois, o mediador entre o acontecimento e a história.

A partir dessas indagações iniciais é preciso considerar as distinções textuais como convenções. É a partir de convenções culturais que classificamos os textos com pretensão à verdade e os textos ficcionais. Devemos considerar, portanto, que todo texto é estruturado de modo narrativo e, como tal, sujeito ao regime de interpretação que se aproxima das narrativas cotidianas com as quais estruturamos a nossa vida.

Mesmo quando a história, por exemplo, se afasta do modo narrativo presente nas crônicas antigas, na história eclesiástica ou política que conta batalhas, tratados, partilhas, ou seja, mudanças de destino que afetam o exercício do poder por determinados indivíduos, ela continua narrativa. Ainda que seja a história da longa duração, ao tornar-se social, econômica, cultural, permanece ligada ao tempo e procura enfocar múltiplas mudanças que ligam sempre uma questão final à situação inicial. "Ao ficar ligada ao tempo e a mudança, continua o autor, fica também ligada à ação dos homens que, segundo Marx, fazem a história em circunstâncias que eles não criaram" (Ricouer, 1994, p. 27).

A história é sempre a história dos homens que são portadores, agentes, vítimas das forças, das instituições, das funções, dos lugares onde estão inseridos. E é neste sentido que ela não pode romper com a narração, já que seu objeto é a ação humana que implica agentes, finalidades, circunstâncias e resultados.

Há que se considerar ainda que o passado, mesmo se considerado como real, é sempre inverificável. Na medida em que ele não mais existe, só indiretamente é visado pelo discurso da história. Assim, tal como a ficção, também a reconstrução histórica é obra da imaginação. Por outro lado, qualquer construtor de textos configura intrigas que os documentos autorizam ou proíbem, combinando coerência narrativa e conformidade aos documentos. É também essa combinação que faz dos textos permanentes interpretações.

Quando as narrativas são analisadas há que se considerar que qualquer construção ficcional ou não articula a sedimentação de padrões existentes anteriormente com a inovação. É a ligação com a tradição, com os esquemas narrativos já de conhecimento do leitor, que permite o reconhecimento do desvio, ou seja, a inovação. O desvio só é possível existir se tiver como pano de fundo a cultura tradicional que cria no leitor expectativas que o artista irá estimular ou frustrar. O que existe, pois, é sempre um jogo de regras.

Mas o que une então todas as narrativas? Podemos dizer que é o fato de cada um de nós viver a existência numa perspectiva temporal. São as intrigas que inventamos ao viver que irão nos ajudar a configurar nossa experiência temporal.

A função da intriga é, pois, esta capacidade dos textos, ficcionais ou não, de configurar a experiência temporal. Esses textos são sempre fabulações, no sentido de que sempre imitam as ações. A inteligibilidade narrativa é produzida por esta imitação, utilizando-se ou não, em função da característica textual, dos recursos ficcionais. O mundo da ficção é uma espécie de laboratório de formas no qual ensaiamos configurações possíveis da ação, experimentando sua consistência e plausibilidade. É essa experimentação que Ricoeur chama imaginação produtora.

Nesta fase primeira, a da experimentação, a referência ao mundo permanece em suspenso. A ação é apenas imitada, fingida, forjada. O mundo da ficção é apenas o mundo do texto ou uma projeção do texto como mundo.

Este instante, em que a referência ao mundo se encontra em suspenso, é intermediário entre a pré-compreensão do mundo da ação e a transfiguração da realidade cotidiana operada pela própria ficção. O mundo do texto, porque é mundo, vai entrar em colisão com o mundo real para o refazer, confirmando-o ou recusando-o. Assim, nos textos, sejam eles ficcionais ou não, o que existe é o "tempo humano" dando sentido e inteligibilidade às narrativas.

Em relação às três ordens de tempo – o tempo vivido subjetivamente ou fenomenológico, o tempo histórico e o tempo vivido objetivamente ou a perspectiva cosmológica – é justamente a narrativa histórica que oferece uma espécie de "solução" às dificuldades irreconciliáveis suscitadas pela especulação sobre o tempo. A dimensão narrativa opera a mediação entre o tempo fenomenológico e o tempo cosmológico, num tempo de natureza histórica, isto é, vivido e percebido numa espécie de arquitetura temporal de cada época.

Tal mediação pode ser observada, por exemplo, na idéia histórica de calendário, na qual a temporalidade subjetiva da vida se liga aos movimentos cósmicos dos corpos celestes: em suma, a narrativa do calendário oferece a interligação entre a idéia cosmológica de tempo e a idéia fenomenológica ou subjetiva do tempo. Também nos textos ficcionais podem ser percebidas estas mediações temporais: a experiência subjetiva da morte – tempo como finitude da condição humana –, por exemplo, ao ser representada enseja o renascimento. Através da ficção podemos experimentar a angústia da morte, para logo em seguida ver o personagem renascido em outra história, experimentando uma espécie de eternidade do tempo.

Qualquer texto, portanto, é produzido em três ordens ou dimensões. Primeiro existe o mundo, um mundo que é texto, narrativa, já que é vivido na dimensão cotidiana das múltiplas articulações temporais. Desse mundo-texto produzimos uma leitura. E a partir desse entendimento construímos – e no mundo contemporâneo cada vez mais a partir da ação dos meios de comunicação – um outro texto. Ou seja: configuramos o mundo que aparece sob a forma de interpretação. E aí esse texto que fala do mundo (e não é mais o mundo) se abre à pluralidade de olhares, leituras, textos, narrativas existentes. Abre-se à pluralidade de interpretações. Refigura-se o texto sob forma de um outro texto e é este novo texto que volta ao mundo. Mas ao tomar contato com o texto, aquele que devolve o texto ao mundo já mudou. Afinal todo texto produz sentido e induz à ação. A leitura produz, invariavelmente, uma mudança intrínseca em quem a realiza.

Devemos considerar também que o texto se projeta além dele mesmo, através da simulação da experiência vivida. A narrativa enfoca, assim, a experiência que pode ser a do próprio leitor, já que os textos desenham um mundo, que, mesmo sendo fictício, continua sendo um mundo. É o que o Ricoeur chama mundo do texto, sempre ofertado à apropriação crítica dos leitores. No ato de leitura se entrecruzam, pois, o mundo do texto e o mundo do leitor. Se o mundo do texto é sempre imaginário, o mundo do leitor é real, mas ao mesmo tempo capaz de remodelar a esfera do imaginário.

Neste sentido, a leitura torna-se campo de confronto entre o autor e o leitor, cada um trazendo recursos opostos para o combate (Ricoeur, 1990, p. 39). O leitor procura descobrir os lugares de indeterminação no texto, preenchendo suas lacunas.

O texto só se completa pelo itinerário da leitura, sendo o objeto literário constituído pela atividade de ler. A obra, na dimensão proposta por Ricouer, é uma produção comum do autor e do leitor. "De um lado, prossegue ele, a obra afeta o horizonte de expectativa sobre o qual o leitor aborda o texto. De outro, suas esperas fornecem a chave hermenêutica do processo de leitura tal como ele se desenrola" (Ricoeur, 1990, p. 40).

Há que se considerar ainda que a ação narrativa instaura o mundo das coisas contadas e o reino do "como se". Conta-se o mundo como se fosse real, como se o que é relatado de fato tivesse acontecido daquela forma, como se tivesse existido. O mundo das coisas contadas é sempre o "como se" da ficção, e a experiência depende da voz narrativa que contém invariavelmente a voz do narrador. Mas essa voz não contém apenas a voz direta do autor, mas de todos aqueles que são designados pelo seu ato de narrar. Na voz narrativa estão contidos, portanto, múltiplos atos memoráveis. "Cada voz narrativa", continua o autor, "tem seu próprio tempo e seu próprio passado, de onde emergem os acontecimentos recontados."

Mas o mundo projetado pela obra é capaz de cruzar com um outro mundo, o mundo do leitor. Assim, a refiguração vai de um mundo a outro, de um mundo fictício a um mundo "real".

O ato leitura torna-se, pois, meio decisivo e através do qual se produz a transferência da estrutura da configuração narrativa a sua refiguração e a transformação da ação humana passada ou futura.

O "como se" dessa experiência da leitura coloca em destaque a questão da voz narrativa, que não é apenas a voz narrativa do autor, mas uma voz que em essência é cultural (da tradição, do mundo onde ele se insere, das representações, das visões de mundo sub-reptícias ao texto). Esta é uma das razões pelas quais as histórias contadas parecem pertencer à memória de alguém que "fala" no e pelo texto.

Falar em narrativa é se referir obrigatoriamente à questão da temporalidade. Se considerarmos temporalidade como inscrição das atividades humanas na duração, não há um sentido único do tempo. Entretanto, historicamente o tempo foi considerado prioritariamente sob duas perspectivas: a primeira baseada na cosmologia e a segunda na experiência humana, isto é, a significação de viver o tempo. Essas duas concepções não são excludentes.

Ricouer dá como exemplo o sentido da palavra *agora*: "De um lado, agora designa uma interrupção na continuidade do tempo cosmológico e pode ser representada por um ponto sem extensão. De outro lado, agora significa presente vivido, rico de um passado recente e de um futuro iminente" (p. 32). Não existe nenhuma ligação lógica entre essas duas interpretações do agora.

Esta aporia que nenhuma fenomenologia do tempo, segundo sua tese, é capaz de resolver, pode ser resolvida na narrativa, através da inclusão de uma resposta criativa capaz de lhe dar caráter produtivo. Assim, cada forma narrativa tem a capacidade de responder e, ao mesmo tempo, corresponder a uma de nossas experiências de tempo.

Ao considerarmos o tempo medido, da física, o tempo pretérito da história, instauraram-se representações plurais. A história, ao tentar recuperar o passado e trazer o passado para o presente, cria uma espécie de terceiro tempo, situado entre um tempo cosmológico e o fenomenológico. O calendário funciona como matriz desse terceiro tempo. O agora não é mais o instante pontual, nem presente vivido. Transforma-se em algo datado, capaz de dar ao presente novo lugar no sistema de datas estabelecidas. Instaura-se a data inicial, ponto zero, considerada evento fundador que cruza o instante cosmológico e o presente vivido. A pretensão à verdade histórica fica assim submetida aos contratos impostos pelos calendários e pela noção de prova documental.

Esse mesmo movimento na ficção perde sentido. As narrativas de ficção abrem-se a toda espécie de variações imaginativas, incluindo combinações infinitas de aspectos cosmológicos e fenomenológicos. A ficção está livre para explorar as inúmeras propriedades qualitativas do tempo, ainda que no plano da imaginação. A ficção transforma-se, pois, numa espécie de laboratório para as experiências onde a imaginação ensaia soluções plausíveis para o enigma da temporalidade.

Os meios de comunicação, ao produzirem uma narrativa onde essas duas ordens de discursos têm prevalência, embaralham ainda mais as categorias da temporalidade. O tempo calendário está presente, mas as figurações imaginativas de um tempo ficcional também se reproduzem nos textos que tentam dar conta do cotidiano do público, como por exemplo as narrativas ficcionais da televisão.

Recuperar o passado significa caminhar do agora numa direção pretérita a partir de traços, restos, vestígios que o passado deixa no presente. Significa considerar que os rastros são signos de representação. Seguir um rastro significa percorrer um caminho já trilhado pelos homens do passado. Os rastros pressupõem que os homens do passado passaram por ali: são traços que ficaram de suas atividades, de suas obras (ferramentas, casas, templos, sepulturas, escritos, imagens) e que deixaram marca. Assim, ter passado por ali e ter posto uma marca se equivalem.

Se alguém passou por ali, convém seguir esse rastro. Mas o rastro pode ser perdido, pode não levar a nenhum lugar, pode igualmente apagar-se. Seguindo o rastro podemos saber que alguém passou por algum lugar. O rastro indica o aqui, no espaço, e o agora no presente. O rastro "orienta a caça, a busca, a investigação, a pesquisa". O significado do passado permanece preservado em seus vestígios, trazidos ao tempo presente e interpretados no presente numa cadeia de significação (Ricoeur, 1996, p. 200-201).

Entre o rastro deixado e a tradição transmitida e recebida, assinala o autor, há uma profunda afinidade. O rastro designa, em função da sua materialidade inscrita no presente, a exterioridade do passado, que, dessa forma, se inscreve no tempo do universo. A tradição coloca em relevo outro tipo de exterioridade: o fato de fazer um passado, que não fizemos, nos afetar. Mas ambos, o rastro percorrido e a tradição transmitida, são mediações entre o passado e os homens do presente (Ricoeur, 1996, p. 390).

Nos rastros que os meios de comunicação deixaram sobressai a materialidade dos meios: os jornais, as revistas, as imagens apagadas pelo tempo. Textualidades de uma época, informando mais do que sobre a época. Materialidades que podem revelar circuitos e sistemas de comunicação.

Comunicação é história

Assim, se o objetivo do pesquisador é recuperar a historicidade dos meios de comunicação num determinado tempo e lugar, há que se construir um nexo a partir de narrativas configuradas em outros tempos e que chegaram ao presente sob a forma de rastros. Portanto, metodologicamente a noção de vestígio é fundamental para um certo olhar que se lança em direção à história dos meios.

Para que este texto não fique apenas com o aspecto de um grande ensaio (ainda que não tenhamos nada contra os ensaios, muito pelo contrário), vamos aplicar os aportes teóricos a uma pesquisa empírica concreta. Tomamos a literatura como vestígio do tempo e a partir de trechos de três textos de Clarice Lispector (*Hora da Estrela, Visão do esplendor: impressões leves* e *Laços de Família*) o nosso caminho metodológico é reinterpretar uma dada história da imprensa a partir de textos que chegaram ao presente como rastros, indicando formas, modos e relações de comunicação complexas existentes na sociedade[2].

---

[2] A análise completa desses textos literários e de outros pode ser encontrada em Barbosa, Marialva (2007a).

"Nas frígidas noites, ela, toda estremecente sob o lençol de brim, costumava ler à luz de vela os anúncios que recortava dos jornais velhos do escritório. É que fazia coleção de anúncios. Colava-os no álbum. Havia um anúncio, o mais precioso, que mostrava em cores o pote aberto de um creme para pele de mulheres que simplesmente não eram ela" (Lispector, 1998, p. 38).

A breve descrição anterior coloca em cena práticas de leitura, modos de os leitores se relacionarem com os meios, indicando uma nova relação dos meios de comunicação nessa sociedade. Os jornais, mais bem impressos e com anúncios que apelam a mundos desconhecidos e idealizados (e desejados), forneciam imagens a serem guardadas como relíquias. O leitor, no caso Macabéa, retirava os anúncios do contexto original e construía, pelo ato de recortar as imagens originalmente impressas nos jornais e colar, um meio de comunicação só dela: o álbum de recortes.

Ler sob a cama à luz de velas induz a pensar que esta leitora não fazia do jornal meio privilegiado para saber o que se passava no mundo. O impresso era um mundo de imagens (imaginárias e desejadas) e, com dificuldade, em função do lugar em que estava colocada no mundo (lia num cômodo pequeno, sem eletricidade, numa cama forrada com lençol barato), também fazia do seu exercício de interpretação algo só seu.

Visualizar a literatura como registro de uma época significa considerar que um autor deixa transparecer na sua obra não apenas sua subjetividade, mas o seu próprio tempo. Significa também perceber o papel decisivo da linguagem nas descrições e nas concepções históricas. O texto literário – artefato de criação de um autor que constitui ambientes e valores nos seus relatos – espelha a visão de mundo, as representações, as idéias de um dado momento histórico-cultural, podendo ser lido como materialização das formas de pensar, das emoções e do imaginário de um dado período. Por outro lado, as narrativas literárias revelam a coerência e a plenitude de uma imagem de vida. Só porque há esta coerência é que pode ser transformada em imaginação. Uma narrativa só ganha sentido porque a ela é atribuída uma coerência, ao se transformar, para o leitor, numa forma reconhecível de descrição da existência. Ao se tornar familiar, torna-se inteligível.

Mas a ficção conserva sempre o vestígio do mundo prático e reorienta o olhar para traços da experiência que inventa, ao mesmo tempo, um mundo, ainda que não possa romper com as amarras do mundo fictício de onde vem e para onde retorna.

Assim, se podemos enxergar nas narrativas experiências particulares de tempo, entre as quais se sobressai a de um mundo marcado pela aceleração e pela mudança, pode-se observar nos textos ficcionais a tessitura de uma intriga capaz de tornar presente o ausente, fazendo com que cada um desses textos se liberte de seu passado. Múltiplas temporalidades figuram nessas narrativas: a da vida de cada um dos personagens; a da memória do escritor que torna presente o que ficaria ausente; o trabalho do autor que levou um determinado tempo para compor o seu texto; o tempo da obra, ou seja, o tempo físico mesmo que o leitor leva para percorrer o livro com sua leitura; e, finalmente, o tempo do leitor, isto é, a temporalidade necessária a cada um para interpretar o que leu.

A compreensão do leitor, por outro lado, consiste em "saltar os tempos mortos" da narrativa, precipitando o seu andamento, condensando num só evento exemplar traços duradouros. O tempo e o ritmo de uma mesma obra dependem das múltiplas interpretações ou refigurações narrativas operadas no momento da leitura, em suma, do tempo contado. E o tempo contado restitui a sucessão das cenas, dos episódios intermediários, das fases de transição presentes numa mesma obra. O autor constrói efeitos de lentidão, de velocidade, tempos breves e tempos longos, tempos qualitativos a partir também da possibilidade de entendimento e compreensão do leitor. Numa mesma obra podem estar presentes o tempo da lembrança, o tempo do sonho e o tempo do diálogo transcrito. É o tempo contado que transforma, na concepção de Ricoeur (1995, p. 133-136), o tempo da narração em tempo da vida.

Considerando que a literatura sugere formas alternativas de conhecer e descrever o mundo, usando a linguagem imaginativamente para representar as ambíguas categorias de vida, pensamento, palavras e experiências, podem-se visualizar esses textos como vestígios de uma história que figura um passado (Hunt, 1992, p. 158).

Toda cultura fornece um lastro particular de mito que constrói histórias peculiares. O escritor, por outro lado, recorre sempre a um lastro mitológico existente na mente dos seus leitores para conferir ao seu relato sentido e significado. Portanto, aquele mundo que aparece hoje sob a forma de remanescentes textuais existia e tinha um significado preciso, falando de uma realidade que guardava plausibilidade. Resta-nos remontar esses remanescentes textuais, transformando o texto novamente em contexto.

Um grito do jornaleiro na rua do Ouvidor coloca no cenário de *Laços de Família* o jornal *A Noite*, principal vespertino do Rio de Janeiro, até o início dos anos 1940. O jornal, na descrição de Clarice Lispector, aparece também em múltiplas representações, indicando um novo tempo que se inicia para as publicações ao findar os anos 1940. "A Noite! Gritou o jornaleiro ao vento brando da rua do Riachuelo, e alguma coisa arrepiou-se pressagiada". Mais adiante, na mesma crônica "Devaneio e embriaguez de uma rapariga" descreve: "Deitou-se, abanava-se impaciente com um jornal a farfalhar no quarto."

O jornal, que aparece nessa descrição deslocado da função da leitura, ressurge em diversas outras instaurando a relação intrínseca leitor / leitura. Como leitura partilhada, coletiva, pública. Como leitura que se materializa pela imagem e pela imagem induz o leitor a pensar e a sentir a representação do real.

"Os bancos sempre têm lugar para mais um: é só pedir que se afastem e dêem um cantinho. Os que lêem jornal, quando acabam uma folha, às vezes oferecem ao outro a página lida. Eu sempre aceito. E, embora me sente no banco de tarde, já me foi oferecido o caderno B do *Jornal do Brasil*" (Lispector, 1975).

O hábito de partilhar a leitura do jornal, oferecendo páginas já lidas para que outros também o façam e a descrição de que isso se passa num banco de praça, indicam uma sociabilidade comum às práticas de leitura. Na descrição seguinte, mais uma vez os suplementos dos jornais, que ganham importância nos anos 1960, aparecem. A fotografia em tamanho real da Pequena Flor, uma mulher de quarenta e cinco centímetros, trazia o inesperado para o periódico. O realismo da imagem produzia sensações de aflição, ainda mais pelo fato de ter sido publicada em tamanho natural. A leitura dominical no ambiente privado – mas uma leitura igualmente partilhada e complementada pelo comentário de um outrem – provoca sensações que induzem ao esquecimento.

"Marcel Petre defrontou-se com uma mulher de quarenta e cinco centímetros, madura, negra, calada. Escura como um macaco. Informaria ele a imprensa e que vivia no topo de uma árvore com seu pequeno concubino. A fotografia da Pequena Flor foi publicada no suplemento colorido dos jornais de domingo, onde coube em tamanho natural. Enrolada num pano, com a barriga em estado adiantado. O nariz chato, a cara preta, os olhos fundos, os pés espalmados. Pareceria um cachorro. Nesse domingo, num apartamento, uma mulher, ao olhar no jornal aberto o retrato de Pequena Flor, não quis olhar uma segunda vez 'porque me dá aflição'. Pois olhe – declarou de repente uma velha, fechando o jornal com decisão, pois olhe, eu só lhe digo uma coisa: Deus sabe o que faz" ("A Menor mulher do mundo". In: Lispector, 1975).

Mas os periódicos também servem para informar sobre o mundo. Os anúncios fúnebres têm para Olímpico, um dos personagens principais de *A hora da estrela*, a função de fazê-lo percorrer os cemitérios em busca de sensações. Lê sobretudo *O Dia*, jornal popular e de grande circulação a partir da década de 1960, e que destaca em seu noticiário também os crimes e as desgraças que atordoam a cidade. Olímpico, diante da informação que o jornal lhe transmite, o enterro de desconhecidos, produz uma ação: percorre os cemitérios em busca da emoção real e verdadeira, diante da dor alheia.

"Olímpico era macho de briga. Mas fraquejava em relação a enterros: às vezes ia três vezes por semana a enterro de desconhecidos, cujos anúncios saíam nos jornais e sobretudo no *O Dia*; e seus olhos ficavam cheios de lágrimas. Era uma fraqueza, mas quem não tem a sua. Semana em que não havia enterro, era semana vazia desse homem que, se era doido, sabia muito bem o que queria" (Lispector, 1998, p.70).

Tal como Olímpico, também Macabéa, a heroína da narrativa, tem uma relação especial com os meios de comunicação. Os anúncios coloridos das páginas dos velhos jornais despertam sua imaginação, seu desejo de consumo, múltiplas sensações. Já ouvir, horas a fio, o rádio que pinga o tempo em "som de gotas" faz com que adquira ensinamentos que "talvez algum dia viesse precisar saber".

"Todas as madrugadas ligava o rádio emprestado por uma colega de moradia, Maria da Penha, ligava bem baixinho para não acordar as outras, ligava invariavelmente para a rádio relógio, que dava a hora certa e cultura, e nenhuma música, só pingava em som de gotas que caem – cada gota de minuto que passava. E sobretudo esse canal de rádio aproveitava intervalos entre as tais gotas de minuto para dar anúncios comerciais – ela adorava anúncios. Era a rádio perfeita pois também entre os pingos de tempo dava certos ensinamentos dos quais talvez algum dia viesse precisar saber. Foi assim que aprendeu que o Imperador Carlos Magno era na terra dele chamado de Carolus. Verdade que nunca achara modo de aplicar essa informação. Mas nunca se sabe, quem espera sempre alcança. Ouvira também a informação de que o único animal que não cruza com filho era o cavalo. – Isso, moço, é indecência, disse ela para o rádio" (Lispector, 1998, p. 37).

Na narrativa de Clarice Lispector observa-se que Macabéa estabelece com o rádio uma relação extremamente particular. Fala com o aparelho, como se tivesse dialogando com alguém, tal a proximidade que o meio de comunicação denota para o público: o rádio se transforma na companhia imaginada no momento de solidão. De madrugada, tem como única companhia o som que sai do aparelho. Mas Macabéa escuta uma emissora que marca invariavelmente o tempo, em "gotas de minuto", como metaforicamente particulariza a escritora.

Nesse pequeno trecho observamos a relação particular da personagem com o tempo. Não o tempo cronológico, mas o que emerge da narrativa pelas marcas sensoriais que o texto produz. Em *Hora da Estrela*, o tempo cronológico é perfeitamente demarcado. É de madrugada que Macabéa escuta uma emissora de rádio. Mas a *Rádio Relógio*, escolhida por ela, tem a propriedade de indicar a cada segundo que o tempo está passando, como que a mostrar que o tempo se esvai como gotas, da mesma forma que nos intervalos oferece conhecimento e imaginação. O anúncio faz com que ela ingresse no mundo da fantasia ("ela adorava anúncios"), enquanto a fala do locutor informando curiosidades abre a possibilidade de adquirir conhecimento. Assim, através de uma experiência temporal fictícia, a narrativa vai produzindo a persuasão do leitor.

Através dessas marcações temporais, visualiza-se também o tempo interior de cada um dos personagens. Para Macabéa, que na solidão noturna escuta o "pingo do tempo", a marcação incessante dos minutos leva seu pensamento para longe, construindo sua vida também à medida que adquire conhecimento. Um conhecimento que talvez "um dia fosse importante saber".

Nessa narrativa existem, portanto, múltiplos tempos: a experiência temporal concreta da personagem, ou tempo cronológico, o tempo monumental marcado pelo som da *Rádio Relógio* e o tempo interior. A hora para Macabéa não é apenas o ruído de um tempo que inexoravelmente passa pela marcação que escuta no rádio. A hora para Macabéa é também o devaneio que os anúncios produzem e a concentração que necessita ter para adquirir conhecimento. A ficção literária tem, pois, a capacidade de criar um herói-narrador que persegue uma certa busca de si mesmo, cujo objetivo último é precisamente a dimensão do tempo.

> "Havia um anúncio, o mais precioso, que mostrava em cores o pote aberto de um creme para pele de mulheres que simplesmente não eram ela. Executando o fatal cacoete que pegara de piscar os olhos, ficava só imaginando com delícia: o creme era tão apetitoso que se tivesse dinheiro para comprá-lo não seria boba. Que pele, que nada, ela o comeria, isso sim, às colheradas no pote mesmo" (Lispector, 1998, p. 38).

Macabéa, além de ouvinte de rádio, é também leitora de jornais. Toma em suas mãos os jornais velhos que encontra no escritório – pouco importam o título, a linha editorial e as notícias – e recorta os anúncios coloridos. O que lhe importa é a beleza dos anúncios, possibilitada pelas modernas técnicas de impressão. Esses recortes aleatórios pertencem agora a outro tipo de suporte: fazem parte de seu álbum. De noite, sozinha, relê cada um deles e o mais precioso é aquele que mostra um creme para pele. Cada uma daquelas imagens favorece a construção de outras imagens e de múltiplas interpretações no universo de Macabéa. O creme de beleza é para ela "apetitoso", tão apetitoso que seria capaz de comê-lo.

Esses trechos de textos ficcionais, entendidos aqui como restos de um passado que chegam até o presente, indicam sob o ponto de vista de uma história da imprensa, que a partir do desenvolvimento de novos meios de comunicação – como o rádio na década de 1930, a televisão nos anos 1950 e a proliferação de meios impressos com amplas possibilidades de impressão , há a incorporação das mensagens e dos apelos midiáticos de tal forma junto ao público, que os aspectos mais cotidianos da vida passam a ser regulados pela centralidade da mídia. Não é mais apenas a questão do poder da mídia que está em foco. O que está em jogo é a produção de novas sociabilidades reguladas por estes aparatos tecnológicos que instauram relações dialógicas e produzem subjetividade. Os corpos passam a ser, de maneira quase que simbiótica, afetados pelas relações de comunicação. Em todos os lugares, o rádio, a televisão, os jornais, as revistas inserem-se na vida. Deitada no quarto, Macabéa não se sente solitária porque dialoga com o rádio. Sentada na praça, a leitora recebe de um outro uma folha de jornal para também ler. Olímpio sabe das informações e produz, a partir de sua leitura individual, uma ação concreta. A voz que vem do rádio restabelece a oralidade e a vocalidade das relações com os meios que nunca deixou de existir. A voz que vem da televisão reproduz em imagem um mundo como *representância*. A vida transporta-se para a mídia e os meios de comunicação encerram a vida.

"A Radio Relógio me fascina. Os eletrodomésticos – compro ou não? Eles mandam que eu compre. Compro então. Fico paupérrima. Mas estou sendo moderna, é o que vale. Anunciam religião também. Deve-se ouvir o pastor tal e tal. Fico religiosa, aliás já acreditava em Deus. Me sinto protegida pelo anúncio e por Deus. E a rádio relógio pinga os minutos. Compro móveis na casa tal e tal. E o supermercado? Encho o meu carinho de coisa das quais não preciso, até a boca do carrinho. Depois não tenho dinheiro para pagar. Abro o jornal, quero me refugiar nele. Mas eis que anunciam dois apartamentos por andar. Que faço?... A propaganda me entra em casa. Mandam-me uma espécie de aspirina para minhas dores de cabeça. Sou sadia, não tenho dores de cabeça, mas tomo as pílulas. Assim quer Deus. E o mundo... Estou arruinada mais feliz. Sou uma mulher que compra tudo. E bebe tudo que anunciam" ("Contra veneno". In: Lispector, 1975).

Os meios de comunicação, na visão de mundo do personagem imaginado, fornecem refúgio, induzem comportamentos, produzem inserção no mundo. A publicidade que jorra das páginas das publicações e das emissões, sobretudo a partir do crescimento de importância econômica dos meios, pela sua inclusão junto ao público, coloca em discussão a questão do consumo.

Como narrativa ficcional, cada um desses textos são a rigor narrativas históricas, pelo simples fato de que ambos os modos narrativos – o histórico e o ficcional – utilizam invariavelmente a vida cotidiana para a produção do texto. De uma experiência no mundo, o literato produz um texto que espelha uma realidade pré-textual. Contar nada mais é do que transformar algo de que se tem conhecimento em algo dizível, estabelecendo entre um e outro momento mediações simbólicas. Cada uma dessas mediações fala de um mundo existente, transportando o discurso comum sob a forma de texto, que nada mais é do que imitação da vida.

Referências bibliográficas

BARBOSA, Marialva. *História da Imprensa (1900-2000)*. Rio de Janeiro: Mauad, 2007.

BARBOSA, Marialva; RIBEIRO, Ana Paula Goulart. Por uma história do jornalismo no Brasil. In: *XXVIII Congresso Brasileiro de Ciências da Comunicação*. Rio de Janeiro, Intercom, 2005.

BENJAMIN, W. *Obras Escolhidas*. Vol. 1. 7ª ed. São Paulo: Brasiliense, 1994.

HUNT, Lynn (org.). *A nova história cultural*. São Paulo: Martins Fontes, 1992.

LISPECTOR, Clarice. *A hora da estrela*. Rio de Janeiro: Rocco, 1998.

_____. *Laços de Família*. Rio de Janeiro: Francisco Alves, 1994.

_____. *Visão do esplendor: impressões leves*. Rio de Janeiro: Francisco Alves, 1975.

RICOEUR, Paul. Mimèsis, référence et refiguration dans Temps et récit. In: *Études Phénoménologiques*. n. 11, tomo 6. Bruxelles: Editions Ousia, 1990.

_____. *Tempo e Narrativa*. Vol. 1, 2 e 3. Campinas: Papirus, 1994, 1995 e 1996.

WHITE, Hayden. *Trópicos do discurso: ensaios sobre a crítica da cultura*. São Paulo: Ed. Universidade de São Paulo, 1994.

A ordem da memória: a imprensa e o imaginário político do Estado Novo

*Maurício Parada**

Como construir um sentido de pertencimento em sociedades em transição para uma ordem urbano-industrial, onde prevalece a política de massa? Como conseguir o compartilhamento de significados em sociedades complexas e diferenciadas como as que emergiram no século XX? Essas questões atravessam este trabalho e estão no centro de sua estrutura argumentativa. Tomando a década de 1930 como o início da transição brasileira para uma nova configuração política e cultural dirigida para a urbanidade e a sociedade de massa e dando destaque especial para o período do Estado Novo, buscamos problematizar as questões postas acima.

A agressiva e atuante política cultural do Estado Novo estava no centro do nacionalismo orgânico dos distintos grupos dirigentes do novo regime. Essa política cultural, realizada por diversos órgãos do Estado, trabalhou para construir um sentido coletivo e partilhável de nação. Esse projeto não se assemelhava aos valores da cultura política da "República Velha" ou ao

---

* Graduado em História pela Universidade Federal Fluminense, mestre em História Social da Cultura pela Pontifícia Universidade Católica do Rio de Janeiro e doutor em História Social pela Universidade Federal do Rio de Janeiro. Atualmente, é professor de História na PUC-Rio e no Mestrado em História da Universidade Salgado de Oliveira. Trabalhos com ênfase em Políticas Culturais, atuando principalmente nos seguintes temas: cultura, Estado Novo, política, cultura cívica e conflitos. (mparada@ig.com.br)

curto momento liberal de 1933 a 1935. O elitismo das oligarquias e a política conflitiva do liberalismo deviam ser evitados e substituídos por um sentido orgânico e unitário de nação. Uma comunidade mais extensa e menos fraturada parecia ser o projeto que sustentava a legitimidade discursiva do estado autoritário de 1937. Para realizá-lo seriam necessários alguns esforços e a intervenção de agentes com atribuições muito específicas.

Como ponto de partida, foi necessário operar uma transformação na estrutura do tempo público, redirecionando a temporalidade cívica. Assim como em outros momentos históricos que se apresentavam como inauguradores de um novo momento, o Estado Novo mexeu no calendário. No novo tempo, os cidadãos deveriam ser informados e mobilizados para apreender o sentido coletivo dessa nova configuração política.

Partimos do princípio que esse projeto político mexeu com os fundamentos da memória coletiva, alterando as concepções de nação e cidadania. A criação da nova comunidade de significados, no entanto, foi bem menos centralizada do que poderia se esperar. Diversas instâncias foram mobilizadas, na maioria das vezes com alguma sincronia, nesse esforço de redefinição da nacionalidade. Contando com ação intervencionista do Estado, esse projeto conseguiu certa eficácia.

Dentre os agentes mobilizados e controlados pela ação estatal na construção de uma memória coletiva sobre a nação, destacam-se três instâncias decisivas. A primeira foi propriamente a alteração do calendário e a criação, por conseguinte, de diversos conjuntos cerimoniais que foram associados a essa nova temporalidade coletiva. O Estado Novo festejou o regime, ou a si mesmo, com intensidade. Por uma questão de limites, estaremos analisando apenas duas dessas cerimônias cívicas destinadas especialmente à população juvenil matriculadas nas escolas públicas e privadas, a saber: *Desfile da Mocidade e da Raça* e a *Hora da Independência*.

A segunda instância eram as escolas. Os desfiles executados em todo território nacional durante o ciclo cívico da *Semana da Pátria* não seriam possíveis sem a mobilização de setores atuantes no dia-a-dia escolar. As disciplinas de canto orfeônico e educação física, tornadas obrigatórias, ficaram marcadas por um conteúdo cívico e de preparação para o momento extraordinário do desfile público. A escola preparava os corpos juvenis para sua exibição frente à comunidade nacional, os corpos dos jovens desfilantes deixavam sua materialidade física para se tornarem abstrações que representavam os valores cívicos do novo regime.

Por fim, nada desse esforço teria a eficácia se não contasse com o controle e veiculação desses eventos por parte dos meios de comunicação. Sem a transmissão radiofônica e reprodução e descrição dos eventos pela imprensa, uma parte considerável do esforço de construção de uma nova comunidade de sentido seria ineficaz.

A idéia principal deste artigo, portanto, é a criação articulada – sob a marca da ação política de um estado de exceção – de um *continuum* discursivo que agrega o conjunto cerimonial do desfile, a prática escolar cotidiana e o contole sobre os meios de comunicação no processo de estruturação de novos conceitos de nação e cidadania. Em última instância, este trabalho trata do processo de construção do sentido de pertencimento para os membros da nova cultura política pretendida pelo Estado brasileiro a partir de 1937.

Memória coletiva, tempo e civismo

Discutindo as relações entre memória e a criação de novos calendários, Paul Connerton afirma que "todos os inícios contêm um elemento de memória". Segundo ele, isto é particularmente verdade quando um grupo social realiza um esforço coordenado e necessariamente arbitrário para realizar um novo início. Este momento se dá quando os seus agentes abolem a seqüência de temporalidade e interrompem a continuidade da ordem temporal, inaugurando e registrando o novo tempo na forma de um novo calendário (Connerton,1989).

Os líderes do Estado Novo enfrentaram um problema que não era exclusivamente seu, nem historicamente inédito: como estabilizar politicamente de uma maneira definitiva e total uma nova ordem social que se afirmava em um contexto público muito instável. O presente devia ser separado daquilo que o precedia por um ato de demarcação inequívoca. O novo calendário pretendia ser como um muro, definitivo e permanente, entre o começo e a antiga ordem. Vemos na construção do novo calendário uma tentativa em erguer um monumento demarcatório que define os limites de um começo radical. A tentativa de quebrar temporalmente com a antiga ordem social não pode ser pensada sem discutir elementos relacionados à elaboração da memória coletiva.

Maurice Halbwachs, particularmente em seus dois importantes trabalhos *Lês cadres sociaux de la memoire* e *La memoire collective* (publicados, respectivamente, em 1925 e 1950 – este último em edição póstuma), deu início às reflexões sociológicas sobre o tema. Segundo seu argumento, seria através do pertencimento a um grupo social – particularmente parentesco, religião e associações de classe – que os indivíduos estariam aptos a adquirir, localizar e lembrar-se de suas memórias. Os grupos forneceriam aos indivíduos sistemas no interior dos quais suas memórias estão localizadas como se fossem um mapa. Nós situamos o que nós recordamos no interior do espaço mental fornecido pelo grupo, mas estes espaços mentais individuais sempre recebem suporte e se referem ao espaço mental ocupado por grupos sociais particulares. Halbwachs nos mostrou como nenhuma memória coletiva poderia existir sem referência a um quadro mental socialmente específico sustentado pelo fato de que os objetos com os quais nós temos contato diário mudam muito pouco ou nada, fornecendo-nos uma imagem de permanência e estabilidade.

Halbwachs, então, reuniu duas esferas que a princípio não estavam próximas nos estudos sobre a memória. A separação analítica entre memória individual e memória coletiva se desfez no trabalho do autor. Hallbwachs demonstrou que a idéia de memória individual, absolutamente separada da memória social, é uma abstração desprovida de significado e mostrou como diferentes segmentos sociais, cada um com um passado diferente, terão memórias diferentes agregadas a diferentes limites característicos do grupo em questão. No entanto, Halbwachs, mesmo pensando a idéia de memória coletiva, não viu que as imagens do passado coletivo estão acompanhadas e sustentadas, mais ou menos, por performances rituais.

Se queremos continuar a falar em memória coletiva, devemos reconhecer que o que está subsumido a tal termo se refere, fundamentalmente, a fatos de comunicação entre indivíduos. O fato de que membros de diferentes grupos sociais comunicam-se uns com os outros, nos termos característicos do seu grupo particular, pode ser inferido do argumento de Halbwachs. No entanto, ele não nos explica como os grupos sociais constituem seus sistemas de comunicação. O estudo da formação social da memória é o estudo daqueles atos de transferência que fazem a lembrança possível. Significa isolar e considerar em detalhes atos de transferência de significados que estão presentes em sociedades modernas e tradicionais. Assim sendo, as cerimônias comemorativas e as atividades físicas têm importância crucial especialmente como atos comunicacionais e também na construção da memória coletiva e individual. O caráter das cerimônias também se dá na medida em que nelas estão alinhados os registros da memória coletiva e da memória individual.

Podemos considerar o estudo de Simonetta Falasca-Zamponi sobre os espetáculos fascistas, contemporâneos à construção do calendário cívico varguista, para termos um exemplo claro desta função memorialística e comunicacional das cerimônias cívicas. Segundo a autora, a retórica fascista fez da *Marcha sobre Roma* um evento mítico na história do fascismo. Vinte e oito de outubro tornou-se a data de uma das mais importantes celebrações fascistas. O aniversário da *Marcha sobre Roma* foi comemorado pela primeira vez em 1923, com um festival com quatro dias de duração. Embora a marcha nunca tenha ocorrido e Mussolini tenha tentado, na verdade, evitar uma insurreição, o regime tomou a marcha como marca do início da época fascista. O fascismo fez da Marcha sobre Roma um momento simbólico na construção de sua identidade "revolucionária" transformando-a em um evento espetacular que contribuiu para a estabilização da identidade dos novos membros que foram se incorporando ao partido. A mitificação da Marcha sobre Roma, segundo Falasca-Zamponi, tornou-se um instrumento narrativo fundamental na elaboração da própria história do partido e conseqüentemente de sua memória (Falasca-Zamponi, 1997, p. 2).

Acompanhando o repertório discursivo dos regimes políticos das primeiras décadas do século, o controle sobre a memória e o uso das cerimônias estavam no cerne da confecção do novo calendário proposto pelo regime de 1937. A relação entre a mudança no regime e a alteração nas datas cívicas indica como o calendário foi objeto de intensa atenção política, uma vez que seria o fundador do novo tempo cívico, da memória coletiva e um modelo para as virtudes públicas. O Estado Novo foi, em larga medida, capaz de realizar um programa de rejuvenescimento cívico porque foi hábil em alterar o fluxo do tempo. A eliminação estratégica e a inserção de certas datas estabeleceram a base temporal para incentivar o gerenciamento ritualizado e disciplinado do tempo.

Visto assim, devemos reconhecer a plasticidade do calendário e a maleabilidade do tempo. Além das datas já citadas, celebradas anualmente, o regime varguista decretou numerosos feriados cívicos extraordinários. Segundo Williams, alguns eventos foram celebrados uma única vez, normalmente o aniversário de nascimento ou de morte de uma figura histórica. Podemos citar o 11 de julho de 1936 (centenário de nascimento de Carlos Gomes), 6 de abril de 1938 (centenário de morte de José Bonifácio de Andrada e Silva), 13 de maio de 1938 (cinqüentenário da abolição da escravatura) e o 9 de setembro de 1942 (tricentenário da expulsão dos holandeses). Em cada ocasião, o governo federal montou uma série de cerimônias e festejos (discursos públicos, eventos teatrais e inaugurações de estátuas e edifícios públicos) para marcar a data e dirigir os olhos da nação na direção da exemplaridade das figuras e dos eventos do passado. Mudanças no calendário cívico oficial não somente refletiam a abrangência da natureza comemorativa do regime, mas também representavam a politização do tempo cívico levado a cabo pelo regime (Williams,1995).

O novo calendário pode ser analisado como uma ação que pretendeu fixar um significado para a comunidade nacional, um significado que devia ser guardado na memória coletiva e vivenciado através de intensas atividades físicas nas cerimônias públicas. De fato, o calendário enquadrou e idealizou uma consciência cívica na qual as datas do passado e do presente eram comemoradas como se estivessem ligadas ao mesmo registro histórico-temporal associando, por exemplo, a independência à promulgação da constituição de 1937. Relacionando o 7 de setembro, o 15 de novembro e o 10 de novembro, o calendário naturalizou o golpe de 1937 como um momento no desenvolvimento da história nacional.

O calendário cívico também permitiu ao regime concentrar suas energias e mobilizar as da nação numa direção específica, demarcando tempos e lugares nos quais Vargas e o Estado Novo podiam ser reconhecidos por sua importância e indispensabilidade na luta pela manutenção da soberania do Estado-nação. Em muitos sentidos, o regime usou o calendário cívico para inventar-se e legitimar-se como regime. Isto nos leva à seguinte questão: qual a principal mensagem que este calendário quer que seja memorizada e comunicada?

Comunicar e ordenar

Podemos dizer então que, entre 1936 e 1938, esteve em curso um processo de alinhamento discursivo, de estruturação normativa e de adequação institucional que levou à constituição do núcleo cerimonial da *Semana da Pátria*. Quando da decretação do Estado Novo, o *Desfile da Mocidade e da Raça* e a *Hora da Independência* tornar-se-ão, junto com o Desfile Militar, as principais encenações públicas do regime, lugares de exibição de exemplos de ordem, disciplina, patriotismo e virtude cívica.

A partir de 1938, sob o novo regime e com o patrocínio do Ministério da Educação e Saúde, as duas cerimônias cívicas ganharam em organização, em articulação burocrática e extensão disciplinar. Ao assumir o *Desfile da Mocidade e da Raça*, o MES proporcionou o encontro entre o culto cívico e a prática escolar, experiência que já vinha sendo realizada com sucesso pela *Hora da Independência*. A *capilarização* destas cerimônias, seu adensamento através da prática escolar, foi um importante índice para pensarmos a criação de uma cultura cívica estadonovista. A ação cotidiana nas classes de educação física e de canto orfeônico, em uma rede de escolas públicas e particulares em expansão, envolvendo professores especializados, médicos e os próprios alunos e seus familiares permitiu que a dimensão cívica das cerimônias públicas se tornasse parte dos significados diários operados por uma importante parcela da população brasileira.

O *controle* discursivo e espacial pelo qual passaram as duas cerimônias a partir do momento em que o MES assumiu a responsabilidade por sua organização não deve, no entanto, impedir que vejamos o quanto, ao mesmo tempo, elas se tornaram *extensas* e *capilares*. Pode-se dizer, inclusive, que somente com a intervenção do MES foi possível ampliar o impacto social destes eventos. O ministério articulou para as duas cerimônias um complexo discursivo integrado: as escolas, as cerimônias cívicas e os meios de comunicação. Com isso, criou condições para a incorporação, por parte de uma população aberta ao processo pedagógico (jovens em fase de aprendizado e também suas famílias), de valores e virtudes cívicas. A cerimônia cívica seria o local de encontro, um nó, de onde partem e chegam os fios desta rede de ações e significados construídos pelos técnicos e intelectuais do MES em torno do jovem estudante nacional.

Entre 1938 e 1942, quando, nesta última data, o envolvimento do Brasil na guerra alterou as condições da opinião pública brasileira, foi possível, através do calendário cívico e de sua extensão às práticas cotidianas, uma certa *banalização da nação*. Este foi o período em o Estado Novo desenvolveu uma agressiva política de ocupação do domínio público da qual estas cerimônias cívicas fizeram parte. As intervenções cerimoniais ganharam uma forma mais institucionalizada e foram divididas entre os diversos ministérios e órgãos públicos. Durante a *Semana da Pátria*, por exemplo, as transmissões radiofônicas ficavam a cargo dos departamentos de propaganda, as comemorações nos sindicatos eram promovidas pelo Ministério da Justiça, o desfile militar, pelo Ministério de Guerra e as duas cerimônias (o *Desfile da Mocidade e da Raça* e a *Hora da Independência*), além dos festejos nas escolas, eram de responsabilidade do Ministério da Educação e Saúde. A distribuição das intervenções cerimoniais entre os órgãos públicos indicou um movimento no sentido da estatização do domínio público.

Se, por um lado, os agentes se tornaram mais estruturados em suas ações e articulações, construindo um tempo cívico denso, por outro, as formas de intervenção foram também ganhando contornos mais nítidos. O conjunto cerimonial produzido pelo Estado Novo tomou três formas básicas: o evento diário, o evento extraordinário e o evento anual. Cada uma delas supunha um conjunto diferenciado de tempo, de espaço e de público, tendo finalidades e formas diferentes. A produção simbólica do Estado autoritário procurou atingir diferentes lugares e temporalidades, entrou capilarmente no cotidiano, bem como construiu momentos monumentais de alta densidade dramática. A estreita rede simbólica lançada sobre a sociedade brasileira procurou evitar a dispersão e a diluição das identidades culturais, atrelando-as a sua trama de significações. Formações militares, civis e desfiles mistos (*i.e.*, grupos uniformizados, organizados, marchando ao longo de percursos definidos); procissões informais e reuniões (*i.e.*, grupos desorganizados ou semi-organizados reunidos em frente ou em torno a um local cívico); performances atléticas e musicais e diversos grupos de audiência (leitores, ouvintes e espectadores) foram veículos e destinatários da produção discursiva do Estado Novo.

Os rituais diários compostos por práticas cotidianas de dever cívico, como jurar lealdade à bandeira, cantar o Hino Nacional e outros hinos patrióticos (realizados nas escolas e repartições públicas), ou práticas difusas de consumo de informações produzidas pelo Estado sobre si mesmo (como ler os jornais sob censura ou sintonizar a Hora do Brasil) permitiram a naturalização do Estado (e da liderança política que o controlava) como instância mediadora das relações entre o "povo" e a "nação".

O caso da radiodifusão é emblemático desta naturalização, banalizada, do lugar do Estado como mediador político. Desde 1931, primeiro com o Departamento Oficial de Publicidade e, depois, em 1934, com o Departamento de Propaganda e Difusão Cultural (DPDC), o governo Vargas vinha implantando uma política de controle da informação transmitida pelo rádio e pela imprensa. Em 1938, quando o DPDC se transformou no Departamento Nacional de Propaganda (DNP), foi criado o programa *Hora do Brasil*, transmitido diariamente por todas as estações de rádio, com duração de uma hora, visando à divulgação dos principais acontecimentos da vida nacional. A partir de 1939, a *Hora do Brasil* passou a ser feita pelo DIP, que tomou o lugar do DNP. Além de informar detalhadamente sobre os atos do presidente da República e as realizações do Estado, a *Hora do Brasil* incluía uma programação cultural, com música brasileira, comentários sobre a arte popular e descrições dos pontos turísticos do país.

A programação cívica era composta de "relatos históricos", peças de radioteatro dramatizavam momentos históricos em que se exaltavam os feitos da nacionalidade. Em 1938, no dia sete de setembro, encerrando o programa comemorativo da *Semana da Pátria*, o Departamento Nacional de Propaganda irradiou na "Hora do Brasil" uma peça, escrita pelo teatrólogo Joracy Camargo, com o título "O Grito do Ipiranga". No dia anterior, a transmissão foi um programa com o título "O Brasil grandioso na música nativa", no qual foram executadas peças "nacionalistas" de Radamés Gnatalli, Carlos Gomes e Francisco Braga. Dirigido a toda a nação e com a transmissão compulsória para todas as estações de rádio, o programa teve um consumo difuso, difícil de ser mensurado e qualificado, mas sua emissão diária produzia um poderoso efeito de sentido: uma fala constante, uma presença banal, e, portanto, quase "natural" do Estado brasileiro na vida cotidiana do homem comum.

Em uma outra categoria estão os eventos extraordinários. Estabelecidos por decretos oficiais, estavam associados a situações pontuais desenvolvidas em um único dia, freqüentemente retiradas do fluxo temporal cotidiano pela decretação de um feriado nacional ou pelo recurso ao "ponto facultativo". Estas cerimônias abrigavam situações como inaugurações de feiras, de exposições e de obras públicas e envolviam discursos e conferências sobre o evento em questão. Seu público e sua mensagem eram planejados de forma mais focada, bem menos diversificada do que as veiculadas pelo rádio e pela imprensa. Como exemplo, podemos citar a cerimônia de inauguração do trecho da Avenida Presidente Vargas entre a Praça da República e a Rua Uruguaiana realizada em 10 de novembro de 1942. Segundo Evelyn Werneck Lima, este foi um dos trechos mais trabalhosos, não apenas pela construção das galerias de águas pluviais, mas em virtude das muitas demolições realizadas que envolveram monumentos religiosos, grandes casas comerciais e bancos. No dia da inauguração, Vargas recebeu uma homenagem dos "servidores do Distrito Federal", convenientemente deslocados pelo prefeito Henrique Dodsworth para a ocasião. Abalados pelo envolvimento do Brasil na guerra, o representante dos funcionários municipais e o presidente Vargas trocam juras de fidelidade mútua e ambos prometem se sacrificar, até a morte, na defesa do país.

A troca de alianças é, por certo, o elemento que mais se destaca numa análise dos "eventos extraordinários". Frente a platéias específicas, sejam funcionários públicos, militares, empresários, intelectuais ou estudantes, Vargas e seus interlocutores construíram *falas de troca*. Apoio político, definição de diretrizes para políticas públicas e concessão de ganhos econômicos encontravam nestes eventos um importante local de dramatização, no qual era, mais uma vez, naturalizada a figura do Estado e também a do presidente como elementos de articulação dos interesses dos diversos grupos sociais.

Festas do tempo

As celebrações anuais foram as mais elaboradas dos três tipos de cerimônia. *O Desfile da Juventude* e a *Hora da Independência* se enquadram nesta categoria e sobre eles falaremos mais à frente. Por ora seria importante ressaltar algumas linhas de continuidade que atravessaram este *complexo cerimonial*. Os eventos extraordinários e as cerimônias anuais também contribuíam para a naturalização da mediação do Estado, no entanto, ao contrário de banalizar sua presença, como permitiam os atos cotidianos e capilares promovidos pelos meios de comunicação e pelas instâncias civilizatórias da escola e do trabalho, estes momentos acabavam por monumentalizar o lugar do Estado. Seria um equívoco, contudo, pensar estas duas instâncias – o banal e o monumental – como lugares isolados e sem contato. O conceito de *cerimônia sintética* procura justapor estes "lugares" e assinalar o quanto são indissociáveis. Assim sendo, não é possível pensar o *Desfile da Juventude* ou a *Hora da Independência* sem considerar as práticas *capilares* e *banais* realizadas nas escolas e associadas a estas cerimônias (Parada, 2003).

A extensão simbólica desse complexo cerimonial estava relacionada ao que podemos chamar de *ações narrativas periféricas*. Estas ocorreram em dois lugares sociais distintos, nos quais o efeito de sentido produzido foi o de um "alargamento" do tempo e do espaço comemorativo cívico: primeiro, podemos citar as cerimônias realizadas em outras capitais ou cidades, no interior das escolas públicas e particulares, bem como as produzidas por associações e entidades privadas; e, em segundo, as narrativas produzidas e reproduzidas pelos meios de comunicação de massa como o rádio, o cinema e a imprensa.

A noção de periférico, no entanto, só tem sentido se pensarmos a idéia de *centralidade* ou de *exemplaridade*. A descrição veiculada pelos meios de comunicação dos preparativos ocorridos na Capital Federal confere a estas um caráter de exemplaridade frente a uma rede de cerimônias realizadas nos estados e encenadas em claro diálogo com elas. No caso das cerimônias realizadas em outras capitais ou cidades, o procedimento cênico era basicamente o mesmo, consistindo no desfile de participantes locais em posição semelhante aos nacionais (escolares, corpos militares de base local) e na montagem de um corpo de autoridades igualmente semelhante, consistindo em autoridades locais em lugar das nacionais. As cerimônias ocorridas na capital seriam, deste modo, um *centro exemplar* (Geertz,1991) a partir do qual se sucedem reproduções de menor monta, cujo sentido seria dado não apenas por sua lógica interna, mas pelo fato de esta lógica interna conectá-las à cerimônia principal. As possíveis variações em relação à cerimônia central não poderiam assumir a forma de discrepâncias simbólicas, uma vez que isso desautorizaria o principal significado a ser produzido com este complexo cerimonial: o da unidade da nação. A lógica do *centro exemplar* seria dada por sua repetição, mutável, por certo, mas sem rupturas. Ignorar a data festiva ou comemorar outro evento era uma impossibilidade, pois caso ocorreste esta ruptura com a estrutura narrativa central montada pelo Estado, a partir do calendário cívico, seria como uma declaração de secessão, um início de guerra civil.

Durante todo o período tornou-se parte da narrativa da imprensa sobre a *Semana da Pátria* a publicação de pequenas notas acerca das festas ocorridas nos Estados, a lógica centro-periferia dominava os textos dos jornais da capital federal. Assim sendo, o "Correio da Manhã" noticiou, no início de setembro de 1938, a programação de festas cívicas de cidades brasileiras. Em Caxias, cidade gaúcha com um significativo peso simbólico por estar associada a um personagem histórico importante para o Estado Novo, foi, segundo o jornal, organizado um longo programa de festividades. A inauguração dos festejos da *Semana da Pátria* teve início com um grupo de atletas percorrendo a cidade, conduzindo uma tocha. Após concluírem o percurso, à meia-noite, os corredores acenderam uma pira localizada em um "altar da pátria" construído na principal praça da cidade. A cerimônia prosseguiu com o toque de clarins, o repicar dos sinos das igrejas, uma salva de morteiros e a execução do Hino Nacional. Frente ao "altar da pátria" o prefeito discursou e a Bandeira Nacional foi hasteada na presença de escolares e membros das corporações civis locais.

Em Porto Alegre, no mesmo dia, houve uma cerimônia muito semelhante. Uma corrida noturna, com os corredores se revezando na condução de um "fogo simbólico", até uma pira cerimonial erguida em um "altar". Em vez dos cânticos e discursos o recurso utilizado na capital gaúcha foi o da romaria: na manhã seguinte, uma procissão seguiu para os túmulos do Visconde de São Leopoldo ("vulto da independência") e do coronel Plácido de Castro ("incorporador do Acre ao território nacional"). A programação da semana incluía também uma sessão no Teatro São Pedro e o desfile dos coros orfeônicos das escolas municipais.

É interessante perceber que cada cidade tem uma tradição urbana diferente, com recursos e repertórios diversos, no entanto, as ações referenciais e exemplares produzidas na capital foram eficazes. A montagem de um cenário utilizando como elemento um "altar da pátria" mostra como ficou marcada no imaginário político nacional, a cerimônia do "Dia da Bandeira" de 1937. Ao mesmo tempo o recurso a performances atléticas e musicais de jovens escolares acompanhava o modelo produzido pelos agentes culturais do novo governo central que relacionava a disciplina corporal e a harmonia musical com valores cívicos.

O culto aos heróis locais apresentava um importante índice na relação entre o *centro exemplar* e as cidades – sua escolha falava da maneira como a cidade gostaria de estar conectada ao centro político. Situação como a que ocorreu nas festas da independência de 1936, quando, na cidade paulista de Cachoeira, foi inaugurada uma estátua em homenagem ao soldado constitucionalista em uma praça batizada com o nome do general Izidoro Dias Lopes, seria impensável a partir de 1938. Os heróis louvados pelas cerimônias locais – Caxias, o Visconde de São Leopoldo ou Plácido de Castro – obedecem a uma narrativa histórica emitida a partir do *centro exemplar*, que relacionava a Independência com a manutenção da unidade nacional. Os mitos locais não seriam secessionistas como o soldado constitucionalista ou o general Izidoro Dias Lopes, mas sim ícones que representavam a união da comunidade política nacional.

Nesse ponto, é significativo pensar a importância dos eventos ocorridos nas escolas, não apenas por sua conexão simbólica com as cerimônias centrais, mas pelo fato de serem noticiados e reproduzidos nos jornais, o que lhes dava uma dimensão mais ampla que sua realização local. Ocorrendo ao longo da semana, estes eventos escolares realizavam uma suspensão do cotidiano em meio ao próprio cotidiano. Não tinham o mesmo impacto, é claro, das cerimônias centrais, que implicavam a suspensão total do cotidiano através do feriado, como era o caso da *Hora da Independência*, ou em uma intervenção sobre o espaço urbano, a exemplo do *Desfile da Mocidade e da Raça*. Este, embora realizado no fim de semana, provocava uma alteração de todo o sistema de trânsito do centro do Rio de Janeiro, além de implicar a montagem de arquibancadas, palanques etc. Por serem realizados dentro das escolas e no tempo normal das aulas, os eventos escolares podiam ser tomados como uma quebra do cotidiano, porque suspendiam a rotina ao mesmo tempo em que representavam, em comparação com as cerimônias centrais, uma *capilarização* do impacto simbólico produzido por estas.

De forma diversa do que ocorria com as cerimônias promovidas por governos locais, porém, os eventos escolares não reproduziam o mesmo modelo das cerimônias centrais, mas estabeleciam com elas algo que pode ser compreendido com um campo semântico comum, processando um universo de símbolos relacionado ao que era vivenciado nos desfiles. Em 1938, acompanhando a trajetória de *controle discursivo* em torno das cerimônias, o Departamento de Educação da Prefeitura do Distrito Federal publicou um edital assinado por seu diretor, Milton Rodrigues, determinando que as escolas primárias e secundárias da municipalidade comemorassem a *Semana da Pátria* com "sessões extraordinárias destinadas a cultivar a memória de celebrar (sic) os feitos dos imortais brasileiros a quem devemos a nossa emancipação política" (*Correio da Manhã*, 06/071938, p.1). As referidas sessões deveriam ser realizadas com a presença de todo o corpo docente, discente e funcionários. As palestras compunham, assim, parte de um repertório didático que dava sentido às cerimônias, ao construírem memórias e continuidades explicativas que conectavam as cerimônias propriamente ditas a um conjunto de mitos de origem da nacionalidade (como José Bonifácio ou a própria "independência", eleita como mito em detrimento da proclamação da República, por exemplo).

Por outro lado, o fato de as programações escolares serem reproduzidas no jornal, assim como as ocorridas em associações corporativas, associações civis, como o Rotary, ou nas corporações militares, produzia um sentido de simultaneidade e extensão caros à idéia de unidade nacional.

Neste sentido, é importante retomar as considerações feitas por Moore e Myerhoff (1977) a respeito da eficácia doutrinal dos rituais. Na sua preocupação em definir as possibilidades de se trabalhar com a idéia de rituais seculares, as autoras procuram pensar a correspondência entre a eficácia doutrinal dos rituais religiosos, derivada de seu corpo doutrinário, e sua eficácia operacional. Ou seja, no caso dos rituais religiosos, a sua eficácia simbólica seria produzida a partir do complexo entroncamento entre seus recursos formais (repetição, estilização etc.) e um sistema mais amplo de crenças e idéias postuladas. As cerimônias seculares, porém, ao contrário das religiosas, não precisam estar necessariamente ligadas a ideologias elaboradas, o que pode tornar sua conexão com outros elementos da cultura mais difícil de ser estabelecida.

No caso das cerimônias cívicas em questão, há uma preocupação doutrinal em jogo: nos interessa destacar que sua eficácia discursiva pode ser percebida através das seqüências de matérias jornalísticas e também das palestras programadas para a transmissão na "Hora do Brasil" que antecedem as cerimônias.

À direção doutrinal, explicitamente colocada na produção de uma história da nacionalidade e da eleição de mitos para esta história, combinam-se elementos mnemônicos e estéticos, como a composição de alegorias e desenhos. Assim, o desejo de "gravar no espírito" pode ser lido como a eficácia doutrinal desejada, que deve ser obtida não apenas através das atividades em cada escola, mas do próprio sentido de sintonia entre estas atividades que, padronizadas e semelhantes em cada uma delas, encontrariam nos desfiles seu momento apoteótico e sintético.

Os relatos publicados pela imprensa em 1938, tomando o texto do *Correio da Manhã* como padrão, chamam a atenção por apresentar uma recorrência: eugenia e raça são os temas que conduzem a estruturação discursiva das cerimônias. Em especial o *Desfile da Mocidade e da Raça* foi descrito como um evento em que se demonstrava o vigor racial do jovem brasileiro. Neste ano, o jornal assim comentou o desfile:

> "Quem observou com atenção o tipo racial e eugênico dos meninos e rapazes, que, aos milhares, no dia de anteontem encheram as lindas praças do centro da cidade e que com garbo irrepreensível, para suas idades, foram passados em revista pelas mais altas autoridades administrativas do país, não pode deixar de se ufanar e se vangloriar com a depuração étnica que vem se processando lenta e gradativamente em nossos meios" (*Correio da Manhã*, 06/09/38, p. 3).

O relato prosseguiu comentando sobre a formação racial do Brasil, sobre os "três troncos primordiais que constituem a coluna mestra de nossa formação como povo" e sobre a novidade étnica que foi a recente chegada de novos imigrantes europeus. O comentário eugenista completou-se quando, associado ao tema da raça, encontramos um elogio à beleza atlética dos desfilantes e à sua condição de "civilizados".

> "Não pode deixar de ser, pois, senão com maior satisfação e entusiasmo que vemos meninos de muitas escolas desta capital, associações

atléticas e corporações esportivas, passarem diante de nós, com o mesmo viço e vigor que o fariam em qualquer nação, das mais adiantadas, cultivadas e civilizadas do globo" (Idem, p. 5).

A categoria "raça", social ou biologicamente, tinha, nas primeiras décadas do século XX, uma grande operacionalidade. Em regiões com história colonial e experiência com deslocamentos populacionais, tenham sido seus habitantes colonizadores, colonos ou colonizados, a raça foi um conceito importante para a ordenação das diferenças surgidas no decorrer destes processos. A forma como o tema foi tratado nesta matéria demonstrava as peculiaridades do seu desenvolvimento no Brasil.

Pode-se notar que a interpretação da formação racial tripartida já era comum, a ponto de ser mencionada com familiaridade na imprensa. A banalização do discurso racial na imprensa acompanhava sua presença, igualmente relevante, nos debates acadêmicos e intelectuais. O comentário feito sobre o desfile pode ser associado aos debates que, nesse momento, tomavam conta do campo, processualmente em formação, da Educação Física. A conjunção entre os termos "civilidade", "civismo", vigor físico" e "eugenia" estava presente nas primeiras especulações da disciplina. A partir de 1938, o *Desfile da Mocidade e da Raça* torna-se prioritariamente um evento atlético, uma demonstração de civismo e civilidade dos jovens escolares nacionais.

A expressão "nação civilizada" remetia, no caso das cerimônias (inclusive a *Hora da Independência),* muito mais à idéia de civilidade do que de civilização. Entre os escolares brasileiros, desde a década de 1920 circulavam manuais de "primeiras noções" com informações básicas sobre gramática, aritmética, história nacional, geografia, ciências. Em um destes livros didáticos, publicado em Porto Alegre e na sua 13° edição em 1936 (o que atestaria uma carreira editorial bem sucedida), o autor coloca ao lado das disciplinas escolares o item "civilidade". Numa dinâmica de perguntas e respostas são listadas 26 regras de civilidade que constituem as primeiras noções que todo jovem deveria saber: a metade delas está relacionada com formas de asseio e disciplina com o corpo e a outra metade com modos de comportamento público.

A civilidade era definida como um conjunto de atenções e delicadezas próprias de modo a tornar amável e agradável o nosso trato com o próximo.

Acompanhando Elias (1993), podemos dizer que as regras de civilidade estariam associadas a uma preocupação com a redução do grau de violência na interação entre os indivíduos e grupos sociais. Esta preocupação parece coerente com o grau de instabilidade pública vivido pelo país. Ao longo da década de 1930 foram inúmeros os momentos de crise, inclusive com a breve experiência de guerra civil em 1932.

Entre as formas de civilidade dispensadas ao corpo, o autor lista aquelas que deveriam ser dispensadas à cabeça, ao rosto, aos olhos, ao nariz, à boca, às mãos e ao porte. Para todos os casos as regras prescreviam autocontrole e obediência. A cabeça deveria "ficar direita e naturalmente levantada", o rosto deveria respirar "doce gravidade e singela modéstia, evitando o ar carrancudo, severo, próprio para nos tornar aborrecidos ao próximo", os olhos não deveriam fitar com atrevimento pessoas respeitáveis e ao nariz caberia procedimentos que garantissem seu asseio e silêncio ("assoar-se com lenço sem fazer ruído"). As mãos não deveriam permitir o contato indiscriminado, – "não devemos apertar a mão a todos" –, e "só apresentaremos a mão a um superior, se ele primeiro nos dá este sinal de bondade". As prescrições de contenção visando disciplinar o corpo contra os excessos e a sujeira estão acompanhadas das prescrições de comportamento público: como proceder na sala de aula, em visitas, na igreja ou no recreio. Nas três primeiras a recomendação é pelo silêncio e pela imobilidade: na visita a outras casas deve-se "esperar na sala evitando cantarolar, assobiar, tocar nos móveis, ou olhar pela janela" (*Correio de Manhã*, 05/09/1939. p.1). No recreio, local de aparente liberdade, o aluno deveria ser "moderado, próprio a descansar o espírito". Estas prescrições não seriam distintas daquelas publicadas pelos jornais às vésperas das concentrações escolares. As regras de imobilidade e silêncio, como já foi dito, eram centrais para o desenvolvimento da *Hora da Independência*.

Considerações finais

Deste modo, a cultura cívica do Estado Novo pode ser alinhada no interior de um amplo e até então disperso esforço, presente em diversos setores da sociedade brasileira, para a sua pacificação. Podemos dizer que as práticas escolares, as cerimônias e as narrações da mídia constituíram um *com-*

plexo pacificador que atuou no sentido de *capilarizar* as formas de autocontenção individuais. O aprendizado da disciplina corporal, do asseio e do silêncio foi apresentado nessas cerimônias, ao mesmo tempo, como procedimento civilizado e cívico de uma raça em formação.

Em 1939, o tema da raça reduziu sua presença nas descrições da imprensa e o centro da festa passou a ser a exaltação à disciplina. A beleza do desfile, sua espetacularidade, não seria mais associada apenas à expressão de beleza racial e eugênica dos jovens, mas também ao rigor das fileiras, à sincronia dos movimentos e ao comportamento disciplinado. A disciplina física destes jovens é a segurança de uma nação forte e em paz. Deste modo, o *Desfile da Juventude* comemora o corpo saudável e ordenado da comunidade política nacional, enquanto que a *Hora da Independência* seria uma demonstração de sincronia e harmonia entre o Estado e a nação.

> "A Parada da Mocidade, levada a efeito anteontem, domingo, sob os auspícios do Ministério da Educação, foi uma festividade cívico-educativa realmente empolgante. O dia de sol amanheceu propício àquela esplêndida demonstração da raça brasileira. Todos os colégios e demais instituições de ensino, que tomaram parte no grandioso desfile, portaram-se admiravelmente, denotando o seu entusiasmo pela idéia que os reunia numa demonstração de disciplina tão completa. Através das ruas e avenidas, marchando ao som de músicas marciais, a juventude de nossas escolas mostrou a sua galhardia e a sua saúde, provocando o aplauso da multidão que se comprimia para bater palmas à sua passagem" (*Correio de Manhã*, 05/09/1939, p.1).

O tema da disciplina e da ordem dos desfilantes ou dos cantores tornou-se o principal valor exibido e encenado nas concentrações juvenis. Jovens silenciosos, demonstrando respeito, obediência e veneração, exibindo corpos imóveis ou movimentando-se dentro das prescrições das regras de civilidade, eram recebidos com aplauso e entusiasmo pelo público. A aprovação do público dava uma amplitude e legitimidade àquelas regras de civilidade aprendidas na escola. A civilidade tornava-se um atributo da raça e um patrimônio da nação.

Aos meios de comunicação competia narrar e reproduzir esta experiência, registrando-a e estendendo-a para além do tempo real de sua realização. Suas narrativas, escritas ou visuais, descreviam a emoção pela disciplina completa, a excitação pela demonstração de ordem, coordenação e exatidão de movimentos. O complexo discursivo constituído pelas escolas-cerimônias-meios de comunicação espetacularizou a disciplina dos corpos em desfile, elevando-os à condição de *atos admiráveis*. A exatidão coordenada dos movimentos e das vozes dos jovens escolares era qualificada por adjetivos do âmbito do maravilhoso, a multidão que assistia aplaudia deslumbrada este feito da "mocidade nacional".

Nestes dois anos em que o Ministério da Educação e Saúde consolidou seu controle sobre as cerimônias juvenis, estabeleceu-se um *centro cerimonial exemplar* em torno da *Semana da Pátria* no qual o *Desfile da Mocidade e da Raça* e a *Hora da Independência* tiveram um papel de destaque. Esta centralidade foi possível graças à construção do extenso complexo discursivo que abrangia a escola, a cerimônia propriamente dita e os meios de comunicação.

Uma última questão que precisa ser abordada quanto ao *complexo de cerimônias* constituído pelas cerimônias centrais e periféricas, bem como quanto ao papel dos jornais neste contexto, diz respeito aos diferentes públicos envolvidos. A eficácia doutrinal das cerimônias se oferece de forma desigual aos diferentes tipos de público que delas participam de uma forma ou outra, já que os jornais e as escolas fornecem elementos que serão partilhados por um circuito amplo, porém bastante demarcado de pessoas. A convocação do maior número possível de populares para participarem das cerimônias é feita não apenas através dos jornais ou de instituições, mas também com a utilização de rádio e a distribuição de papeletas e cartazes.

Desse modo, a composição do público que participa destas cerimônias é bastante heterogênea. Uma primeira divisão deste público pode ser feita em termos daqueles que estão presentes aos locais das cerimônias e dos que as acompanham apenas através de jornais ou rádios. Esta divisão, muito embora não dê conta de todas as variáveis internas que possam existir (como entre os graus de emoção dos que ouvem no rádio os cantos orfeônicos, por exemplo), coloca questões interessantes para a possibilidade de se pensar os limites dos rituais políticos de massa.

Se o que dá sentido aos rituais políticos é, como coloca Kertzer (1988), a ligação que propiciam entre o indivíduo e universos simbólicos mais abrangentes (o Estado, a nação), a participação através de meios indiretos com certeza tem impacto diferente da participação direta. O acompanhamento apenas pelos jornais, por exemplo, permite em princípio um distanciamento que o impacto estético do ritual pretende diminuir. Usando uma parte da crítica de Gluckman à idéia de ritual secular, ou seja, que o ritual não permitiria a existência de um público espectador, não participativo, é possível supor um *continuum* de participações distribuído entre os vários meios de transmissão e construção do ritual.

Um "ponto zero" deste *continuum* seria a possibilidade de absoluto desconhecimento das cerimônias, dificilmente realizável na medida em que o esforço de torná-las conhecidas envolve tantas instâncias de comunicação e, como já foi dito, a suspensão absoluta do cotidiano da cidade. Um ponto seguinte seria o conhecimento parcial de seu significado, como o evento que está sendo comemorado ou o nome da cerimônia. O nível de detalhamento e aprofundamento destas informações deve variar, a partir daí, do grau de contato com as diferentes instâncias de divulgação e construção desta "lógica cerimonial" (escolas, agremiações, jornais, rádio, papeletas etc.). Em todas estas etapas é possível supor uma participação apenas como espectador, muito embora a participação em cerimônias periféricas, como as realizadas pelas escolas, já promova um tipo de adesão mais direta. Ou seja, mesmo não participando dos desfiles principais, os alunos que participam das solenidades escolares são remetidos, ainda que indiretamente, às cerimônias centrais.

A partir do momento em que haja o comparecimento às cerimônias, a posição de "mero espectador" tende a ser mais difícil. Isso porque entram em jogo as estratégias de "eficácia operativa", ou seja, os elementos estéticos e formais visando criar sentimento e adesão emocional em todos os presentes, além do que todos os participantes, sejam desfilantes ou não, são parte cênica do ritual. O comportamento do público, o número de presentes e os procedimentos de chegada e saída do local são parte da cerimônia como um todo, sendo difícil demarcar uma oposição entre participantes e espectadores. Como o que está sendo encenado é, no limite, a própria unidade nacional, há relações de hierarquia e centralidade (como no caso da existência do palanque), assim como existem destaques simbólicos (participação de militares e alunos, por exemplo), mas não há uma oposição total entre "platéia" e "atores principais". A "platéia" é parte do drama encenado, na medida em que representa a totalidade nacional como uma unidade coesa e massiva.

A avaliação sobre o "sucesso" das cerimônias passa, deste modo, não apenas pelos recursos estéticos utilizados, mas pelas considerações sobre seu impacto no público. Os meios de comunicação (jornais, rádio e cinema) assumem as cerimônias como um "dar a ver" do sentimento de nacionalidade exatamente na medida em que não a oferecem apenas como um espetáculo de entretenimento ou com efeitos estéticos e emocionais que possam ser tomados como "artificiais". A "espontaneidade" da cerimônia, sentido perseguido em todas as narrações produzidas, estava centrada na conjunção entre público (e isso deve, no limite, incluir o público não presente fisicamente), desfilantes e o Estado como ordem política.

Assim como Geertz (1991) enfatizava a imobilidade do rei de Bali na cerimônia do Negara, aqui também algo semelhante se deu. No entanto, de forma inversa, não foi sobre o corpo do rei que caíram as normas de interdição dos movimentos. O rigor gestual da marcha e o silêncio, que deveria ser obedecido por desfilantes e cantores, tornaram-se o índice fundamental para mensurar o sucesso dos eventos. A disciplina de corpos que não se mexem nem falam desordenadamente era o que se procurava construir, exibir e narrar. As cerimônias aglutinaram estas ações e as tornaram espetáculos de admiração e de excitação públicas. Com corpos assim regrados seria possível esperar por um futuro ordeiro e sem conflitos.

Referências bibliográficas

CONNERTON, Paul. *How societies remember*. Cambridge: Cambridge University Press, 1989.

KERTZER, David. *Ritual, Politics and Power*. New Haven and London: Yale University Press, 1988.

ELIAS, Norbert. *O Processo Civilizador*. Rio de Janeiro: Zahar, 1993.

FALASCA-ZAMPONI, Simmoneta. Facist spetacle. Los Angeles: University California Press, 1997, p. 2.

GEERTZ, Clifford. *Negara – O Estado teatro no século XIX*. Lisboa, Difel, 1991.

MOORE, Sally F. e MYERHOFF, Barbara G. (eds). *Secular Rituals*. Amsterdam, Van Gorcum, 1977.

PARADA, Maurício. *Educando Corpos e criando a nação: cerimônias cívicas e práticas disciplinares no Estado Novo*. Rio de Janeiro: Tese de Doutorado em História Social. UFRJ, 2003.

WLLIAMS, Daryle. *Making Brazil Modern: political cultures and cultural politics under Getúlio Vargas, 1930-1945*. Stanford: Tese Phd., 1995.

Uma memória da normatização da conduta feminina na imprensa[3]

*Lucia M. A. Ferreira**

Admite-se hoje que, imersa na vida social, a mídia faz muito mais do que apenas refletir o imaginário, os acontecimentos do cotidiano e as tendências da mudança social. Muito além disso, ela constitui-se em instância semantizadora que poderá propiciar a inscrição dos acontecimentos no espaço da memória social. Neste processo, os discursos produzidos nos meios de comunicação configuram-se como instância de saber sobre o sujeito, muitas vezes construindo os lugares a partir dos quais nos posicionamos como indivíduos e a partir dos quais podemos falar.

É nesta perspectiva que se orienta a reflexão que este artigo pretende suscitar acerca dos sentidos construídos sobre a mulher no espaço público

---

[3] Este trabalho apresenta reflexões de uma pesquisa em andamento que recebeu apoio financeiro do CNPq. Para a pesquisa das fontes primárias na Biblioteca Nacional, contribuíram Josiane S. de Alcântara (IC-Faperj) e Hendy H. Maciqueira de Melo (IC-Pibic).

* Doutora em Lingüística pela Universidade Federal do Rio de Janeiro e professora adjunta da Universidade Federal do Estado do Rio de Janeiro, onde atua como docente no Programa de Pós-graduação em Memória Social. Na pesquisa, dedica-se a examinar, de uma perspectiva interdisciplinar, a relação entre o discurso e a memória social nas práticas discursivas da imprensa, em especial as que tematizam a figura feminina. Os resultados da pesquisa estão publicados em capítulos de livros e periódicos especializados. Publicou o livro *Linguagem, Identidade e Memória Social* (em colaboração). (lmaf@connection.com.br)

da imprensa escrita. Das possíveis indagações acerca dos efeitos de sentido produzidos, interessam principalmente as que dizem respeito à possível inscrição dos sentidos na memória, num processo simbólico que, na ótica de Pêcheux (1999, p. 49-50), permite que um acontecimento histórico, descontínuo e exterior venha a se "inscrever na continuidade interna, no espaço potencial de coerência próprio a uma memória".

Se na contemporaneidade o discurso jornalístico ocupa, cada vez com maior intensidade (e muita crítica), o papel institucional de produzir sentidos passíveis de inscrição na memória social, é fundamental desnaturalizar este discurso, examinando de que modo vem a instituir-se e a produzir os efeitos de verdade e consenso que muitas vezes acabam por orientar nossas ações e nosso pensar. Embora marcadas historicamente por tensões, as operações do fazer jornalístico se apagam para o leitor, que então toma o discurso, em seu efeito de transparência, como verdade e consenso.

A argumentação desenvolvida neste trabalho parte da análise de matérias jornalísticas que tematizam a mulher, produzidas em diferentes momentos da nossa história. O pressuposto de base é que estas matérias são exemplos de enunciações construídas no espaço público da imprensa que, por força dos efeitos de verdade que produzem, vêm a atuar na institucionalização social de sentidos sobre a mulher. Das indagações ao *corpus*, composto de textos produzidos no final do século XIX, em meados do século XX e no início do século XXI, depreende-se que, nos sentidos postos em circulação pela imprensa, inscreve-se também a sua historicidade, um saber discursivo que vai se construindo na história e constituindo uma memória. No caso em pauta, não apenas uma memória das operações de discursivização da imprensa, mas também da constituição de um sujeito feminino no discurso da imprensa.

O sujeito, a língua e a história

> O sujeito é sempre e, ao mesmo tempo, sujeito da ideologia e sujeito do desejo inconsciente e isso tem a ver com o fato de nossos corpos serem atravessados pela linguagem antes de qualquer cogitação (Paul Henry, 1992, p. 188).

O sujeito de que nos fala a epígrafe é, portanto, dividido desde a sua constituição, pois se não "sofrer os efeitos do simbólico, ou seja, se ele não se submeter à língua e à história ele não se constitui, ele não fala, não produz sentidos" (Orlandi, 1999, p. 49). É justamente desta relação necessária do sujeito com a língua e com a história que resultará seu vínculo com a formação ideológica e discursiva que lhe apontará o que é da ordem do enunciável. No processo, se estabelece uma identificação simbólica com determinados significantes que, por sua vez, se relacionam entre si, produzindo um efeito de consistência e coerência imaginárias para o sujeito, que se coloca então na origem do que diz. Apaga-se para ele o fato de que está imerso em práticas histórico-discursivas já estabelecidas. O processo de interpelação ideológica, no entanto, não pressupõe a impossibilidade de ruptura e resistência. Pode haver falhas por onde "formas de aparição fugidias de alguma coisa 'de uma outra ordem' (...) colocam em xeque a ideologia dominante tirando partido de seu desequilíbrio" (Pêcheux, 1997, p. 301).

O sujeito enuncia a partir das formações imaginárias de seu grupo social, afetado pelos muitos discursos que o constituem e que se constroem no interior de formações discursivas em constante processo de estabilização e desestabilização, pois são permanentemente invadidas por sentidos oriundos de outras formações discursivas "sob a forma de pré-construídos e 'saberes' partilhados socialmente, cuja historicidade se apaga para o sujeito" (Mariani, 1999, p. 32).

Estes pressupostos trazem desdobramentos importantes para a análise aqui proposta. Em primeiro lugar, estamos diante de matérias publicadas na imprensa, ou seja, diante de práticas discursivas construídas a partir da ilusão da informação verdadeira, objetiva, neutra, imparcial, transparente, produzidas no interior de um aparato discursivo que não permite que as operações discursivas sejam facilmente percebidas pelo leitor. Como bem observa Mariani (1999, p. 111), "O discurso jornalístico, como qualquer outro discurso, é produzido em condições históricas de confrontos, alianças, e adesões que gerenciam e constituem as interpretações produzidas". O que ocorre é que a relevância das interpretações colocadas em circulação na imprensa está inscrita no imaginário, é pré-significada antes mesmo que com elas tenhamos qualquer contato. No entanto, estão apagados para o leitor os processos de significação constitutivos de sua historicidade, que levam à naturalização e institucionalização dos sentidos colocados em circulação.

O trabalho da memória discursiva e a construção de sentidos

A memória discursiva seria aquilo que, face a um texto que surge como acontecimento a ler, vem restabelecer os "implícitos" (quer dizer, mais tecnicamente, os pré-construídos, elementos citados e relatados, discursos transversos, etc.) de que sua leitura necessita: a condição do legível em relação ao próprio legível (Pêcheux, 1999, p. 52).

Mas como estes pré-construídos, 'ausentes por sua presença', estariam disponíveis na memória? Toda e qualquer construção de sentidos depende de outros sentidos já fixados na memória por efeito de regularizações anteriores. Pêcheux nos fala de um efeito de série e diz que uma regularização se iniciaria da repetição, das remissões, das retomadas e efeitos de paráfrase, mas adverte que a regularização discursiva é "sempre suscetível de ruir sob peso do acontecimento discursivo novo, que vem perturbar a memória" (p. 52) e que, deslocando os implícitos associados ao sistema de regularização anterior, poderá constituir uma nova série, produto do acontecimento. O choque do acontecimento faria sempre atuar um jogo de força na memória: um visa manter uma regularização preexistente, bem como dos implícitos veiculados, e negociar a integração do acontecimento; o outro, ao contrário, visaria uma desregulação que vem perturbar a rede de implícitos. Pêcheux conclui então que a memória "é necessariamente um espaço móvel de divisões, de disjunções, de deslocamentos, e de retomadas, de conflitos e de regularização... Um espaço de desdobramentos, réplicas e contradiscursos" (p. 56).

Na mesma linha de raciocínio, Courtine (1999, p. 18-9) nos fala de um espaço interdiscursivo onde "ressoa uma voz sem nome" e de enunciados pré-construídos dos quais o sujeito enunciador se apropria durante a enunciação. Esta apropriação poderá causar um efeito de consistência, ou, pelo contrário, um efeito de inconsistência, de ruptura, descontinuidade.

O que foi dito acima acerca do trabalho da memória nos ajuda a estabelecer algumas diretrizes para uma análise discursiva da memória. O que se pretende neste tipo de indagação é entrever que processos discursivos são mobilizados para que determinados sentidos se tornem hegemônicos e de que forma sua historicidade se inscreve na materialidade textual. Será necessário então considerar os fatores que permitiram sua hegemonia e inscrição na memória social, assim como perceber de que forma se marcam as resistências.

Os recortes analisados

As interpretações construídas no âmbito da imprensa, em decorrência de sua histórica inserção no tecido social, podem vir a atuar na institucionalização e inscrição dos sentidos na memória social. Focalizando mais pontualmente o objeto de minha reflexão, penso que alguns dos sentidos relacionados à figura feminina colocados em circulação em matérias jornalísticas em diferentes momentos da nossa história, ao longo de um período de cerca de 130 anos, embora atravessados por diferentes discursos, estão cristalizados na memória social. Para desenvolver este argumento e melhor compreender a que formações discursivas filiam-se estes sentidos, analiso recortes de matérias publicadas em periódicos brasileiros em diferentes períodos: (a) dois artigos publicados no periódico *O Echo das Damas*, da imprensa feminina do final do século XIX; (b) duas matérias de meados do século XX, portanto anteriores ao movimento feminista, publicadas, respectivamente, na revista Grande Hotel, em 21/10/1958, e no jornal *Correio da Manhã*, em 30 de dezembro de 1959; (c) uma matéria publicada no periódico *Você S/A*, da editora abril, em agosto de 2006, quarenta anos após a eclosão do feminismo.

Diante deste pequeno *corpus* analítico, as seguintes perguntas se impõem: em primeiro lugar, se supomos ser o discurso jornalístico um lugar de saber sobre o sujeito, que lugares são construídos para o sujeito-mulher nos textos? A segunda indagação diz respeito à inscrição dos sentidos na memória. Que implícitos são veiculados e de que forma contribuem para uma regularização dos sentidos na memória discursiva?

Ecos do final do século XIX

> Se o homem trabalhar fóra de casa (e d'estes é o maior número) os desvelos da esposa devem prevenir-lhe a hora da chegada, tendo-lhe promptas as refeições, a roupa fresca no verão, conchegada no inverno, os sorrisos, as expressões que o indemnisem das fadigas diurnas.

O esquecimento d'estes deveres póde trazer innumeras consequencias desagradaveis e funestas para a moralidade e para o bem estar das famílias (*O Echo das Damas*, 4 jan. 1888[4]).

O trecho da epígrafe foi extraído de em um artigo intitulado "Deveres da mulher: no interior da sua casa", publicado pelo periódico *Echo das Damas*, da imprensa feminina do final do século XIX, editado por Amélia Carolina da Silva Couto e que circulou na Corte de 1879 a até pelo menos 1888. O âmbito de atuação do periódico é definido no subtítulo: "orgao dos interesses da mulher, critico, recreativo, scientifico e litterario" e em suas páginas foram publicadas matérias de diferentes matizes.

Se a imprensa feminina do século XIX é vista como "um canal de expressão para as sufocadas vocações literárias das mulheres" (Buittoni, 1990), em suas páginas também ecoavam os discursos de reforma e modernização social fortemente calcados na organização e moralização da família. Muitas das matérias publicadas consistiam em recomendações à mulher em seu papel de mãe e esposa. No trecho da epígrafe essas recomendações detalham o elenco de 'deveres' impostos à mulher para garantir o conforto do marido e a moralidade do lar.

Eram também freqüentes, no mesmo periódico, matérias em que se criticava a pouca atenção dada à educação feminina. Na edição de 4 de janeiro de 1888, era também publicado um artigo intitulado "As mães", onde se lia:

> Se as mães teem, pois, a parte mais importante e séria na educação da primeira idade, que é quando se formam o gosto e as observações que toda a vida nos encaminham; justo é que o seu desenvolvimento physico, moral e intellectual não seja mais comprido nos athrophiadores moldes; que nos legou a idade media.
>
> *O Echo das Damas*, 4 jan. 1888

Como na maioria dos periódicos femininos que clamavam por melhores condições de educação para a mulher, a reivindicação era freqüentemente

---

[4] Na medida do possível, foi mantida a grafia com que os textos foram publicados. É provável, no entanto, que haja algumas inconsistências já que foram copiados à mão do acervo da Biblioteca Nacional.

justificada pela necessidade de educação dos filhos, na medida em que a 'atrofiada' educação da mãe não poderia atender às demandas de modernização da sociedade com relação ao desenvolvimento infantil.

Ecoam então, no periódico, materializadas muitas vezes em textos assinados por mulheres, as vozes dos higienistas e pedagogos, reformadores sociais do período, que vinculavam a modernização e o desenvolvimento urbano à modificação do comportamento familiar.

O espaço discursivo de *O Echo das Damas* era bastante heterogêneo e nele também eram abordados temas polêmicos, como a questão religiosa, debate acalourado entre os defensores da influência do catolicismo nos assuntos do Estado e os liberais, que defendiam as reformas de modernização do país.

Em atitude de clara oposição à influência moral da igreja, a articulista que assina a matéria intitulada "Questão religiosa", no dia 3 de agosto de 1880, por exemplo, exorta a mulher a abandonar o fanatismo encorajado pela igreja católica: "A mulher está, pois totalmente acorrentada ao negro pelouro do jesuitismo, essa hydra que é necessario esmagar." A forte crítica ao comportamento conservador feminino, vinculado ao atraso promovido pela adesão às teses da Igreja, aponta para o desfecho futuro das discussões acerca da questão religiosa. Os embates parlamentares culminaram em 1890, com a aprovação dos decretos relativos à separação entre Igreja e Estado e à instituição do casamento civil, que passava a ser atribuição da República.

O espaço discursivo da imprensa feminina do final do século XIX, em sua heterogeneidade, construía, na maioria das vezes, discursos baseados nas teses de modernização do país e na necessária reconfiguração dos papéis sociais femininos nessas transformações. Na confluência de diferentes formações discursivas – liberal, republicana, abolicionista, positivista, médico-higienista, dentre outras – era construída discursivamente a imagem da mulher-esposa-mãe burguesa, cuja educação era condição necessária para que pudesse ser responsável pela higiene e moralização do lar e pela regeneração dos costumes, condições necessárias para o desenvolvimento do país. Para tal, no entanto, era necessário redefinir e reajustar a conduta da mulher aos novos tempos. A imprensa feminina, ecoando as vozes reformadoras, construiu discursos normatizadores de sua conduta no lar, na educação dos filhos e na formação da sociedade.

Os anos 50

(a) A mulher que trabalha não deve levar uma vida de reclusa. Deve ter tempo e possibilidade (...) de se dedicar às distrações que preferir. Mas para isso é preciso que saiba organizar bem o seu dia (...). Trata-se, portanto, de um problema de organização (*Grande Hotel*, 21 out 1958).

(b) Uma personalidade formada de um pouco de vaidade, um pouco de coqueteria, um pouco de malícia risonha, um pouco de ternura, um pouco de abnegação. E muito, muito de feminilidade (*Correio da Manhã*, 30 dez 1959).

O primeiro recorte da epígrafe foi publicado na *Revista Grande Hotel – a mágica revista do amor*. Herdeira da tradição folhetinesca, que tanto marcou a relação entre a imprensa e a literatura no final do século XIX, *Grande Hotel*, cuja publicação estendeu-se por mais de 30 anos a partir da década de 40 do século passado, foi responsável pela introdução do gênero fotonovela entre nós. Na edição examinada neste trabalho, de 21/10/1958, foram também publicados capítulos de histórias ilustradas com desenhos, fotorromances e contos. A edição também apresentava seções de horóscopo, receitas culinárias, cinema, letras de canções famosas, humor, moda e colunas de conselhos às mulheres. Quanto à publicidade, anúncios de produtos de beleza e higiene pessoal, moda, produtos de alimentação infantil, produtos de limpeza e medicamentos. O exemplo encontra-se em uma coluna de conselhos ao público feminino, "De Eva para Eva", publicada regularmente. O texto, publicado na página 28 da edição examinada, intitulava-se "Organize bem o seu dia".

Lembrando que a mulher que trabalha não deve se tornar reclusa, o texto recomenda que ela deve organizar-se para dedicar-se também às atividades que lhe dêem prazer, como ir ao cinema e ao teatro. A matéria apresenta um cronograma ideal das atividades cotidianas da mulher organizada: levanta-se às 7 horas e, enquanto toma banho, aquece a água do café e começa a preparar a refeição do meio-dia. Às 7:30 toma o café da manhã na companhia do marido, da mãe e dos filhos. Às 7:45 faz a cama e a limpeza do quarto e dá uma olhadela nos alimentos no fogo. Às 8:15 está vestida, tira a mesa e prepara-se para sair de casa. Ao longo do texto é apresentada uma detalhada relação de tarefas domésticas com recomendações dos horários em que devem ser executadas. A organização permitirá à mulher cuidar melhor de si, inclusive tendo tempo para dedicar-se às atividades sociais. Se não acordar cedo, será obrigada a ficar acordada até tarde para cumprir as obrigações domésticas que negligenciou durante o dia. Assim, a revista apresenta a agenda ideal da mulher moderna, que precisa dar conta das suas obrigações no lar e no trabalho, conforme as demandas da ordem política, econômica e social vigentes.

Como instância semantizadora de sentidos sobre mulher, a revista *Grande Hotel* apresenta-se como lugar de saber e autoridade, distribuindo e agendando espaços de dizeres possíveis, a partir de um imaginário já constituído. Para a mulher, são construídas diferentes posições de sujeito: trabalha fora; aprecia o cinema e o teatro; tem inúmeras tarefas domésticas, mas, carecendo de capacidade organizacional para que possa efetivamente cumprir todas as expectativas da agenda que lhe é imposta pela ordem social, necessita ter sua conduta normatizada. Este processo, que se vincula a uma memória já institucionalizada, no entanto, apaga-se tanto para o sujeito que enuncia quanto para o leitor.

A segunda epígrafe deste segmento apresenta um recorte de matéria publicada na coluna feminina do periódico *Correio da Manhã* de 30 de dezembro de 1959, escrita por Clarice Lispector, que na época se assinava Helen Palmer. No texto[5], os atributos sedução e feminilidade são apresentados como armas necessárias para que a mulher possa conquistar o homem. Se a sedução começa com os cuidados com a aparência física, é também preciso formar uma "personalidade cativante" onde a alegria, a delicadeza e a feminilidade dos gestos despontam como principais atributos. Os homens fogem das muito tristes e das que adotam "liberdade exagerada de linguagem ou de maneiras (...). Até hoje não conheci um só homem que não confessasse preferir a feminilidade a todas as demais virtudes da mulher".

No texto, didático, normatizador, é proposto um jogo de sedução feminina que tem como meta inquestionável a conquista do homem. Vinculada

---

[5] O texto encontra-se publicado em NUNES, Aparecida (org). *Clarice Lispector – Correio feminino*. Rio de Janeiro: Rocco, 2006.

a uma rede de sentidos pré-construídos sobre a mulher e sobre a sua mítica trajetória de conquistadora e detentora de poderes mágicos de sedução, a interpretação produzida no texto circunscreve o universo feminino à conquista e ao jogo de ocultações, pelos disfarces necessários à empreitada. Afinal, conforme as configurações das relações de poder vigentes, o caminho para a realização feminina passa necessariamente pelo casamento e pela constituição da família. Ressoa, então, 'a voz sem nome' de que fala Courtine, espaços de enunciados pré-construídos dos quais o sujeito enunciador se apropria para construir o efeito de consistência e coerência do discurso. A legitimação pelo discurso jornalístico dos sentidos já inscritos no imaginário, tem, decerto, um valor significativo, orientado para a reprodução do modelo proposto.

As vozes do século XXI

> Parece exagerado, mas vou deixar duas obras para o mundo: os meus filhos, que serão cidadãos de bem, e os sistemas que eu construí. Sem esses grandes significados, o que eu faço perde a graça (*Você S/A,* ago 2006).

O último texto foi publicado nas páginas 20 a 27 da edição de agosto de 2006 da revista *Você S/A*, periódico mensal da editora Abril voltado para o mundo corporativo. Segundo a diretora de redação, na página 9, "é a terceira revista mais lida pelos presidentes de empresas no Brasil", perdendo apenas para as revistas *Veja* e *Exame*. Ainda segundo a redatora, a revista quer falar àqueles que desejam pensar a própria carreira, "profissionais que já conquistaram muito, mas querem ainda mais". A maioria dos textos traz perfis de profissionais bem-sucedidos. A matéria examinada intitula-se "Eu amo tudo que faço" e destaca o perfil de três executivos bem-sucedidos, duas mulheres e um homem. A matéria, composta de narrativas na 3ª pessoa e em narrativas pessoais, na 1ª pessoa, é fartamente ilustrada com fotos dos três personagens em diferentes momentos: em casa, no trabalho, na academia. Os recortes selecionados para a análise são as narrativas pessoais que aparecem em boxes no corpo da matéria e que pontuam a trajetória profissional e o cotidiano das duas mulheres.

Uma das entrevistadas, formada em administração, trabalha como gerente de marketing de um grande laboratório farmacêutico. Afirma trabalhar 12 horas por dia, sem sacrificar a vida pessoal. Faz ginástica quatro vezes por semana (inclusive 6ª feira à noite) e vai a festas durante a semana, mesmo sabendo que estará cansada no dia seguinte. Janta com o marido num bom restaurante toda terça-feira e com freqüência vai ao cinema. Por ser mulher, precisa fazer unha, cabelo, depilação porque o mercado exige e porque tem marido: "não posso me largar". Mas tanta dedicação traz a sua recompensa: "Tenho uma boa remuneração e ela me dá independência. Comprei meu apartamento e cada centavo saiu do meu bolso."

A outra mulher, formada em ciência da computação, lidera 19 executivos. Trabalha 11 horas por dia, enfrenta 80 km de viagem até o trabalho e, devido à natureza de sua atividade, pode ter que trabalhar de madrugada. Mesmo assim, não negligencia a vida pessoal. Participa de maratonas, corre, joga tênis e come pizza com os 3 filhos e o marido 3 vezes por semana. Vai à missa aos domingos. Por não conviver muito com pessoas fora do círculo familiar e do trabalho, freqüenta *happy hours*. Também se considera recompensada pela vida que construiu para si e orgulha-se dos filhos e de suas conquistas profissionais (exemplo na epígrafe).

A revista *Você S/A* fala a homens e mulheres que integram o mundo corporativo contemporâneo. O espaço publicitário é ocupado principalmente por anúncios de bancos, empresas de tecnologia e programas de qualificação profissional. Os relatos contêm narrativas em primeira pessoa, que, como parte integrante da reportagem, conferem ao discurso efeito de veracidade. Do imaginário, mobilizam-se sentidos que reconfiguram o universo feminino, que ganhou novas fronteiras, principalmente no que diz respeito à carreira (fala-se da profissional que valoriza a carreira e não da mulher que trabalha fora, como na década de 1950). Integrada ao sistema produtivo, sua (inverossímil) agenda diária indica que procura a realização tanto na esfera privada, junto à família, quanto na esfera pública, no mundo do trabalho, da produção, tornando-se profissional competitiva e consumidora de produtos e serviços extremamente valorizados pelo mercado. Discursiviza-se o cotidiano, condutas e modos de pensar, agenda-se uma interpretação voltada para a manutenção do poder sem que esta rede de filiação dos sentidos e os conseqüentes realocamentos da memória sejam percebidos pelo leitor ou pelo sujeito que enuncia.

As indagações ao *corpus*

Como já dito anteriormente, ao engajar-se nas práticas discursivas do cotidiano, o sujeito interpreta e constrói a realidade, retomando e ressignificando os processos de significação que constituem a sua historicidade, mas que não se iniciaram nele. Isto não significa, contudo, que o sujeito tenha controle sobre este processo. Estabelece-se então uma identificação simbólica com determinados significantes. Esta identificação produzirá um efeito de consistência e coerência imaginárias para o sujeito, que se colocará então na origem do que diz.

Desde a segunda metade do século XIX configura-se um espaço discursivo de fala às mulheres na imprensa em nosso país. É nesta época que surge no Brasil, a exemplo do que já havia ocorrido na Europa, a imprensa feminina, onde, juntamente com figurinos, receitas culinárias, contos e folhetins, foi colocado em circulação, dentre outros, o discurso dos reformadores sociais, que passaram a delinear e a organizar no imaginário um modelo de comportamento para a mulher urbana, tendo como base sentidos socialmente instituídos sobre seu papel como moralizadora na família e na sociedade. Alguns dos periódicos se destacaram também por veicular veementes discursos favoráveis ao sufrágio feminino e por denunciar os preconceitos em que se baseava a negação do direito de voto às mulheres (cf. Ferreira, 2006).

A revista *Grande Hotel*, de meados do século XX, guardava em seu formato alguma semelhança com as publicações do final do século XIX destinadas às mulheres, com folhetins, que funcionavam como estratégia eficiente para manter o interesse das leitoras e garantir a compra da próxima edição. Também como os jornais do século XIX, o espaço da publicidade reservado aos cosméticos, medicamentos e produtos de higiene e limpeza circunscrevia no imaginário o universo ocupado pelas mulheres. Mas os auspiciosos anos 50 do pós-guerra, em meio à crescente expansão do capitalismo entre nós e ao desenvolvimentismo de Juscelino, já promoviam um rearranjo dos sentidos inscritos na memória. A mulher urbana instruída pode (e deve) integrar o sistema produtivo capitalista e para tal se redesenha sua inserção no espaço público do trabalho. O discurso jornalístico contribui para a institucionalização deste sentido de forma didática na matéria da revista *Grande Hotel*. Da mesma forma, na coluna feminina do *Correio da Manhã* reafirma-se no discurso jornalístico a realização da mulher pelo casamento. Para que tenha sucesso na empreitada, deve valer-se de seu poder de sedução. As recomendações da articulista mobilizam pré-construídos que orientam esta interpretação.

Na matéria mais recente, de 2006, percebe-se que alguns dos pré-construídos são de outra ordem. O universo feminino ganhou novas fronteiras, no que diz respeito à inserção no mundo do trabalho. Fala-se de carreira e de satisfação profissional, assim como do consumo de serviços valorizados no mercado. O discurso construído na imprensa reconstitui a agenda do sistema produtivo capitalista.

Apesar da distância temporal que os separa, das diferentes filiações discursivas e históricas e, conseqüentemente, dos sentidos mobilizados em sua construção, percebe-se, nos recortes analisados, um efeito de homogeneização e de naturalização da conduta feminina em direção a uma certa 'necessidade' de controle e normatização. Se nos artigos de *O Echo das Damas* e nas matérias da revista *Grande Hotel* e no *Correio da Manhã* o discurso constrói-se a partir de um lugar de autoridade, de forma didática e normativa, na reportagem de *Você S/A* a estratégia é diferente: os depoimentos pessoais e fotografias promovem o efeito de comprovação da veracidade dos fatos, apelando para a identificação mais direta com os personagens retratados.

Considerações finais

Como afirma Mariani (1998, p. 224),

> Encontra-no discurso jornalístico, uma discursivização do cotidiano que se apaga para o leitor (e para o próprio sujeito que enuncia da posição 'jornalística') e é nesta discursivização – um falar *sobre* de natureza institucional – que os mecanismos de poder vão tanto distribuindo os espaços dos dizeres possíveis como silenciando, localmente, o que não pode ou não deve ser dito.

As representações verbais e imagéticas dos lugares autorizados para o sujeito-mulher nos recortes analisados regularizam-se nas paráfrases e repetições nas diferentes superfícies discursivas, produzindo efeitos de sentido diversos, mobilizando implícitos vinculados às diferentes configurações sócio-históricas do poder. Por outro lado, não obstante as diferenças, alguns sentidos persistem nos diferentes espaços e tempos discursivos, historicizando-se na ordem do discurso jornalístico e inscrevendo-se na memória. Dentre eles, o sentido de que o corpo e a conduta das mulheres precisa e deve ser normatizada, docilizada, no sentido de Foucault (2001), para que ela venha a inserir-se na ordem social vigente. É o interdiscurso, a voz sem nome, aquilo que fala antes e que retorna, para que os sentidos se regularizem e se instaurem na memória.

Referências bibliográficas

BUITONI, Dulcília S. *Imprensa feminina*. S. Paulo: Ática, 1990.

COURTINE, Jean-Jacques. O chapéu de Clémentis. In: INDURSKY, Freda; FERREIRA, Ma. Cristina L. *Os múltiplos territórios da Análise do Discurso*. Porto Alegre: Sagra Luzzatto, 1999. p. 15-22.

FERREIRA, Lucia M. A. A escrita de si na imprensa: exemplos da fala feminina no século XIX". In MARIANI, Bethânia (org). *A escrita e os escritos:* reflexões em análise do discurso e psicanálise. S. Carlos: Claraluz, 2006. p. 109-120.

FOUCAULT, M. *Microfísica do poder*. 16ª ed. Rio de Janeiro: Graal, 2001.

HENRY, Paul. *A ferramenta imperfeita*. Língua, sujeito e discurso. Campinas: Editora da Unicamp, 1992.

MARIANI, Bethania. *O PCB e a imprensa:* os comunistas no imaginário dos jornais 1922-1989. Rio de Janeiro: Revan; Campinas: Ed. da Unicamp, 1998.

_____. Sobre um percurso de análise do discurso jornalístico. In: INDURSKY, Freda; FERREIRA, Ma. Cristina L. *Os múltiplos territórios da Análise do Discurso*. Porto Alegre: Sagra Luzzatto, 1999. p. 102-121.

ORLANDI, Eni. *Análise de Discurso*. Princípios e procedimentos. Campinas: Pontes, 1999.

PÊCHEUX, Michel. *Semântica e discurso*. Uma crítica à afirmação do óbvio. Campinas: Editora da Unicamp, 1997.

_____. Papel da memória. In: ACHARD, Pierre et al. *Papel da memória*. Campinas: Pontes, 1999. p. 49-57.

Memória e legitimação do Samba & Choro no imaginário nacional[6]

*Micael Herschmann**
*Felipe Trotta***

Os processos através dos quais os indivíduos e grupos sociais elaboram suas representações e constroem suas narrativas de valoração e memória sinalizam maneiras de se apropriar de determinado *passado*, sedimentando

---

[6] Agradecemos ao CNPq e Capes pelo apoio dado para a realização da investigação que serviu de base para este artigo.

* Pesquisador do CNPq, coordenador e professor do Programa de Pós-graduação em Comunicação e Cultura na Escola de Comunicação da Universidade Federal do Rio de Janeiro, onde também coordena o Núcleo de Estudos e Projetos em Comunicação (Nepcom). Pós-doutor na Universidade Complutense de Madri, é autor de vários livros (individuais e em parceria) – dentre os mais recentes, destacam-se *Comunicação, Cultura e Consumo – A (des)construção do espetáculo contemporâneo* (E-Papers, 2005), *Mídia, Memória & Celebridades* (E-Papers, 2003), *O funk e o hip-hop invadem a cena* (Ed. da UFRJ, 2000) e *Lapa, Cidade da Música* (Mauad X, 2007). (micaelmh@globo.com)

** Músico, arranjador e violonista especializado em samba. Atua como pesquisador de música brasileira há cerca de dez anos, tendo diversos artigos publicados sobre o tema. Mestre em Musicologia pela Universidade Federal do Estado do Rio de Janeiro e doutor em Comunicação pela Universidade Federal do Rio de Janeiro. Atualmente desenvolve pesquisa sobre o mercado musical nordestino pelo Programa de Pós-graduação em Comunicação na Universidade Federal de Pernambuco. (trotta.felipe@gmail.com)

elementos, personagens, histórias, músicas, rituais e visões de mundo que reforçam sua identidade. Nesse sentido, a trama discursiva que envolve a legitimação de certa prática cultural perpassa relações de poder entre os atores sociais envolvidos, e, através delas, é possível distinguir estratégias traçadas por eles para conquistar níveis de consagração, seja no plano concreto/comercial ou simbólico/estético.

Ao se tomar, portanto, como base para este artigo, essas representações que vêm associadas ao mundo do samba e choro, está se considerando as mesmas, tal como sugere Chartier (1990), como "instituições sociais", na medida em que é possível atestar que são importantes referências na construção do "real", são produtoras de ordenamento a orientar a ação dos agentes sociais. Assim, buscamos compreender como as narrativas e práticas sociais constroem o "mundo como representação" (Chartier, 1990). Ou melhor, buscamos avaliar a capacidade dos atores sociais – sejam eles músicos, público consumidor ou críticos e especialistas –, através de seus discursos, de normatizar e "(re)fundar" (Orlandi, 1993) novos sentidos e significados que colocam estes gêneros musicais num lugar de destaque na cultura nacional.

No caso específico do circuito musical *independente* do samba e do choro no Rio de Janeiro[7] – que ocupa várias Zonas da cidade (especialmente a Central e Norte) –, essa legitimação tem sido obtida através de uma complexa articulação entre diversos agentes que reforçam a posição privilegiada desses "gêneros musicais" (Frith, 1998) nas hierarquias compartilhadas – porém nem sempre consensuais – pela sociedade brasileira. É importante destacar que o samba e o choro são dois gêneros que constroem essa legitimação simbólica através de uma grande ênfase em sua "tradição" e "passado" (Hobsbawm e Ranger, 1984). É através dessas "narrativas da memória" (Bosi, 1995) que ambos se valorizam e reivindicam lugar de destaque no *pantheon* nacional.

---

[7] Apesar da relevância do samba no mercado da música brasileira, o circuito do samba e do choro está mais associado às pequenas gravadoras e selos independentes (*indies*). Há um circuito do samba (e do pagode) que é promovido pelas grandes gravadoras (*majors*), mas que não será tratado neste artigo. Estaremos basicamente analisando o circuito independente do samba e do choro que tem menos peso comercial, mas que, de modo geral, é extremamente valorizado pelos atores sociais no Brasil.

Nesse sentido, analisaremos com mais detalhes as características que cercam a localidade da Lapa (Rio de Janeiro), onde se observa nos últimos anos um intenso fenômeno comercial em torno dos dois gêneros, colocando em relevo não só parte dessas estratégias de "enquadramento de memória" (Pollak, 1989), mas também sinalizando a importância para o atual mercado "independente" da música brasileira do "circuito cultural" (Du Gay, 1997) que se construiu ali[8]. Nos últimos anos, a imprensa não pára de alardear o grande sucesso alcançado pelo samba e choro, o crescente espaço oferecido a esses estilos musicais nas casas de espetáculo da cidade, identificando este êxito como conseqüência direta da consolidação do circuito cultural da Lapa[9]. Evidentemente, se, por um lado, o sucesso do samba e choro não deve ser creditado exclusivamente à região da Lapa, por outro, é preciso reconhecer que o circuito consolidado ali atua como uma importante "vitrine" para o mercado local e até mesmo nacional.

De forma um tanto esquemática, podemos entender este sucesso a partir de três conjuntos de estratégias de legitimação que formam uma complexa rede de discursos e de estratégias de "enquadramentos de memória" (Pollak, 1989), possibilitando ao samba e ao choro um razoável acúmulo de cacife simbólico na "cena musical" (Straw, 2004) contemporânea brasileira. Primeiramente, a legitimação ocorre a partir do que poderíamos chamar de *narrativas e estratégias "mais internas"* promovidas pelos músicos, artistas, produtores e empresários que gravitam em torno desses dois gêneros. Nesse processo, estão incluídas narrativas e estratégias diversas:

---

[8] Segundo um levantamento realizado pelo SEBRAE-RJ em 2004, existem na Lapa mais de 116 estabelecimentos – não só do setor musical, mas também do setor gastronômico e turístico – que atraem em média 110 mil pessoas por semana e que geram uma economia de aproximadamente 14,5 milhões de reais por mês.

[9] Na verdade, diferentemente de outras localidades que aglutinam atividades associadas à música brasileira do país como o Pelourinho (em Salvador, Bahia) e Reviver (em São Luiz, Maranhão), o circuito da Lapa nasceu e prosperou pela vontade e iniciativa dos atores sociais e, por isso mesmo, trata-se de uma experiência única no Brasil que deveria atrair a atenção e interesse de autoridades, empresários, especialistas, músicos e do público em geral que aprecia a música brasileira e que eventualmente se vêem preocupados com a questão da diversidade cultural e com os rumos da produção local/nacional (Herschmann, 2007).

desde um papel importante desempenhado por letras de músicas e entrevistas concedidas aos *media* até estratégias de formação e fidelização de audiências, bem como a elaboração de estilos de ouvir, tocar, compor e, de forma geral, de construir uma sociabilidade em torno do samba e choro. Um outro conjunto importante de estratégias de legitimação, bastante articulado com estas narrativas e estratégias "mais internas", seria aquele constituído a partir de *narrativas especializadas-acadêmicas-informativas* que são elaboradas sobre o universo do samba e choro que envolvem a produção e a circulação de artigos de jornais e revistas, *sites* e *blogs* na internet, matérias da crítica especializada, publicidade, programas de rádio e tevê, livros, teses e filmes sobre samba e choro que buscam consolidar seu prestígio elevado no cenário musical nacional e internacional. Por último, o terceiro conjunto de narrativas e estratégias de (re)consagração seria aquele promovido pelo próprio público que, ao *consumir de forma quase que "engajada"* o samba e choro, vem se apropriando e reconstruindo significados e sentidos para estes gêneros musicais. Isto é, o público, em alguma medida, ao consumir e agenciar esta produção, vem corroborando na canonização dos mesmos na memória e identidade nacional.

O circuito *de raiz* do samba e choro da Lapa num mundo globalizado

Antes de analisarmos com mais profundidade os processos de construção de memórias e consolidação de uma valorização estética no samba e no choro, é necessário apontar que o samba e o choro são dois gêneros que pertencem a um mesmo ambiente sociocultural, no qual o choro corresponde a uma prática musical essencialmente de caráter instrumental e o samba, seu irmão vocal. Essa diferença entre a música cantada e a música tocada coloca o samba e o choro em espaços distintos no mercado musical, com redes de circulação e importância simbólica diferenciadas. No entanto, "sambistas" e "chorões" compartilham simbologias musicais e dividem os mesmos espaços nas rodas e eventos, sendo extremamente comum ouvirmos sambas em espetáculos de choro e vice-versa, numa fusão que nos faz até mesmo questionar essa fronteira comercial entre as esferas cantada e instrumental da música popular. Por este motivo, é possível entender samba e choro como gêneros afins que possuem as mesmas referências estéticas e sociais, além de considerável proximidade entre seus atores sociais.

Nesse sentido, a região da Lapa assume importância fundamental para ambos os gêneros, pois suas narrativas fundacionais encontram no território em torno dos Arcos um local prestigioso de origem física e simbólica. Localizada no Centro do Rio, esta região foi muito importante para o desenvolvimento destes gêneros musicais ao longo do século XX, pois sempre estiveram presentes ali diversas casas noturnas ligadas à atividade musical e, sobretudo, ao samba e ao choro[10]. Ao longo de sua trajetória, a Lapa foi tradicionalmente um lugar de encontros, de rodas, de boemia, de bailes, festas, namoros, cantada em versos e celebrada no dia a dia musical da cidade. Em função disso, foi incorporada nas narrativas e estratégias dos atores sociais como um *locus* "mítico" dessas práticas musicais.

Os atores sociais associados ao samba e ao choro, em especial deste circuito cultural da Lapa, vêm demonstrando grande capacidade de reconstruir representações que legitimam e reinscrevem estes gêneros musicais populares na memória e história nacional, acionando um repertório interpretativo de grande mobilização do imaginário social (Castoriadis, 1982). Suas representações e narrativas da memória que circulam na imprensa brasileira e nos repertórios executados nas rodas-shows acabam operando como vetores fundamentais que permitem reproduzir e renovar, *naturalizando* estes gêneros no *pantheon nacional*. Nesse sentido, essas representações e a negociação de sentidos realizada no cotidiano entre os atores sociais vêm possibilitando a legitimação dessas manifestações como "tradicionais", de "raiz", enquanto expressões de uma identidade local/nacional. Talvez esse seja o segredo do sucesso destes gêneros musicais e do circuito independente da Lapa: atender em alguma medida a essa demanda crescente pelo "local" (Bhabha, 2003) em um mundo globalizado.

---

[10] Apesar de todo seu passado glorioso relacionado com a música e de algumas iniciativas esparsas por parte das autoridades locais, esta região experimentava – desde os anos 1980 – uma sensação de estagnação. Só a partir de meados dos anos 1990 é que voltaram a surgir casas de espetáculo que investem em samba e choro e, com elas, foi retornando o interesse do público. Hoje, a Lapa, ou o Centro do Rio Antigo, é considerada pela maioria dos cariocas como a região onde mais se "respira" música no Rio, constituindo-se em uma referência local, nacional e até internacional (Herschmann, 2007).

Um contingente já expressivo de autores tem se dedicado a enfatizar a demanda atual por referenciais locais, discutindo a relação entre o *global* e o *local* (Bhabha, 2003; Featherstone, 1991), e muitos deles argumentam que a cultura local tem ocupado um lugar importante na dinâmica cultural do mundo globalizado. Hall (1997) argumenta que, em vez de pensar o global substituindo o local, é possível constatar hoje uma articulação intensa entre o local e o global. Este autor ressalta ainda que o *local* atualmente opera no interior da lógica da globalização e parece improvável que a globalização venha simplesmente a destruir as identidades nacionais ou regionais. Esta percepção é hoje um argumento que povoa também os discursos dos atores sociais do mundo da música para explicar o crescente interesse do público pelo samba e choro e mesmo pela Lapa.

Aliás, a idéia da Lapa como espaço por excelência da música local é algo bastante presente no discurso dos diferentes atores sociais, sejam eles executivos de *majors* ou *indies*, donos de casas de show, jornalistas ou o público em geral. A sensação que dá ao analisarmos os discursos dos atores sociais é a de que a Lapa aparece não só nas representações como um espaço de celebração da identidade nacional, mas também como parâmetro da "música de qualidade"[11].

Poder-se-ia afirmar que a associação do choro ao samba neste circuito cultural tende a fortalecer essas representações que sugerem uma "qualidade superior" da música tocada nesta localidade. Devido oscilar entre o erudito e o popular, o choro, quando associado a este gênero, parece afastar qualquer possibilidade de ver o samba tocado na Lapa pela ótica do "popularesco" (Freire Filho, 2001). Em função disso, a associação do samba e choro encontrou um terreno propício para a sua naturalização como músicas "de raiz" e emblemáticas da identidade nacional, inclusive, com o endosso quase unânime da crítica musical e, especialmente, dos profissionais de mídia.

---

[11] Tomando como ponto de partida o livro *A Distinção*, de Bourdieu (1984), Freire Filho (2001) enfrenta o movediço terreno do debate sobre *gosto* e discute a sua condição de construção simbólica, problematizando sua *naturalização* no país e historicizando o processo de construção dos cânones da crítica cultural no Brasil.

Em outras palavras, com a associação destes dois gêneros musicais se constitui um revigorado circuito cultural no Rio de Janeiro. Na realidade, vêm se produzindo vantagens para ambos: se o choro vem se convertendo em uma "garantia de qualidade" para o samba, o samba por sua vez vem emprestando um pouco de sua popularidade e espaço de mercado ao choro.

Todos esses fatores terminaram por formar opiniões e por construir um "imaginário social" (Castoriadis, 1982) que naturalizou o samba e o choro na história da música do Rio de Janeiro. As narrativas da memória especialmente dos atores sociais influentes e/ou formadores de opinião vêm sendo tomadas regularmente como "prova" da importância destes dois gêneros musicais na *história* do país.

Cabe ressaltar a esta altura que a memória e a história não são coincidentes e muito menos a memória é uma disciplina exclusiva da história. Diferentemente do que sugeria Halbwachs em sua obra pioneira intitulada *Memória Coletiva* – que argumentava que a história era de uma espécie de "decantação", de resultado da soma das memórias dos indivíduos (Halbwachs, 1990) –, Le Goff e Pollak propõem considerá-la ligada às representações coletivas, constituindo-se em instrumento de luta, disputas e poder dos diferentes grupos e segmentos sociais (Pollak, 1989; Le Goff, 1994). Como ressalta Le Goff, todos querem ser *senhores da memória* e do *esquecimento* em suas sociedades (Le Goff, 1994). Haveria, portanto, narrativas da memória que se *naturalizariam*, tornar-se-iam oficiais, e outras que tenderiam a se tornar "subterrâneas" ou manter alguma visibilidade social como uma versão minoritária de uma memória social que não teria alcançado o *status* de história e, em geral, permaneceria "viva" nas representações de grupos sociais, étnicos ou culturais minoritários (Pollak, 1989). Em outras palavras, como enfatiza Pollak, algumas narrativas da memória, nos seus processos de seleção e "enquadramento social", teriam alcançado a condição de "oficiais", contudo, outras narrativas, apesar do esforço de enquadramento, por *contaminarem* e/ ou *ameaçarem* a história hegemônica, podem permanecer na condição de memória de grupos ou de segmentos sociais (Pollak, 1989).

Para entendermos de forma mais clara esses conceitos e a dinâmica da memória e da história, podemos tomar como exemplo a trajetória do samba. Constataremos que, antes de ser considerado um símbolo da identidade nacional, o samba sofreu inúmeras "perseguições", tal como estilos musicais como o funk e o hip-hop, que são considerados até hoje como *polêmicos* (encarados como de "qualidade duvidosa" e promotores de uma cultura juvenil "violenta"). Na realidade, o funk e o hip-hop continuam sendo considerados pelas autoridades como "provas" de um estilo de vida visto como ameaça à "ordem social" e isso já ocorreu de forma similar com o samba (Herschmann, 2000; Vianna, 1995). Nas primeiras décadas do século XX, o samba foi intensamente marginalizado e combatido pela crítica especializada e mesmo pelo Estado, pois era visto como uma expressão cultural que enaltecia valores considerados "prejudiciais" – que não ajudavam à consolidação de uma ética do trabalho no país – junto à sociedade brasileira (Matos, 2005). Em outras palavras, esta expressão cultural já foi parte da memória de grupos minoritários e marginalizados. Sua apropriação posterior por parte de artistas e profissionais de grande respeitabilidade na cena musical – oriundos na sua maioria da classe média – e sua associação a outros estilos/gêneros considerados pela crítica de "melhor qualidade" acabou por favorecer a sua ascensão e integração na memória e história oficial da música brasileira (Vianna, 1995).

Estratégias e narrativas "mais internas" de consagração

Boa parte das práticas musicais ocorre em um ambiente social de celebração. Seja direcionada a um ritual religioso, voltada para uma atmosfera festiva ou realizada através de espetáculos, a idéia de que um determinado gênero requer um ambiente de sociabilidade é fundamental para entendermos sua capacidade de projeções e identificações. A experiência musical ainda que bastante individualizada hoje – com o desenvolvimento dos recursos de gravação e reprodução de fonogramas (Frith, 2006) – continua sendo, em boa medida, uma experiência de *encontro*, fundada no estabelecimento de relações sociais (e comunicacionais) através da música (Blacking, 1995). Como essa sociabilidade ocorre através da música, é na comunicação verbal e não-verbal *sonora* que vamos encontrar a chave do compartilhamento de visões de mundo, pensamentos e valores que permeia as experiências musicais. É, portanto, através das narrativas musicais que os discursos de valoração e legitimação irão ecoar entre os indivíduos e grupos que participam ativamente daquele ambiente sócio-musical (Vila, 1996). Analisar o circuito cultural do samba e choro é, nesse sentido, falar de identificações entre os indivíduos que, em grande medida, são geradas pelo repertório musical. Esse fato é fundamental para entendermos, ainda, outras formas de experiência não-presencial, como a audição doméstica de discos e as interpretações dos códigos e mensagens emitidos pelos aparatos de áudio (Frith, 1998).

Portanto, as estratégias de legitimação e consagração de um determinado gênero musical, em boa medida, ocorrem através de narrativas encontradas no repertório (Trotta, 2001). Todo gênero tem um conjunto referencial de músicas que formam uma espécie de saber compartilhado entre aqueles que o produzem e o consomem. Esse repertório referencial está baseado na obra de alguns compositores e intérpretes que são reconhecidos como figuras importantes e cujas criações obtiveram circulação significativa em sua comunidade musical, tanto através da grande indústria fonográfica como também através dos circuitos alternativos do mercado musical. Em outras palavras, o *repertório consagrado* é formado por autores e obras consideradas "clássicas"[12].

Sendo assim, a memória musical é exatamente essa memória do repertório, esse "cadastro" que se revela não só como uma espécie de "banco de dados", mas também nas formas de acessá-lo nos recursos que envolvem lembranças e esquecimentos de canções, estilos, sonoridades, timbres, etc. No que tange ao circuito cultural do samba e choro da Lapa carioca é possível observar uma reatualização de determinadas práticas do samba e do choro reconhecidas atualmente como "de raiz" (Pereira, 1995), numa operação que estabelece também certo esquecimento de outras formas de praticar e atualizar o samba e o choro, também registradas no passado. Essa estratégia é facilmente perceptível ao observarmos o repertório executado nas prin-

---

[12] Este repertório pode ser considerado uma imensa biblioteca de sonoridades, padrões melódicos e harmônicos, introduções, contracantos, *riffs*, refrões, estilos vocais, temáticas, versos consagrados, imagens, personagens (Tagg, 1999). O repertório simboliza uma forma de pensar e sentir aquela música, revela ideologias que habitam o gênero e, sobretudo, indica padrões de consagração, fronteiras estéticas e possibilidades de apropriação simbólica. Ao ouvirmos um determinado padrão rítmico, uma levada de guitarra, uma baixaria de sete cordas ou um repuxar de sanfona, mergulhamos imediatamente no universo semântico dos gêneros musicais, onde já encontramos em nossa experiência auditiva prévia conjuntos de símbolos de cada um deles, cadastrados hierarquicamente em nossas opiniões e gostos (Trotta, 2006).

cipais casas do bairro da Lapa. Trata-se, em sua maioria, de obras consagradas de autores hoje em dia reconhecidos como referenciais que integram o *set list* de quase todas as rodas. Soma-se a isso, a tímida variação instrumental verificada nos variados espaços. O samba da Lapa, por exemplo, é cantado por pelo menos dois cantores que se revezam e são acompanhados por cavaquinho, violão de 7 cordas e um naipe de 3 percussionistas. A essa formação básica, algumas rodas acrescentam algum solista (sopros ou bandolim) ou, nas de maior sucesso, uma pequena orquestra estilo gafieira se encarrega da animação da noite, sempre utilizando recursos de arranjo e instrumentação fortemente reverentes às gravações clássicas do gênero.

No choro, algumas formas de tocar são respeitadas rigorosamente a partir da gravação original, incluindo a obrigatoriedade de frases de ligação (os músicos se referem exatamente a "obrigações"), contrapontos e a estrutura geral do arranjo. Esse conjunto de procedimentos que envolvem a repetição de sonoridades reconhecidas como características ("de raiz") e obrigações de certas passagens melódicas e harmônicas revelam uma forma de manutenção e reapropriação de uma memória musical fortemente construída a partir de modelos estabelecidos. Nas letras dos sambas, por exemplo, é possível detectar uma grande ênfase na recorrência de narrativas que valorizam o próprio gênero e sua autenticidade. Uma das músicas mais emblemáticas e cantada com grande freqüência nas noites da Lapa é o "clássico" A voz do morro, de Zé Kéti: "Eu sou o samba/A voz do morro sou eu mesmo, sim senhor/Quero mostrar ao mundo que tenho valor/Eu sou o rei dos terreiros (...)." Analogamente, algumas melodias, introduções e fraseados de Pixinguinha, por exemplo, atualizam também o *status* elevado do compositor e de sua obra, incorporando naquele momento da performance fragmentos de uma memória musical coletiva do choro, propriamente "nacional", onde este reconhecimento provoca uma imediata sensação de "autenticidade", "tradição" e/ou "brasilidade".

Podemos dar um outro exemplo de estratégias que contribuem significativamente para a consagração não só dos músicos, mas também para alçar o samba e o choro como gêneros musicais a uma condição de grande destaque. A prática recorrente do *apadrinhamento* dos músicos revela aspectos da sociabilidade que se constrói neste universo musical: tanto nas chamadas *rodas* quanto no mercado (Herschmann e Trotta, 2007). Evidentemente, a idéia de apadrinhar alguém na indústria do disco não chega a ser grande novidade, pois sempre se espera que produtores e outros profissionais do mundo da música "descubram" – apadrinhem – novos talentos. A diferença é que no mundo do samba e choro a relação entre padrinho e afilhado, longe de ser questionada como uma prática que prejudica um sistema meritocrático, é na verdade valorizada. É como se entre eles houvesse quase que uma relação de parentesco – linhagem – em que o afilhado é ajudado, mas está comprometido em alguma medida em dar continuidade ao trabalho do padrinho (continuidade a certo tipo de repertório, estilo, tratamento estético, etc.).

É como se existisse um compromisso (entre padrinho e apadrinhado) em dar continuidade a certa "memória" e "tradição" (Hosbawm e Ranger, 1984) que se revela especialmente na *escolha* do repertório musical. Em resumo, é através da reafirmação pública do parentesco escolhido que se reforça o vínculo e a cumplicidade mercadológica entre padrinhos e afilhados (Herschmann e Trotta, 2007). A questão do apadrinhamento neste universo musical, portanto, é vital hoje não só para uma compreensão mais clara da dinâmica das instâncias de consagração na roda e no mercado, mas também para um entendimento do lugar central que ocupa o *passado* e a *tradição* no mundo do samba e choro.

Vale ressaltar a esta altura que a consagração interna de obras e autores não ocorre num ambiente paralelo ao do mercado musical. Esta legitimidade está intimamente associada à projeção comercial que determinadas obras atingiram no passar dos anos, podendo circular em larga escala pela sociedade e/ou pelos admiradores mais assíduos de samba e de choro. Trata-se de uma via de mão dupla entre rodas e mercado, cujo resultado é a consagração estética de determinadas obras que passam a integrar o repertório canônico de determinado gênero. Por este motivo, convém analisar mais de perto o papel de outros agentes sociais no processo de legitimação: os mediadores culturais que colocam em cena outras importantes narrativas, ou melhor, atores sociais que têm uma produção discursiva significativa sobre samba e choro e que são capazes de fazer circular argumentos e "projetos ideológicos" de grande repercussão social, contribuindo significativamente para a valorização destes dois gêneros.

As narrativas de especialistas

Para que determinada prática cultural seja reconhecida pelo conjunto da sociedade como detentora de certo valor cultural é necessário que agentes bem situados na hierarquia social se dediquem à construção dessa valoração simbólica e que a divulguem em espaços consagrados e legítimos. Isso significa dizer que esses indivíduos, munidos de um determinado poder específico – de produzir opiniões e fazê-las circular –, se tornam personagens importantes no processo de consolidação de um patamar hierárquico vantajoso para essas expressões musicais, sempre em detrimento de outras (Bourdieu, 2001). Através de publicações diversas e de escolhas produzidas por esses atores sociais no decorrer de várias décadas, samba e choro tornaram-se gêneros de música popular brasileira reconhecidos como símbolos da identidade sonora brasileira, passando a representar em certo sentido a própria síntese das "hibridações culturais" que constituem o Brasil enquanto "nação" (Anderson, 1985).

Já em 1933, o jornalista Francisco Guimarães, o "Vagalume", publica o seminal *Na roda de samba*, onde produz uma apologia do samba "tradicional", contrapondo-o ao formato industrial que se desenvolvia fortemente no período. O argumento da autenticidade do gênero aparece de forma bastante evidente no texto do jornalista, que afirma que depois que "industrializaram" o samba ele começou a perder "sua verdadeira cadência" e que caminharia assim para a "decadência". Destaca-se em Vagalume um aspecto de grande importância na valorização estética do samba e do choro, que é a referência a um passado sócio-musical tomado como autêntico e de alto valor. Três anos depois de *Na roda de samba*, Alexandre Alves Pinto publica o livro *O choro*, onde reúne pequenas biografias e histórias do gênero, homenageando "os chorões da velha-guarda":

> Assim agora as pessoas daqueles tempos no Rio de Janeiro recordam-se e sentem n'alma a vibração das músicas daquela época: os chorões do luar, os bailes das casas de famílias, aquelas festas simples onde imperavam a sinceridade, a alegria espontânea, a comunhão de idéias, a uniformidade da vida! (Pinto, 1978, p. 10).

Vale destacar que no mesmo período estava em curso um intenso projeto de amplificação da circulação do samba pela sociedade, por intermédio de produtores culturais, diretores de gravadoras e programadores de rádio, que, conscientemente ou não, passaram a difundir o samba nos canais de divulgação que controlavam. A chamada "Época de Ouro" do rádio foi, sem dúvida, uma época de samba (e também de choro), na qual os gêneros se firmaram como representantes da música brasileira.

No entanto, a produção intelectual em torno dos dois gêneros passa a se intensificar a partir da década de 1960, quando uma série de transformações na sociedade e na própria indústria do entretenimento iria provocar mudanças na configuração dos espaços de samba e choro. Nesse momento, acompanhando o processo de ênfase na tradição que se verificava nas letras dos sambas produzidos, observa-se uma intensa produção intelectual que passava a valorizar as práticas musicais reconhecidas como "autenticamente brasileiras", entre as quais o samba assumia um papel de destaque.

Para o jornalista Sérgio Cabral o samba "é a mais expressiva linguagem musical do povo carioca" (Cabral, 1974, p. vii), devendo ser preservado e financiado para que mantenha seu lugar de destaque no mercado musical. José Ramos Tinhorão, outro crítico musical bastante ativo no período, afirma que o samba representa "a contribuição cultural das primeiras camadas de caráter realmente urbano no Rio de Janeiro" (Tinhorão, 2002, p. 17), produzido pelas "camadas baixas" urbanas.

A noção de que os "compositores do morro" são detentores de uma determinada autenticidade é particularmente importante nas estratégias de valorização do samba e do choro. Esse aspecto vai assumir grande importância anos mais tarde em matérias de jornais, revistas e publicações diversas, que dão razoável destaque à idéia de memória, de ancestralidade, de referência à tradição. Um exemplo disso é uma matéria de capa na revista *Megazine* do jornal *O Globo*, elaborada pelo jornalista João Máximo, voltada para o público jovem, sugestivamente intitulada "A boa moda de valorizar as raízes" (7/11/2000). O texto destaca a "invasão" que jovens de classe média estariam fazendo em espaços característicos do samba, especialmente o bairro da Lapa, atestando um momento especial do chamado "bom samba":

> Todos os caminhos levam ao bom samba, inclusive os de terra batida, sinuosos e esburacados. Em outras palavras: para quem quiser se ini-

ciar nas artes da mais tradicional e característica música brasileira, todo ponto de partida é bom, inclusive os do pagode paulistano.

É interessante observar que o jornalista distingue o "pagode paulistano" do "bom samba", exatamente por ser o primeiro uma vertente estética com menor grau de reverência à memória do gênero, à sua trajetória, aos seus personagens, ao repertório e aos mitos (Trotta 2006). A virada do milênio marcou exatamente o início da transformação do bairro da Lapa em reduto privilegiado no mercado de shows prioritariamente voltado para o samba e o choro. Essa matéria de capa tinha como destaque a novidade do público jovem que passava a buscar referências musicais "tradicionais". Cinco anos depois, o mesmo jornal noticiaria em sua prestigiada Revista *RioShow* uma grande matéria de capa sobre "as melhores rodas [de samba] da cidade". Nesse segundo momento, a presença de jovens como público consumidor de samba e choro já estava sedimentada e a matéria se limita a "dar dicas" de bons lugares para ouvir o tal "bom samba". Para legitimar as indicações, foram convidados sete sambistas ligados a essa vertente mais tradicional da memória do samba, fortemente influenciada pela idéia de ancestralidade, de continuidade temporal e de "raiz", que se reflete em suas escolhas. Os sete lugares apontados são rodas prestigiadas do circuito do samba, quase todas localizadas na zona norte da cidade (Ramos, Andaraí, Madureira e duas em Cascadura), região economicamente menos favorecida da arquitetura social do Rio de Janeiro, onde surgiu a esmagadora maioria das Escolas de Samba que atuam no carnaval. É interessante notar que nenhum sambista indicou casas de espetáculo da Lapa, revelando que o circuito cultural do local já era, em 2005, o mais importante espaço consagrado de samba e choro e, portanto, dispensava qualquer indicação.

O processo de legitimação do samba e choro como gêneros fundamentais no imaginário nacional conta, ainda, com a colaboração de textos mais extensos e análises mais aprofundadas destes universos musicais. A partir do final do século XX uma intensa produção bibliográfica iria povoar estantes de admiradores e freqüentadores de sambas e do choro. Inicialmente, seguindo tendência que perpassa toda a historiografia da música, os trabalhos dedicaram-se à análise de biografias, colaborando para sedimentar nomes de sambistas e chorões reconhecidos como expressivos em suas produções. Dessa produção, podemos destacar os trabalhos de João Máximo com Carlos Didier sobre Noel Rosa (1990) e de Sérgio Cabral sobre Pixinguinha (1997), que colaboraram para uma redescoberta da obra destes compositores, colocando-os em uma destacada posição na hierarquia destes gêneros musicais.

Já num segundo momento, sem que a produção biográfica tenha perdido força, alguns trabalhos de maior fôlego teórico, quase todos produzidos em âmbito acadêmico, buscam traçar interpretações mais aprofundadas sobre cada um dos gêneros, arriscando-se em algumas generalizações e análise conjunturais. Na área da música cantada – o samba – comercialmente de maior visibilidade, esse movimento se inicia em 1995 com a publicação de *O mistério do samba*, de Hermano Vianna, onde o autor discute o caráter miscigenado do gênero, contrapondo-o à visão de samba como expressão de música negra. A segunda edição do livro *Samba, dono do corpo*, de Muniz Sodré (1998), publicado originalmente em 1978, estabelece um contraponto importante ao debate étnico levantado por Vianna, ao argumentar o caráter essencialmente negro do samba. Anos depois, Carlos Sandroni (2001) discute as transformações rítmicas, estéticas, comerciais e simbólicas que fizeram o samba conquistar espaço privilegiado no cenário musical nacional por volta da década de 1920. Em 2004, o jornalista Roberto Moura – em *No princípio, era a roda* – destaca a importância da roda de samba para a construção do imaginário do gênero, traçando um otimista panorama da prática do samba atual, já observando de perto a pujança do mercado alternativo da Lapa e arredores. Um ano antes de Moura, o sambista Nei Lopes retoma sua produção bibliográfica sobre o gênero lançando um pequeno livro-manifesto intitulado *Sambeabá, o samba que não se aprende na escola,* onde reitera a importância da tradição e da valorização dos lugares e personagens que fizeram parte da trajetória do samba (Lopes, 2003). Na área do choro, a publicação de interpretações mais gerais tem sido mais escassa, possivelmente determinada pelo próprio alcance mais limitado da música instrumental de um modo geral. De qualquer modo, pode se destacar o livro do cavaquinista Henrique Cazes (1998), *Choro, do quintal ao Municipal* e uma série de teses e dissertações produzidas em várias universidades do país, infelizmente disponíveis apenas em suas respectivas bibliotecas.

A grande maioria desta produção bibliográfica tem como foco de interesse básico a primeira metade do século XX, reconhecido período de sedimentação do samba e do choro na ainda incipiente indústria fonográfica nacional. Isso se deve ao fato de ser um momento de construção de uma memória musical, fundada fortemente na idéia de origem, de "raiz", de algo que detém certa permanência temporal, atravessando gerações e agregando significados, sem, contudo, perder certa "essência simbólica constituinte".

O consumo *de resistência*

O consumo não é um ato passivo, pois implica comunicação, em um processo de *decodificação* por parte de quem consome. A partir do consumo, se materializariam estilos de vida e *habitus*, que externalizariam também esquemas sociais classificatórios que estabeleceriam processos de identificação e distinção social (Bourdieu, 1991). Nesse sentido, Canclini (1995) ressalta a necessidade de desconstruir a idéia de que o consumo necessariamente é resultado de um capricho, de ações irracionais, alienadas, tentando aproximar a idéia de consumo daquela de cidadania. Se a identidade é materializada, em grande medida, pelo consumo, este exerceria um papel sociopolítico fundamental no mundo atual. O consumo, para o autor, "serve para pensar" e permite que avaliemos como nos integramos e como nos distinguimos em sociedade.

Poder-se-ia, como sugere Yúdice (2005), relativizar a sua "positividade": questionar a liberdade e a autonomia das opções que diariamente são oferecidas aos indivíduos. Entretanto, devemos ter cuidado para não "redemonizar" o consumo. Williams recorda-nos que, tradicionalmente, há uma tendência no imaginário social a se valorizar a produção e desqualificar o ato do consumo, associando-o ao hedonismo e à decadência (Williams, 1983). É como se historicamente a imagem do consumo na sociedade atual de alguma forma fosse ainda "contaminada" por uma visão religiosa que alicerçou o "espírito e a ética do capitalismo" (Weber, 2002) e que enaltecia uma vida sóbria, sem luxo, dedicada ao trabalho.

É muito comum se referir ao consumo que os indivíduos vivenciam em torno de certos estilos musicais como sendo experiências exclusivamente de "fruição" e "escapismo" (Herschmann, 2000). Independentemente do preconceito social que possa estar relacionado a qualquer expressão cultural, o consumo do universo musical invariavelmente ao longo da história recente esteve relacionado no imaginário social a uma vida "transgressora", "desregrada", "alienada" e "perigosa" (Straw, 2006, Gilbert e Pearson, 2003). Entretanto, o que se nota quando se investigam as expressões culturais do mundo da música é que mesmo os indivíduos e os grupos sociais que não possuem propriamente uma *agenda política* (como, por exemplo, clubbers e funkeiros) acabam promovendo uma "política da experiência" ou da identidade (Gilbert e Pearson, 2003), isto é, fundam um sentimento de "comunidade" (Frith, 2006), estabelecendo estratégias de distinção social (Bourdieu, 1991).

É preciso ressaltar também que o consumidor de samba e choro ou que acompanha só o choro se difere um pouco do consumidor que absorve o universo musical do samba. Há, em geral, primeiro uma diferença de classe social: enquanto os dois primeiros são quase sempre consumidores oriundos da classe média, o último freqüentemente é membro das camadas populares da população. Em outras palavras, claramente, o perfil dos primeiros (que consomem samba e choro ou só choro) é o de um público que se considera "sofisticado" e engajado com a temática da valorização da música local/nacional e, por outro lado, os consumidores de samba não necessariamente são vistos como indivíduos "refinados" e "conscientes" da importância de valorizar a cultura do país. Na realidade, estes últimos freqüentemente, são vistos como indivíduos alienados, apreciadores da "estética popularesca" ou de "frágil formação educacional-cultural" (Freire Filho, 2001).

Aliás, o público que freqüenta o circuito musical da Lapa é bastante emblemático e revelador do tipo de consumo que está associado ao samba e choro. Este nicho de mercado se difere um pouco da maioria do público que consome música no Brasil. O nicho de mercado que absorve esta produção é de certa forma elitizado: as pessoas que vão ali são, na sua maioria, jovens de faixa etária que varia entre 18 e 34 anos; não são casados, de classe A e B e que gastam em média 33 reais por programa; de alta escolaridade (possuem ensino médio e superior), e muito bem informado (lê jornais e acessa internet), declaram-se compradores regulares de CDs e, na sua maioria, são pessoas que moram na Zona Sul e, de modo geral, nos bairros ricos da cidade. A maioria dos freqüentadores refere-se ao ato de consumir na região como algo que transcende a idéia de consumo tradicional. Afirmam que ali não só consomem música, na visão deles de "qualidade", mas que obtêm grande satisfação por terem a oportunidade ali de externalizar um sentimento de "brasilidade" (Herschmann, 2007).

Analisando o caso específico do circuito samba e choro, é possível afirmar que o consumo de "raiz" que se desenvolve na Lapa acaba promovendo indiretamente "práticas políticas": a) ao reafirmar uma identidade local/nacional que claramente se opõe ou que se coloca pelo menos em tensão com a presença no país de uma cultura transnacional/globalizada homogeneizante e extremamente mercantilizada (é uma espécie de "localismo mais radical" [Bhabha, 2003]) que repercute, em alguma medida, nos meios de comunicação e produz uma imagem do Brasil interna e externamente; b) e/ou ao possibilitar, neste espaço, a produção de um forte sentimento comunitário e um "engajamento" dos freqüentadores em torno da "defesa da identidade nacional". Como freqüentemente afirma uma das lideranças da Lapa e principal porta-voz da região, a atriz e dona do Teatro Rival, Ângela Leal: "A região é um espaço de resistência." Assim, os consumidores deste circuito cultural – envoltos na aura deste discurso (com maior ou menor grau de intencionalidade ou "consciência") – promovem, por assim dizer, um "consumo cultural de resistência".

Num mundo globalizado, marcado pela fragmentação e fluidez, o consumo opera não apenas desterritorializando, produzindo experiências de fruição e escapismo. É possível se constituir como, por exemplo, no caso dos consumidores dos shows da Lapa ou de jovens que consomem roupas de hip-hop ou rock, como um ato importante que reterritorializa os indivíduos, capaz de produzir um senso de coletividade ou de sentimento público. Assim, é possível afirmar que os freqüentadores da Lapa têm um papel fundamental na conformação desse circuito cultural independente do samba e do choro. É na interação deles com os empresários locais, donos de gravadoras independentes, músicos e representantes de entidades públicas e privadas que vem se construindo esta experiência tão fascinante e importante nesta localidade. Poder-se-ia afirmar a esta altura que os freqüentadores da Lapa constroem e externalizam através do consumo um *estilo de vida* que os identifica como sendo pessoas "refinadas" e "conscientes", isto é, com "bom gosto musical" e que valorizam a "cultura nacional", já que consomem gêneros musicais "de raiz", canônicos, extremamente valorizados pela crítica tradicional e considerados como "autênticos" (Bourdieu, 1991; Frith, 1998) pela maioria do público.

Considerações finais

Como tivemos a oportunidade de analisar neste artigo, para se compreender de forma mais densa o lugar de destaque alcançado pelo samba e do choro e de sua "vitrine" – o circuito musical (e cultural) da Lapa – na cultura brasileira, é preciso que levemos em conta o papel crucial de certas narrativas, estratégias e práticas sociais na mobilização de expressivos segmentos sociais. Ou melhor, para entender de forma mais clara como – desde meados do século XX até hoje – estes gêneros musicais vêm ocupando um lugar canônico na memória e no imaginário da sociedade brasileira, é preciso entender os processos de relegitimação e reconsagração que são acionados cotidianamente pelos diferentes atores sociais envolvidos direta e indiretamente com o samba e choro a partir de *narrativas e estratégias "mais internas"*, de *narrativas especializadas-acadêmicas-informativas*, e do *consumo* promovido pelo público.

Em suma, ao longo de inúmeras décadas, essas narrativas, estratégias e práticas sociais possibilitaram, a partir de negociações sociais extremamente complexas, seguir se "reinventando a tradição" (Hobsbawm e Ranger, 1984) do samba e choro, além de permitir continuar reincluindo estas expressões culturais numa espécie de *pantheon nacional*. Os atores sociais que pertencem a este universo musical na condição de *produtores* ou *consumidores* gozam de um status bastante elevado no imaginário da sociedade brasileira. Em geral, a imagem deles é a de indivíduos portadores de um gosto musical que, ao mesmo tempo, é "refinado", de "alta qualidade" e "popular". Constrói-se a imagem de pessoas que, a despeito de qualquer crítica, são quase sempre reconhecidas como indivíduos comprometidos com: a "história", a "identidade nacional" e a "diversidade sociocultural do país".

Referências bibliográficas

ANDERSON, Benedict. *Nação e Consciência Nacional*. São Paulo: Ed. Ática, 1985.

BHABHA, Homi K. *O local da cultura*. Belo Horizonte: Ed. UFMG, 2003.

BLACKING, John. *Music, culture and experience*. Chicago: Chicago University Press, 1995.

BOSI, Ecléa. *Memória e sociedade*: lembranças de velhos. 4.ed., São Paulo: Companhia das Letras, 1995.

BOURDIEU, Pierre. O mercado de bens simbólicos. In: *A economia das trocas simbólicas*. São Paulo: Perspectiva, 2001.

_____. *La distinción*. Criterio y bases sociales del gusto. Madrid: Taurus, 1991.

CABRAL, Sérgio. *Escolas de Samba:* o quê, quem, como, quando e por quê. Rio de Janeiro: Fontana, 1974.

_____. *Pixinguinha:* vida e obra. Rio de Janeiro: Lumiar, 1997.

CANCLINI, Néstor G. *Consumidores e cidadãos*. Rio de Janeiro: Ed. UFRJ, 1995.

CASTORIADIS, Cornelius. *A instituição imaginária da sociedade*. 3ª. ed., Rio de Janeiro: Paz e Terra, 1982.

CAZES, Henrique. *Choro* – do quintal ao Municipal. São Paulo: Editora 34, 1998.

CHARTIER, Roger. *A História Cultural*: entre práticas e representações. Lisboa: Difel, 1990.

DU GAY, Paul (org.). *Production of culture, culture of production*. Londres: Sage, 1997.

FEATHERSTONE, Mike. (org.). *Global Culture:* Nationalism, Globalization and Modernity. Londres: Sage, 1991.

FREIRE FILHO, João. *A Elite Ilustrada e "Os Clamores Anônimos da Bárbárie"*: gosto popular e polêmicas culturais no Brasil do início e do final do século XX. 2001. Tese de Doutorado do Departamento de Letras da PUC-RJ, Rio de Janeiro, 2001.

FRITH, Simon. La música Pop. In: FRITH, S. et al. (orgs.). *La otra historia del Rock*. Barcelona: Ediciones Robinbook, 2006, p. 135-154.

_____. *Performing Rites:* on the value of popular music. Cambridge: Harvard University Press, 1998.

GILBERT, Jeremy; PEARSON, Ewan. *Cultura y políticas de la música dance.* Disco, hip-hop, house, techno, drum'n'bass y garage. Barcelona: Paidós, 2003.

HALBWACHS, Maurice. *A memória coletiva.* São Paulo: Vértice, 1990.

HALL, Stuart. *Identidades culturais na pós-modernidade.* Rio de Janeiro: DP&A Editora, 1997.

HERSCHMANN, Micael. *O funk e o hip-hop invadem a cena.* Rio de Janeiro: Ed. UFRJ, 2000.

_____. *Lapa,* cidade *da música.* Rio de Janeiro: Mauad X, 2007.

HERSCHMANN, Micael; TROTTA, Felipe. *O apadrinhamento no mundo do samba como uma significativa estratégia de mediação* – entre a roda e o mercado, 2007. (artigo inédito)

HOBSBAWM, Eric; RANGER, Terence. *A invenção das tradições.* Rio de Janeiro: Ed. Paz e Terra, 1984.

LE GOFF, Jacques. *História e memória.* Campinas: Ed. Unicamp, 1994.

LOPES, Nei. *Sambeabá, o samba que não se aprende na escola.* Rio de Janeiro: Casa da Palavra, 2003.

MATOS, Claudia. *Acertei no milhar.* Samba e malandragem no tempo de Getúlio. Rio de Janeiro: Paz e Terra, 2005.

MÁXIMO, João e DIDIER, Carlos. *Noel Rosa:* uma biografia. Brasília: Ed. UnB/Linha Gráfica Editora, 1990.

MOURA, Roberto. *No princípio, era a roda.* Rio de Janeiro: Rocco, 2004.

ORLANDI, Eni P. *Discurso Fundador.* A formação do país e a construção da identidade nacional. Campinas: Pontes, 1993.

PEREIRA, Carlos Alberto M. *Reinventando a tradição.* O mundo do samba carioca: o movimento de pagode e o bloco Cacique de Ramos. 1995. Tese de doutorado em Comunicação. Escola de Comunicação, UFRJ, Rio de Janeiro, 1995.

PINTO, Alexandre Gonçalves. *O Choro.* Coleção MPB reedições. Rio de Janeiro: MEC/Funarte, 1978.

POLLAK, Michel. Memória, esquecimento e silêncio. In: *Estudos Históricos.* v. 2, n. 3. Rio de Janeiro, FGV, 1989, p. 3-15.

SANDRONI, Carlos. *Feitiço decente*: transformações no samba 1917-1933. Rio de Janeiro: Ed. UFRJ, 2001.

SODRÉ, Muniz. *Samba, o dono do corpo.* Rio de Janeiro: Mauad, 1998.

STRAW, Will. Systems of articulation, logics of change: scenes and communities in popular music. In: FRITH, S. (ed.). *Popular music:* critical concepts in media and cultural studies. Londres: Routledge, 2004. p. 268-288.

_____. El consumo. In: FRITH, S. et al. (orgs.). *La otra historia del Rock.* Barcelona: Ediciones Robinbook, 2006.

TAGG, Philip. *Fernando the Flute.* Institute of popular music. Liverpool: University of Liverpool, 1991.

TINHORÃO, José Ramos. *História social da música popular brasileira.* São Paulo: Editora 34, 1998.

_____. *Música popular:* um tema em debate. 3a. ed., São Paulo: Ed. 34, 2002.

THOMPSON, Paul. *A voz do passado.* Rio de Janeiro: Paz e Terra, 1992.

TROTTA, Felipe. 2001. *Paulinho da Viola e o mundo do samba.* Dissertação de mestrado em música. Programa de Pós-Graduação em Música da Uni-Rio, Rio de Janeiro, 2001.

_____. 2006. *Samba e mercado de música nos anos 1990.* Tese de Doutorado em Comunicação. Escola de Comunicação, UFRJ, Rio de Janeiro, 2006.

VIANNA, Hermano. *O Mistério do Samba.* Rio de Janeiro: Jorge Zahar Editor; Editora UFRJ, 1995.

VILA, Pablo. Identidades narrativas y musica: una primera propuesta teorica para entender sus relaciones. In: *Revista Trans*, n. 2. Disponível em: www.sibetrans.com/trans/trans2/vila.html. Acesso em: 17/07/2006.

YÚDICE, George. *A conveniência da cultura.* Usos da cultura na Era Global. Belo Horizonte: Ed. UFMG, 2005.

WEBER, Max. *A ética protestante e o espírito do capitalismo.* São Paulo: Martin Claret, 2002.

WILLIAMS, Raymond. *Keywords.* Londres: Harper, 1983.

Identidades como dramas sociais: descortinando cenários da relação entre mídia, memória e representações acerca da Baixada Fluminense

*Ana Lucia Enne**

Cena 1:

Em 24 de março de 1996, o *Jornal do Brasil* publicou uma extensa reportagem sobre o ranking de qualidade de vida na região metropolitana do Estado do Rio de Janeiro feito pelo IBGE, onde o município de Nilópolis, localizado na Baixada Fluminense,[13] aparece em 3° lugar, só sendo supera-

---

* Graduada em Comunicação Social pela Pontifícia Universidade Católica do Rio de Janeiro, mestre e doutora em Antropologia pela Universidade Federal do Rio de Janeiro. Atualmente é professora adjunta no Departamento de Estudos Culturais e Mídia e no Programa de Pós-graduação em Comunicação na Universidade Federal Fluminense, onde coordena o Lami (Laboratório de Mídia e Identidade). Tem experiência na área de Comunicação, com ênfase em Cultura e Mídia, atuando principalmente nos seguintes temas: identidade, mídia, memória, Baixada Fluminense, cultura popular e violência. (anaenne@terra.com.br)

[13] Em minha tese de Doutorado (ENNE, 2002), apresento uma extensa discussão sobre a polissemia da categoria Baixada Fluminense, inclusive em termos de definição geográfica. Neste artigo, estamos tomando como referência, quando falamos da Baixada, aqueles que são considerados os principais municípios da região: Nova Iguaçu, Duque de Caxias, Nilópolis e São João de Meriti.

do por Niterói e pelo Rio de Janeiro, respectivamente primeiro e segundo lugar. O estranhamento que tal colocação causou pode ser medido pela própria caracterização dada pelo *JB* à informação, pois na chamada superior da página destinada a Nilópolis podíamos ler: "a cidade-surpresa".

Em 20 de dezembro de 2001, uma nova matéria publicada pelo *Jornal do Brasil* apresentava os dados levantados pelo IBGE no Censo 2000 acerca das condições de vida nas cidades do Estado do Rio, em que Nilópolis e Niterói aparecem nos primeiros lugares nos índices de saneamento e alfabetização, superando o Rio de Janeiro. O título "Rio é lindo, mas Nilópolis é melhor", embora apresente a classificação da segunda tomando a capital como referência, não parece apresentar, de forma explícita e à primeira vista, uma possível surpresa com o lugar obtido pelo município da Baixada. No entanto, no segundo parágrafo da matéria, o tom de surpresa se revela novamente: "Na Baixada Fluminense, Região Metropolitana do Rio, o município de Nilópolis surpreende." Cinco anos depois, o próprio jornal desconsidera matéria divulgada nele mesmo em que a qualidade de vida do município já era atestada pelo IBGE e continua se "surpreendendo" com a colocação obtida por Nilópolis.

Desse episódio, podemos perceber alguns pontos importantes para iniciarmos este artigo: que representações anteriores a essa estão marcando a referência deste jornal quando ele irá abordar a Baixada Fluminense em seu noticiário, a ponto de se "surpreender" duas vezes com a mesma notícia? De que forma estas representações estão arraigadas no *senso comum*, de maneira a serem mais fortes do que os próprios dados? Como e quando foram se construindo essas representações, que, ao se colocarem com mais peso do que os dados apresentados, acabam gerando uma cristalização de *estigmas* que marcam a região de forma tal, que mesmo quando as abordagens jornalísticas lhe sejam positivas, deverão ser acompanhadas por expressões como "surpresa", "superação", "quer mostrar seu outro lado", "também tem cultura", entre outras, que acabam por reiterar o estigma em vez de desmontá-lo?

Cena 2:

Dezembro de 2001. Na Casa França-Brasil, no centro do Rio de Janeiro, realiza-se a Mostra *Devoção e Esquecimento – Presença do Barroco na Baixada Fluminense*. Tal exposição garantiu à região uma visibilidade grande na mídia, sendo objeto de matérias jornalísticas tanto na imprensa quanto no rádio, na televisão e na Internet. Mais do que isso: tal visibilidade se deu de forma extremamente positiva, com referências culturais à Baixada, muitas vezes apontando para a idéia de que a mesma também "tem sua história".

É importante perceber, nesse sentido, como os agentes envolvidos com a exposição vão aproveitar o evento para lembrar que existe uma outra Baixada a ser percebida. As falas abaixo, selecionadas do Catálogo da Mostra, resumem o que está tentando se apontar aqui:

"Quando falamos na Baixada Fluminense, freqüentemente associamos a região à violência, marginalidade, criminalidade e exclusão social. (...) A beleza e a exuberância das peças aqui apresentadas falam mais alto do que os preconceitos ainda existentes em relação à Baixada. Demonstram, ainda, que esta região tem na sua história, memória e cultura vivas, pulsantes a atuantes, motivos de orgulho para seus habitantes."

"A exposição **Devoção e esquecimento – Presença do barroco na Baixada Fluminense**, montada no ambiente majestoso da Casa França-Brasil, tem um significado especial, principalmente por revelar ao grande público valiosas relíquias da memória e da história de uma região mais conhecida por suas enormes carências. (...) Parte dessa riqueza histórica e cultural vem sendo desvendada (...) sobrepondo-se à imagem geralmente difundida desta região como um reduto de violência e de marginalidade social. A revelação deste rico acervo, constituído através dos séculos, certamente contribuirá para reforçar os laços de identidade e o sentido de pertencimento de um povo às suas origens."

"... muito contribuirá para elevar a auto-estima e resgatar a cidadania da população da região no encontro com sua arte e história, o que por si só já justifica a iniciativa."

"E é um presente participar do processo que viabilizou a exposição **Devoção e Esquecimento – Presença do Barroco na Baixada Fluminense**. É bom demais contribuir para a recuperação desse referencial, principalmente para mim que sou produto desta sacrificada região. Depois, assinar, com meu amigo de tantos anos Marcus

Monteiro, colecionador incorrigível, este <u>resgate da nossa história comum</u>, é muito mais do que sonhei. E como sonhei!"

"... a divulgação de exemplares únicos e desconhecidos por certo deslumbrará historiadores, colecionadores, artistas e amantes das artes em geral, contribuindo para <u>descaracterizar o estigma de violência e miséria da Baixada Fluminense</u>, obtido por meio do abandono e do descaso."[14]

Há claramente, nessas falas, um esforço para desmontar representações estigmatizadas acerca da Baixada, que deveriam ser contestadas ou ao menos relativizadas. Mas como tal imaginário teria sido construído? Qual a sua importância, no caso da configuração de uma dada identidade, dessas construções de significado? Quem as teria construído? Como teriam sido legitimadas? E quem são os agentes que, nesse e em outros casos, estão propondo uma outra forma de enquadramento da memória e da história da Baixada Fluminense, de modo a superar a visão depreciativa, a qual, no entanto, terminam por evocar?

Apresentando a discussão

Abrimos nosso texto com essas duas cenas porque ambas nos parecem exemplares para introduzirmos a discussão que queremos desenvolver nesse artigo. Primeiramente, fazem referência àquela que é nosso foco em termos de objeto reflexivo: a região da Baixada Fluminense. Mais ainda, indicam claramente jogos e disputas em torno das representações do que seria a Baixada, revelando a intrínseca relação entre a memória e identidade. Por fim, mesmo sendo construídas por agentes claramente diferenciados – de um lado, temos o discurso jornalístico, envolvendo em sua produção as fontes (no caso, os dados do IBGE) e o próprio jornalista; de outro, o discurso dos especialistas que ocupam postos no corpo burocrático que engloba a Casa França-Brasil, instituições da Baixada e os órgãos públicos envolvidos na realização da mostra –, as duas narrativas apontam para uma representação

---

[14] Fragmentos de textos assinados, no Catálogo da Mostra, por, respectivamente, Anthony Garotinho (então governador do Estado), Helena Severo (então secretária de Cultura do Estado), Tito Ryff (então secretário de Estado de Planejamento, Desenvolvimento e Turismo), Dalva Lazaroni (então presidente da Casa França-Brasil) e Marcus Monteiro, curador da exposição. Grifos meus.

cristalizada, a da Baixada como um lugar de estigmas, imaginário que foi sendo construído via mídia no decorrer das últimas décadas, embora com graus e intensidades diferentes, arraigando-se em um senso comum acerca da região que tem motivado inúmeras disputas, no campo discursivo, entre os mais diversos agentes e agências, ora reforçando-o, ora buscando anulá-lo ou relativizá-lo. A meu ver, é esta disputa que transparece, de forma explícita ou não, nas duas enunciações que apresentei como cenas introdutórias para este drama vivido e simbolizado que pretendemos discutir aqui.

Pensando mais especificamente na cena 1, entendemos que, no decorrer dos últimos sessenta anos, a grande imprensa fluminense foi fundamental para a construção de múltiplas representações acerca da Baixada Fluminense, contribuindo para a consolidação de um imaginário sobre a região, que irá oscilar, em termos de memória, entre narrativas que reforçam a relação entre BF e pontos negativos, como a violência e a falta de investimentos públicos, e aquelas que se surpreendem com os aspectos positivos da região, em especial no decorrer da década de 1990. Acreditamos que a predominância não só quantitativa das primeiras, mas sua eficácia simbólica na construção de referências para o morador da Baixada, são indicativos fundamentais para pensarmos a relação entre mídia, memória e a construção das identidades culturais.

Ao mesmo tempo, fazendo a ponte com a cena 2, percebemos um intenso trabalho de construção de memórias e identidades preferencialmente positivas para a Baixada Fluminense, ou ao menos complexificadas, efetivado por agentes e agências diversos, como os atores políticos e culturais que vivem na região. Em minha tese de doutorado, optei por trabalhar com o que batizei de *rede de memória e história da Baixada Fluminense*, ou seja, uma intensa rede de agentes e agências explicitamente relacionados ao campo da memória e da história (através dos institutos históricos, centros de memória e cursos universitários de história que existem na região, dentre outros locais privilegiados), tentando compreender como essa rede se constitui e como atua na construção de identidades, através de que fluxos e negociações, por vezes se apresentando em antagonismos e conflitos (principalmente acerca das significações atribuídas aos domínios da memória e da história), mas em outras construindo discursos convergentes e complementares, principalmente quando precisam fazer frente aos discursos estigmatizantes do senso comum e da grande mídia.

Dessa forma, as nossas cenas, apresentadas em separado, só fazem sentido conjuntamente. São partes de um mesmo processo, que envolve a construção de memórias e identidades para uma região, implicando disputas e jogos discursivos, cujas enunciações não são estáticas, se encontrando não só em interações, mas, principalmente, revelando o caráter situacional e posicional dos atores em tais interações. Nossa proposta para este artigo é, portanto, mapear tais processos de construção de memória e identidade, levando em consideração os pontos acima e sua relação com a prática midiática, buscando perceber como a construção das identidades pode ser pensada como um drama social, no sentido proposto por Turner (1987) e Geertz (1998), dentre outros.

Voltando à cena 1: as narrativas da grande imprensa fluminense acerca da Baixada Fluminense

Compartilhando da percepção da imprensa como um *lugar de memória* privilegiado nas sociedades urbanas,[15] buscaremos mapear como foram sendo construídas, através das últimas cinco décadas, as representações e as memórias acerca da região da Baixada Fluminense na grande imprensa do Rio de Janeiro, contribuindo para consolidar um senso comum muito forte acerca da região.

Em nosso esforço para perceber as transformações ocorridas nas representações da grande imprensa acerca da Baixada Fluminense, optamos por uma metodologia múltipla. Primeiramente, realizamos um levantamento sistemático em quatro grandes jornais de circulação no Rio de Janeiro: *O Dia*, *O Globo*, *A Última Hora* e o *Jornal do Brasil*. Foi decidido que o levantamento compreenderia edições desses jornais em décadas diferentes, na tentativa de perceber tais diferenças. Assim, foram levantadas e coletadas matérias, de forma mais sistemática, dos jornais nos seguintes anos: 1950, 1960, 1970, 1980, 1990 e 2000.[16] Com exceção do jornal *O Globo*, o material referente aos três outros

---

[15] Sobre esta questão, cf. Ribeiro (1996).

[16] É importante deixar claro que a idéia de trabalhar com as datas fechadas foi somente uma maneira possível de tentar perceber uma lógica processual por amostragem, não uma tentativa de absolutizar ou controlar os dados recolhidos via imprensa. Por isso, não há qualquer pretensão estatística.

jornais foi obtido na Biblioteca Nacional. A idéia foi coletar dados de pelo menos um mês, em cada um dos jornais e em cada um dos anos estipulados. Com isso, pretendia-se mapear a regularidade dos noticiários em um tempo de pelo menos 30 dias, tentando compreender até onde as matérias sobre a região se constituíam em casos isolados ou estavam dentro de uma seqüência de reportagens, o que altera, em muito, a intervenção da imprensa na construção de memórias coletivas. No caso de *O Globo*, coletamos os dados nas pastas do arquivo de pesquisa da própria empresa, o que nos levou a uma sistemática diferente da citada acima, trabalhando com os critérios dos arquivistas de alocação das matérias em pastas organizadas por décadas.[17]

Além disso, foram utilizados como referência dados colhidos em matérias esparsas, fora desses anos, selecionadas a partir de consultas aleatórias ocorridas durante a pesquisa, acervo pessoal, indicações feitas na bibliografia consultada e das informações coletadas no decorrer das entrevistas realizadas no trabalho de campo para a tese.[18] Outras fontes jornalísticas, como jornais locais e revistas de circulação nacional, também foram utilizadas, embora de forma aleatória. Escolhi, ainda, levantar matérias dos cadernos específicos acerca da Baixada Fluminense, no caso *O Dia Baixada* e *O Globo Baixada*, com ênfase no início da década de 1990, por perceber, no decorrer da pesquisa de campo, que a criação desses cadernos é considerada marco de uma transformação nas imagens produzidas sobre a Baixada. Por fim, para indicar as apropriações da Baixada pela imprensa carioca, estou trabalhando, ainda, com teses, entrevistas e textos produzidos pelos agentes que lidam com a memória e história na Baixada.[19]

---

[17] Acreditamos que a própria lógica do arquivamento das matérias referentes à Baixada Fluminense, no setor de Arquivo e Pesquisa do jornal *O Globo*, sobre a qual também buscaremos refletir, nos fornece pistas importantes sobre a questão da construção, via imprensa, de representações sobre a região e sua relação com o senso comum.

[18] Foram realizadas cerca de 60 entrevistas com agentes ligados à produção da memória e da história na região. Cf. Enne (2002).

[19] Evidentemente, o que apresentaremos nesse artigo é uma pequena síntese do que acumulamos, tanto em termos de material empírico quanto de reflexões feitas a partir do mesmo. Um quadro bem mais completo será apresentado em um livro que estamos preparando para publicação futura. Pretendemos, ainda, disponibilizar os dados da pesquisa no site do Lami (http://www.uff.br/lami).

Indicados alguns de nossos procedimentos metodológicos, apresentaremos, a seguir, nossas observações acerca da relação entre a mídia e a construção das representações sociais. A idéia é mapear o espaço destinado à BF no material jornalístico coletado, buscando perceber que representações estão sendo construídas acerca da região e como elas são percebidas pelos agentes citados, criando múltiplas formas de interação. Optamos, para facilitar a compreensão do que estamos apontando, por apresentar os dados de forma cronológica, indo da década de 1950 até os anos 2000.

a) década de 1950

De acordo com o que afirma a vertente mais consagrada da historiografia acerca da Baixada,[20] no período do pós-guerra, a região teria passado por diversas transformações, especialmente de ordem econômica e social. Como demonstram diversos autores, o município de Nova Iguaçu desenvolveu, nos anos 20 e 30, uma intensa citricultura, inclusive ocupando papel de destaque no setor de exportações nacional, mas nos anos 50 enfrentou uma grave crise no setor da produção de laranja e aos poucos foi abandonando suas atividades agrícolas para ser recortada por um intenso processo de loteamentos das antigas fazendas e chácaras.[21]

Os loteamentos produziram, como demonstra Sonali Souza (1992), uma profunda transformação social na Baixada Fluminense. Os baixos preços dos lotes atraíram muitos migrantes das mais diversas partes do país, especialmente do Nordeste, que se instalaram na Baixada e procuraram emprego no crescente setor industrial que se formava na Capital. Tal processo, de marcada expansão demográfica, irá gerar uma série de problemas urbanos.

Concomitantemente ao processo de ocupação dos loteamentos por trabalhadores da indústria, os anos 50 marcaram o início de uma ocupação das

---

[20] A história da Baixada tem sido alvo de disputas por representação, como demonstraremos de forma breve no próximo item desse artigo. Nesta parte, optamos por trabalhar com as versões mais consagradas por entendermos que são elas que mais diretamente se relacionam com as narrativas construídas pela imprensa.

[21] Tal processo é descrito e analisado por Grynszpan (1987), Souza (1992), Bastos (1977) e Beloch (1984).

terras por camponeses, como aponta Mário Grynszpan (1987). Tais ocupações resultaram em intensas disputas pela posse das terras, com o surgimento de movimentos de mobilização camponesa.²² As lutas pela terra foram marcadas por ações violentas e conflitos diversos, muitas vezes retratados pela imprensa, o que vai marcar o início de uma representação associativa entre a Baixada Fluminense e as imagens da violência e da ausência de um poder legal exercido por direito.²³ Expressões como "nordeste sem seca" e "barril de pólvora" foram usadas para caracterizar os conflitos na região,²⁴ assim como as expressões 'Cidade do Crime', 'Cidade sem Lei', 'Chicago da Baixada'.

No início dos anos 50, no entanto, em nossos registros coletados, poucas matérias citavam a Baixada nos principais jornais. Mas, na percepção de muitos dos autores que consultamos, foi no decorrer da década de 1950 que se iniciou a construção da imagem associando a Baixada à violência.

b) década de 1960

No início dos anos 60, a presença da Baixada Fluminense nos jornais consultados já pode ser percebida de forma mais efetiva. Encontram-se referências positivas, como notícias sobre a Festa da Laranja ou uma lista com os centros afros da Baixada.²⁵ No entanto, já pode ser notado um número considerável de matérias apontando para a violência na região, como "Mulher atirou-se pela janela a fim de fugir às garras dos monstros", "Fuzilado com cinco tiros um

---

²² Como demonstra Grynszpan, neste momento está se afirmando uma representação que associava a região a "uma área de fronteira, agreste, e que deveria ser conquistada". Cf. Grynszpan (1990:293). Segundo Marlúcia Santos de Souza e Roberto Pires Júnior: "A disputa pela terra era acirrada e a violência, a marca desse processo. Talvez pudéssemos ousar comparar a marcha para o 'oeste fluminense' com a do oeste norte-americano representada nos filmes de bang-bang." Cf. Souza e Pires Júnior (1996, p. 9).

²³ Como aponta Grynszpan: "Quem lê os jornais das décadas de 1950 e início da de 1960 conforma uma visão do campo fluminense como região de problemas graves, de grandes proporções e características dramáticas." Cf. Grynszpan, 1998, p. 258.

²⁴ Idem, pp. 259 e 266.

²⁵ "Festa da laranja em Nova Iguaçu", *JB*, 13/04/1960 e "Cultos afro-brasileiros", *O Dia*, 05/03/1960.

estivador em Caxias", "Avançou de faca e foi morto a tiros", "Pacto de morte" e "Solução para a superlotação do xadrez da delegacia de Caxias".[26]

Na verdade, o processo histórico iniciado na década de 1950 vai ganhar contornos definitivos na década seguinte, com o acirramento das lutas no campo e a configuração daquilo que Beloch chamou de "coronelismo urbano" (Beloch, 1986, p. 124). Neste contexto, deu-se o surgimento da figura de Tenório Cavalcanti, polêmico líder político cuja trajetória, associada diretamente à violência, marcou de forma definitiva a história da região[27]. Segundo Ismael Beloch, a partir de Tenório conferiu-se à região "a pecha de faroeste fluminense"[28].

Tenório Cavalcanti foi um dos muitos migrantes que vieram do Nordeste para a Baixada. Lá, enriqueceu e tornou-se uma poderosa figura política, criando um sistema clientelista e apoiando-se na violência como estratégia de conquista e manutenção do poder tanto econômico quanto político. Em torno de sua pessoa, criou-se toda uma mistificação, apoiada na construção de uma personagem para Tenório, que passou a ser conhecido pelo uso de suas inseparáveis capa preta e sua metralhadora "lurdinha", bem como pela fama de "ter o corpo fechado", por ter conseguido escapar ileso de uma série de conflitos a bala. Tal mística foi incorporada pela imprensa local (principalmente através do jornal *A Luta Democrática*, dirigido pelo próprio Tenório) e pelos grandes jornais da capital. A Baixada Fluminense passou então a ocupar com mais constância as páginas dos diários nacionais, em especial as destinadas às matérias de polícia, com as notícias dos conflitos pelas terras, as disputas políticas marcadas pelas práticas violentas e a exploração da figura polêmica de Tenório.

Neste momento, para muitos dos entrevistados (além dos autores citados), está se firmando a imagem da BF como um espaço violento, sem lei, um "faroeste fluminense", como indicado acima. Para complementar ainda mais essa imagem, um episódio ocorrido em julho de 1962, que ficou co-

---

[26] Jornal *O Dia*, respectivamente edições de 14/03/1960, 22/03/1960, 29/03/1960, 30/03/1960.

[27] Diz Beloch: "A violência foi sem dúvida a mais notória marca distintiva de Tenório." Cf. Beloch, 1986, p. 74. Ver também Grynszpan (1987 e 1990).

[28] Beloch, 1986, p. 74.

nhecido como o "quebra-quebra", ocupou por semanas as páginas dos noticiários, associando a região à falta de segurança e à prática da violência. Este episódio, segundo Marlúcia dos Santos Souza, teria marcado o surgimento de milícias pagas pelos comerciantes locais para garantir a segurança de seus estabelecimentos. Assim, "... em 62, com o saque, as polícias privadas atuaram como repressores das revoltas e como mantenedoras da ordem."[29] A partir deste contexto, marcou-se o início da ação de "grupos de extermínio" na região, como vão demonstrar Josinaldo Aleixo Souza (1997) e José Cláudio Alves Souza (1998). A ação desses grupos, porém, se efetivaria de forma mais veemente a partir da década de 1970.

c) década de 1970

Neste período, como demonstram os autores citados e os dados coletados, a imagem da *"Baixada Fluminense"*, na imprensa, já está marcadamente associada à violência. A ação dos grupos de extermínio na região transformou a Baixada em sinônimo de "criminalidade". As notícias eram dadas indistintamente, como podemos perceber. Não eram feitas distinções entre o que seria ação dos grupos de extermínio e o que seria resultado da prática de violência como uma ação criminosa de forma geral. Assim, instaura-se um *senso comum* acerca da região em que esta começa a ser associada a um "local perigoso", como podemos perceber nas matérias coletadas.

Observando o levantamento realizado no ano de 1970, podemos observar um aumento considerável no número de matérias relacionadas à BF, quase todas associadas a um contexto de violência. Nos meses de março e abril, por exemplo, tomando os jornais *O Dia* e *JB* como referências, podemos observar que praticamente em todos os dias são publicadas matérias sobre a Baixada e alguma prática violenta, em geral relacionadas ao "esquadrão da morte". Olhando pelo prisma dos arquivistas do jornal *O Globo*, a mudança também é perceptível: são poucas as matérias referentes aos anos anteriores à década de 1960, enquanto que, a partir da década de 1970, a pasta de arquivo se avoluma e traz, principalmente, matérias relacionadas à violência.

---

[29] Souza, Marlúcia, 2000, p.51.

Segundo José Cláudio Souza Alves (1998, p. 146-147), nos anos 70, a ação dos grupos de extermínio na região se intensifica. Segundo ele, "os editoriais de jornais passaram a manifestar, de forma mais explícita, suas análises sobre a violência e sobre a Baixada" (1998:146). Ele cita a construção discursiva de *O Globo* (9/8/77), definindo a "fauna criminosa da Baixada Fluminense", e também a do *Jornal do Brasil*, que, no editorial "Câncer vizinho", definiria a Baixada como um local onde "a lei do gatilho é tão natural quanto a lei da gravidade (...)".

Um outro dado, que circulará pela imprensa e será transformado em livro, também terá grande força na construção de uma imagem negativa sobre a Baixada Fluminense. Um estudo da UNESCO, realizado na década de 1970, apontará que Belford Roxo, então distrito de Nova Iguaçu, seria "o lugar mais violento do mundo"[30]. Essa pesquisa é, sem dúvida, um marco significativo na memória dos agentes entrevistados, pois muitos citaram a mesma e sua divulgação via mídia como um dos momentos de maior afirmação de uma imagem negativa acerca da *Baixada*.

d) década de 1980

O início dos anos 80 marca o período de maior visibilidade para a Baixada Fluminense (e sua relação direta com a "violência") na grande imprensa. No material empírico levantado nos meses de março e abril são publicadas matérias diariamente sobre a "violência" na Baixada Fluminense (como, por exemplo, podemos perceber na chamada "Durante a Semana Santa, na Baixada Fluminense, 71 pessoas morreram vítimas de violência, acidente de trânsito, mortes naturais e falta de assistência médica"[31]). Não só aumentam as referências diretas à Baixada como um "local violento", mas o tamanho das matérias chama a atenção: são muitas vezes páginas duplas, com fotos e grandes manchetes, narrando a "criminalidade" na BF.

Esse quadro se ampliou especialmente pelo surgimento da figura do "Mão Branca". Para os agentes entrevistados nesta pesquisa, somente um

---

[30] A pesquisa da UNESCO foi realizada em 95 países, de 1971 a 1976. Sobre a pesquisa e seus resultados, bem como sobre seus impactos sobre a BF, cf. Souza, Percival (1980).

[31] *JB*, "Baixada teve 71 mortes no fim de semana", 08/04/1980.

disfarce retórico para a ação dos grupos de extermínio. Para a imprensa da época, uma mistura de "exterminador" como "justiceiro", que em especial no jornal *Última Hora* foi transformado em "personagem excêntrico", gerando muitas capas e páginas duplas com matérias acerca de suas ações na Baixada (mesmo quando as localidades citadas não estavam geograficamente associadas à mesma, pelo menos quanto às representações geográficas mais reconhecidas).[32] A associação entre a ação do "justiceiro" e a violência na Baixada Fluminense é constante e, quando necessária, reafirmada, como na manchete exemplar: "MÃO BRANCA, FURIOSO, DESMENTE OS JORNAIS: SÓ MATO NA BAIXADA."[33]

Se o início da década de 1980 foi marcado por uma intensa visibilidade da Baixada Fluminense na imprensa, em associação direta com a temática da "violência", tal quadro apresentaria fortes mudanças no início da década de 1990, como demonstrarei no próximo item. Para os agentes aqui entrevistados, no entanto, tais mudanças começaram a se processar ainda em meados dos anos 80, com a abertura política e o crescimento dos movimentos sociais, especialmente aqueles ligados à igreja e à formação das associações de moradores. A criação e o posterior crescimento dos movimentos sociais na Baixada foram acompanhados pelo surgimento de diversas instituições culturais, especialmente as casas e centros de cultura. As referências acerca da região, segundo os agentes entrevistados, começaram, neste contexto, a mudar. Outro fator apontado como fundamental para a mudança no "olhar sobre a Baixada" teria sido, após o retorno do sistema democrático, a descoberta do "potencial eleitoral" da região.

e) década de 1990 e 2000

A efervescência cultural e social do fim dos anos 80 se consolidou, segundo os agentes entrevistados, no início da década de 1990, quando começou a ser projetada uma imagem mais positiva via imprensa acerca da BF. Neste sentido, muitos apontam como marco o surgimento de cadernos específicos sobre a região, que irão circular dentro dos grandes jornais,

---

[32] Cf. Enne (2006).
[33] *Última Hora*, 5/03/1980.

como o *Globo Baixada* e o *Caderno Grande Rio*, do jornal *O Dia*. Apesar de não circularem fora da região, tais cadernos vão ter um impacto muito grande na construção de imagens positivas para a Baixada, especialmente no sentido de estimularem um aumento na auto-estima dos moradores, com a publicação de matérias que apontam para as "qualidades" da região.

Algumas matérias pinçadas nestes jornais em seus primeiros anos de funcionamento apontam para esta transformação nos enfoques acerca da Baixada Fluminense. As construções discursivas utilizavam palavras com forte efeito retórico, no sentido de gerar novas representações sobre a região, como, por exemplo, "recanto", "lazer", "bucólico", entre outras[34]. Além disso, algumas matérias se propõem a enfocar a Baixada sob outros prismas. Assim, em "Bons negócios põem a Baixada no noticiário de economia", aparece claramente a idéia de que a região antes não fazia parte do mesmo, já que era "considerada até pouco tempo uma região formada apenas por cidades-dormitórios...".[35]

Para os agentes aqui mapeados, a percepção da Baixada Fluminense como "mercado consumidor" é fundamental neste processo de mudanças. O surgimento de novos shoppings e empresas sediadas na região, nos últimos anos da década de 1990, exacerbou esse processo. Assim, diversas matérias recolhidas na pasta de arquivos de *O Globo*, produzidas neste jornal ou em outras fontes jornalísticas, celebram esse novo momento da Baixada, como nos exemplos que citaremos a seguir: "O outro lado da Baixada. A região mais pobre do estado derrota as estatísticas negativas com beleza e trabalho" (*Jornal do Brasil*, 22/07/1990), "Grande Rio tem 25% dos cartões do país" (*Jornal do Brasil*, 11/12/1994), "Investimentos de US$ 920 milhões fazem da Baixada o ABC fluminense" (*O Globo*, 26/01/1995), "Baixada deixa a periferia para trás" (*O Globo*, 7/05/1995), "Baixada em alta. Famosa pelos índices de criminalidade, a Baixada Fluminense dá meia-

---

[34] Ver, por exemplo, "Um passeio pelos recantos da Baixada" (*O Globo Baixada*, 14/10/09, p.54-59), "Domingo de muito lazer na Baixada" (idem, 25/11/90, p. 50-56), "Sítio Carioca: opção bucólica de lazer" (idem, 04/08/91, p. 40), "Entre Japeri e Miguel couto, um passeio dos mais bucólicos" (idem, 18/08/91, p. 42-44),"Sítios são os novos pontos de lazer para todas as classes" (idem, 06/10/91, p. 22-23) e "Caxias elege seu recanto preferido" (idem, 09/08/92, p. 10).

[35] *O Globo Baixada*, 23/11/90, p. 42.

volta rumo ao desenvolvimento" (*Revista IstoÉ*, 16/08/1995), "Rio redescobre a Baixada Fluminense. A região, antes identificada com crimes de grande repercussão, deverá receber investimentos de mais de R$ 3 bilhões até 1999" (*Folha de S. Paulo*, 15/10/1995), "Potencial de investimentos da Baixada é tema de seminário" (*O Globo*, 27/08/1996), "Baixada sacode a poeira e dá a volta por cima" (caderno especial *Baixada, um novo olhar*, com 12 páginas, publicado pelo *Jornal do Brasil* em 11/05/1997), "Baixada emergente e sofisticada. Perfil do consumidor muda e cada vez mais aumenta a exigência por qualidade de produtos e serviços" (*O Dia*, 21/05/2000), "Panorama econômico da Baixada Fluminense. Programa injeta US$ 300 milhões na região" (*Jornal Extra*, 4/07/2002)[36].

Além disso, existe uma percepção geral de que "a violência teria se banalizado", teria se "espalhado para todo o Rio de Janeiro", não sendo mais um "problema só da Baixada". Assim, as notícias sobre "violência" continuam a ocupar as páginas da imprensa, mas hoje se referem muito mais ao município do Rio de Janeiro do que especialmente à Baixada.

No entanto, apesar dessa percepção estar presente nos critérios de arquivamento do jornal *O Globo*, no levantamento que realizamos nos demais jornais e na fala de grande parte dos entrevistados que citamos, Juliana Marques Rocha, em sua monografia *A representação da Baixada na mídia: a cobertura da chacina de 31 de março de 2005*, demonstra que, nas reportagens realizadas sobre a chacina, as referências ao estigma da violência associado à região foram muito superiores aos enfoques relativizadores. Na visão da autora, tal fato é indicativo de uma permanência do imaginário depreciativo no senso comum e na grande imprensa acerca da região, mesmo com os indícios de uma mudança, como apontamos aqui.

A nosso ver, há uma clara ambigüidade neste processo, permitindo a convivência, em um complexo jogo discursivo, de permanências e transformações. Assim, mesmo quando apontam aspectos positivos para a Baixada, as matérias muitas vezes, como apontamos em nossas cenas 1, termi-

---

[36] É interessante notar que, na pasta relacionada aos anos 90 no setor de arquivo de *O Globo*, praticamente desaparecem as matérias referentes à violência. Pelas pastas de arquivamento do jornal, portanto, é possível perceber uma mudança, se não diretamente nas representações feitas sobre a Baixada, ao menos nas que passam a importar como dignas de serem arquivadas.

nam por reforçar imagens estereotipadas e estigmatizantes. E, além disso, é preciso considerar que as práticas discursivas da grande imprensa só podem ser entendidas em relação a outras práticas discursivas, imersas em práticas sociais. Tentaremos, na próxima parte deste artigo, iluminar alguns aspectos desses jogos de interação.

Voltando à cena 2 – a rede de memória e história na Baixada Fluminense e a construção das identidades

No item anterior mapeamos, de maneira breve, o processo através do qual foram sendo construídas, via mídia e práticas discursivas diversas, as representações cristalizadas e/ou transitórias acerca da Baixada Fluminense, no decorrer dos últimos sessenta anos. De forma semelhante, podemos apontar, também superficialmente, o processo pelo qual se consolidou, na região, uma preocupação com a questão da memória e da história da Baixada Fluminense. A meu ver, os dois processos estão profundamente interligados, como estou buscando demonstrar.

Assim, nos anos 50 tivemos também o início de uma produção memorialística sistemática sobre a região, com a publicação de livros escritos por pesquisadores nativos. Tais trabalhos inauguraram a "tradição memorialística" na Baixada e alguns de seus traços característicos, como a idéia de que a Baixada Fluminense teria tido um período de opulência, posteriormente enfrentando uma longa fase de decadência. O olhar desses primeiros "memorialistas" sobre a região foi marcado por um enaltecimento do passado e uma tendência a perceber o presente em termos de "perda".

Nos anos 70, pode-se perceber uma tentativa mais sistemática de apropriação do passado para dele se extrair imagens positivas para a Baixada. É neste contexto, por exemplo, que serão criados os institutos históricos de Nova Iguaçu e Duque de Caxias (fundado por Dalva Lazaroni, que, por ocasião da mostra sobre o barroco na Baixada, a que nos referimos em nossa cena 2, presidia a Casa França-Brasil), os primeiros da região. Além disso, uma nova fornada de publicações de "memorialistas" é produzida, dando prosseguimento à "tradição" fundada pelos "pioneiros".

Nos anos 80, como indiquei anteriormente, a proliferação de movimentos sociais na região faz eclodir o surgimento de novos agentes e agências no campo da memória e história. Surgem outros institutos históricos e casas de memória, enquanto as casas de cultura irão abrigar aqueles que não se identificam com as representações tradicionais acerca da memória, buscando uma visão histórica de engajamento e complexificação do passado. Esta será a base para o surgimento de um universo de pesquisadores e professores que irão fundar e ocupar novos espaços de reflexão sobre a memória e a história na Baixada, que serão criados a partir dos anos 90, alocados principalmente nos centros universitários da região.

Os anos 90 e o início dos anos 2000 assistirão, de forma semelhante ao que vem acontecendo em escala global, a uma proliferação da temática da memória na Baixada. O número de agentes e agências envolvidos nesse processo se multiplicará de forma substancial. Em nosso trabalho histórico e etnográfico, fomos percebendo a formação de uma extensa rede gravitando em torno de tais temáticas. A nosso ver, tal rede está intimamente relacionada aos trabalhos de memória produzidos pela imprensa acerca da Baixada Fluminense, como indicamos.

Em minha tese de doutorado, defendi a idéia de que a produção da *memória* e da *história* na *"Baixada Fluminense"*, com todas as suas implicações em termos de configuração *de identidades sociais*, deve ser pensada como uma *grande rede de relações entre agentes e agências sociais*, que estão gravitando dentro ou em torno de duas grandes *sub-redes*, a chamada *sub-rede 1*, dos *"memorialistas"*, e a *sub-rede 2*, dos *"acadêmicos"*. Estas poderiam ser chamadas de *egos*. Mas que a estas se ligam e/ou desligam outros *nós*, configurando outros seis tipos de interações possíveis, que chamei didaticamente de *elos intermediários, elos prováveis, elos possíveis, elos perdidos, elos "memorialistas" e elos "acadêmicos"*. Neste artigo, no entanto, irei me ater aos dos nós principais, como desenvolverei a seguir.[37]

A *sub-rede 1* compreenderia os chamados "memorialistas", categoria utilizada por vezes como referência positiva e outras como peça de acusação. Seus agentes estão ligados a instituições "tradicionais", como os Institutos Históricos, muitas vezes mantidos com apoio do poder público. Tais agentes mantêm uma prática recorrente de auto-referência, constantemente lembrando os no-

---

[37] Antes de prosseguir com as explicações, gostaria de deixar claro que as categorias aqui propostas foram escolhidas como referências teóricas e metodológicas para dar conta do objeto de pesquisa, ou seja, são perspectivas minhas para descrever e analisar os processos sociais que estou mapeando. Isso, no entanto, não significa que estas categorias sejam uma representação fiel da realidade.

mes de seus pares como fontes de consulta e "seriedade" historiográfica. Ao mesmo tempo, praticamente não se referem aos agentes que compõem a *sub-rede 2*, dos "acadêmicos", embora saibam de sua existência e, ainda mais, com eles interajam recorrentemente. Em seus trabalhos, há uma evocação dos "memorialistas" fundadores. Podemos citar ainda um fascínio por um passado de "opulência", voltado principalmente para o século XIX e alguns fatos, datas e personagens que se articulam a uma historiografia, classificada pelos "acadêmicos", como sendo de cunho mais "positivista", de exaltação e quase nenhuma crítica. As abordagens em termos de objetos históricos, quando chegam ao século XX, praticamente se interrompem na década de 1950. Assim, o presente é "esquecido" para ser ancorado nas lembranças do passado, o que se reflete em uma luta constante por preservar os marcos históricos que permitem uma articulação com essa visão, em especial casas de fazenda e igrejas.

A *sub-rede 2*, dos "acadêmicos", é formada totalmente por agentes com graduação em cursos de História e possuindo uma produção "acadêmica", que estão de alguma forma inseridos nos meios universitários locais e/ou em programas de pós-graduação de universidades fora da Baixada. Além disso, seus membros são explicitamente antagônicos a uma história "positivista", respeitando o trabalho dos "memorialistas" mas se colocando como portadores de um outro tipo de fazer histórico, mais comprometido com a "Ciência". Na escolha de seus objetos de trabalhos, temas contemporâneos não são ignorados, bem como reflexões sobre o fenômeno da violência. Há uma preocupação em buscar o olhar dos "excluídos" por uma historiografia oficial. Quase todos os seus agentes são oriundos de movimentos sociais. Da mesma forma, todos são professores da rede pública na Baixada Fluminense. Nas suas falas e trabalhos escritos, a questão da "identidade" aparece de forma nítida, como preocupação recorrente, principalmente quando pensada em associação às categorias de "estigma" e "auto-estima".

Como podemos perceber por esta breve descrição das duas sub-redes, suas identidades são construídas a partir de oposições bem demarcadas. No decorrer de minha pesquisa, no entanto, os processos interativos dentro da rede que analisei foram apontando, aos poucos, para uma série de convergências entre os atores e agências que, *a priori*, se apresentam ou são percebidos como predominantemente divergentes. A meu ver, é a busca da configuração de *identidades positivas* para a região da *"Baixada Fluminense"*, contrapartida para uma visão enraizada via imprensa de que a BF seria percebida de forma predominantemente negativa e estigmatizada, que acaba por alinhavar posições anteriormente contrárias. Mais uma vez, a idéia de *rede* reaparece claramente, pois esta irá também ser remontada com a suspensão de diferenças para um posicionamento político semelhante quando se trata de interagir com essas visões negativas. Portanto, apesar das diferentes concepções sobre *memória* e *história*, bem como a apropriação de ambas pelos diversos agentes estudados, é possível perceber como elas são instrumentos fundamentais para a construção de novas *identidades* para a Baixada e como estas também são estratégias políticas.

Descortinando os cenários: a construção das identidades como drama social

Como indicamos acima, um ponto fundamental que leva a uma convergência entre os agentes da *sub-rede 1* e *sub-rede 2* são as situações de *estigma*. Grande parte dessas "imagens estigmatizadas", que os agentes percebem como projetadas sobre a Baixada Fluminense, são creditadas à mídia, de uma forma geral. Assim, os meios de comunicação são percebidos como disseminadores de preconceito sobre a região, muitas vezes deixando de abordar, para além dos problemas existentes, aspectos também positivos.

Assim, é possível compreender que existem diversos planos discursivos em que as *identidades* dos agentes vão sendo processualmente construídas e reconstruídas. De certa forma, existe um plano interno a cada *sub-rede*, em que os atores alinham seus discursos por *afinidades* a seus pares e por oposição à *sub-rede* antagônica. Além disso, existe um segundo plano discursivo, que chamei de interno à *rede* (e não mais a uma *sub-rede* específica), em que a identidade vai ser configurada mais pelo *conflito*, pelas posições de divergência entre os diversos agentes e agências, englobando não só as duas *sub-redes* mas os *elos* com as quais elas estão interagindo. Mas acredito que exista ainda um terceiro plano, externo à *rede de memória e história na Baixada*, em que as práticas discursivas estão endereçadas a outros *elos* que não os que participam diretamente da *rede* – ou seja, a diversos outros, como, por exemplo, os órgãos públicos, a imprensa e a mídia de uma maneira geral, os "formadores de opinião" (como os artistas), os alunos das redes pública e privada da região, interlocutores diversos, moradores da *"Baixada Fluminense"* ou não –, mas que com ela estão interagindo, no qual tais práticas buscam a construção de imagens positivas para a região, reforçando a "auto-estima" e denunciando o processo de "estigmatização". Nesse terceiro plano, as rupturas em termos de *identidade coletiva* são, se não sobrepostas, ao menos restringidas por uma outra concepção acerca do papel da *memória* e da *história*, em que esses campos se prestam a um reforço em termos de valorização local. Neste sentido, posições aparentemente antagônicas acabam por confluir, como, por exemplo, no que se refere ao uso de fatos enaltecedores do passado da região. A *história* e a *memória* aparecem, neste contexto, como um projeto partilhado pelos agentes que compõem a *rede* que estou caracterizando, visando exatamente a reversão da "imagem negativa" da Baixada.

Como indica Gilberto Velho (1994, p. 103), a "memória é fragmentada", ou seja, " o sentido da identidade depende em grande parte da organização desses pedaços, fragmentos de fatos e episódios separados". Ela será usada, portanto, de acordo com as demandas do presente e com as *posições* tomadas pelos agentes de acordo com os contextos de interação (Halbwachs, 1990).

Podemos, aqui, perceber como a configuração de *projetos* diversos pelos indivíduos, formulados a partir de suas perspectivas individuais, mas também em termos de suas inserções sociais, leva a mudanças em termos de construções de *identidades sociais*, levando, inclusive, a convergências de agentes e agências que se apresentam, de forma geral, como antagônicos. Como afirma Velho (1994, p. 103), "o *projeto* é o instrumento básico de *negociação da realidade* com outros atores, indivíduos ou coletivos". As *identidades*, nesse sentido, também são matéria de negociação entre os atores sociais. Como podemos perceber, a busca de uma valorização para a identidade de *morador da Baixada Fluminense,* marcada por *estigmas,* acaba sendo uma via de convergência fundamental para "memorialistas" e "acadêmicos". Assim, as práticas discursivas dos agentes relacionados à rede de memória e história da Baixada Fluminense só fazem sentido quando relacionadas às práticas discursivas da mídia, mesmo que a elas, em tese, os discursos desses agentes façam oposição. Partilhando da metodologia proposta por Fairclough (2001), portanto, entendemos que as práticas discursivas só podem ser pensadas dentro de práticas sociais, sob o risco de cristalizarmos em sentidos únicos e estáticos o que se configura como dialógico e polifônico.

Estamos, portanto, diante de um intenso drama social, no qual memórias, projetos e representações são fundamentais para os jogos de construção e desconstrução das múltimas identidades sociais. Trata-se de um cenário complexo, que não pode ser reduzido a mundos separados, sob pena de perdermos seu caráter processual. Nesta dramatização, não só posições claramente antagônicas como a de "memorialistas" e "acadêmicos" acabam por convergir, na luta comum contra os estigmas, bem como, em muitas de suas falas, como vimos na cena 2, o esforço para renegar as visões preconceituosas muitas vezes serve de lembrança e reforço para as mesmas, aproximando discursos de resistência aos mesmos discursos a que se busca resistir.

Assim, as cenas, apresentadas em separado, como dissemos anteriormente, só fazem sentido se pensadas em fluxos de interação. Não podem ser vistas de forma isolada porque só são apreendidas como recortes ideais de um mundo bem mais complexo e imerso em "teias de significado". Na dramatização das mesmas, memórias e projetos são categorias fundamentais para pensarmos como se posicionam e atuam os múltiplos atores envolvidos em tais cenários. Procuramos mostrar, em nosso artigo, não só a diversidade de agentes e agências articulados nesse processo, mas o caráter transitório de suas posições e a centralidade que ocupam, nesses fluxos, os discursos midiáticos.

Referências bibliográficas

ALVES, José Cláudio Souza. *Baixada Fluminense*: a violência na construção do poder. 1998. Tese de Doutorado em Sociologia, USP, São Paulo, 1998.

BASTOS, Eliane Cantarino O'Dwyer G. *Laranja e Lavoura Branca*. Um estudo das unidades de produção camponesa da Baixada Fluminense. 1977. Dissertação de Mestrado em Antropologia Social, PPGAS/MN/UFRJ, Rio de Janeiro, 1977.

BELOCH, Israel. *Capa Preta e Lurdinha:* Tenório Cavalcanti e o Povo da Baixada. Rio de Janeiro: Record, 1986.

ENNE, Ana Lucia. *"Lugar, meu amigo, é minha Baixada"*: memória, representações sociais e identidade. 2002. Tese de Doutorado em Antropologia. PPGAS/MN/UFRJ, Rio de Janeiro, 2002.

_____. *O caso Mão Branca e o fluxo da narrativa do sensacional*. 2006. Trabalho apresentado no GT de Jornalismo na ALAIC 2006 – VIII Congresso Latino-americano de Pesquisadores da Comunicação. São Leopoldo, 2006.

FAIRCLOUGH, Norman. *Discurso e mudança social*. Brasília: Editora da UNB, 2001.

GEERTZ, Clifford. *O saber local*. Petrópolis: Vozes, 1998.

GRYNSZPAN, Mário. Ação Política e Atores Sociais: Posseiros, Grileiros e a Luta pela Terra na Baixada. In: *DADOS* – Revista de Ciências Sociais, v. 33, n. 2. Rio de Janeiro, 1990.

_____. Luta pela terra e identidades sociais. In: *História, Ciências, Saúde*. v. V (suplemento). Rio de Janeiro, Jul. 1998.

_____. *Mobilização camponesa e competição política no estado do Rio de Janeiro (1950-1964)*. 1987. Dissertação de Mestrado em Antropologia, PPGAS/MN/UFRJ, Rio de Janeiro, 1987.

HALBWACHS, Maurice. *A Memória Coletiva*. São Paulo: Vértice, 1990.

RIBEIRO, Ana Paula G.. *A História do seu Tempo. A imprensa e a produção do sentido histórico*. 1996. Dissertação de Mestrado em Comunicação, ECO/UFRJ, Rio de Janeiro, 1996.

ROCHA, Juliana Marques. *A representação da Baixada na mídia: a cobertura da chacina de 31 de março de 2005*. 2005. Monografia de graduação em Comunicação. ECO/UFRJ, Rio de Janeiro, 2005.

SOUZA, Josinaldo Aleixo de. *Os Grupos de Extermínio em Duque de Caxias – Baixada Fluminense*. 1997. Dissertação de Mestrado em Sociologia, IFCS/UFRJ, Rio de Janeiro, 1997.

SOUZA, Marlúcia S. Imagens da cidade de Duque de Caxias. In: *Revista FEUDUC/CEPEA/PIBIC*, n. 2. Duque de Caxias, 2000.

SOUZA, Marlúcia e PIRES JÚNIOR, Roberto. *Terra de muitas águas*. Duque de Caxias: Papelaria Itatiaia, 1994.

SOUZA, Percival. *A Maior Violência do Mundo:* Baixada Fluminense. São Paulo: Traço Ed., 1980.

SOUZA, Sonali Maria de. *Da Laranja ao Lote. Transformações sociais em Nova Iguaçu*. 1992. Dissertação de Mestrado em Antropologia, PPGAS/MN/UFRJ, Rio de Janeiro, 1992.

TURNER, Victor. *The Anthropology of Performance*. Nova York: PAJ publications, 1987.

VELHO, Gilberto. *Projeto e Metamorfose*: antropologia das sociedades complexas. Rio de Janeiro: Zahar, 1994.

Escrevendo a história cultural da TV no Brasil: questões teóricas e metodológicas

*João Freire Filho**

As estratégias retóricas e discursivas da TV são indiciadas, amiúde, como principais responsáveis pela degeneração do senso histórico e da memória individual e coletiva – uma marca registrada da vida pós-moderna. Não seria descabido incluir os críticos da televisão entre as vítimas mais notáveis da alegada perda do juízo histórico promovida pela *corrosão catódica*. Análises e teorias sobre o meio e seu aparato tendem a cingir-se ao atual, ao contemporâneo – uma opção epistemológica que traz o risco de essencializar a televisão num "presente perpétuo", que desvia a atenção dos processos de mudança nos quais a gramática dos significados e das representações é formada, e por meio dos quais convenções de linguagem, técnicas e "práticas significantes" específicas se tornam institucionalizadas (Caughie, 2000, p. 14; Corner, 1999, p. 121).

---

* Jornalista, doutor em Literatura Brasileira pela Pontifícia Universidade Católica do Rio de Janeiro, professor adjunto na Escola de Comunicação da Universidade Federal do Rio de Janeiro, onde coordena a Linha de Mídia e Mediações Socioculturais do Programa de Pós-graduação em Comunicação e Cultura. É pesquisador do CNPq e autor de diversos artigos e livros, individuais e em parceria, entre os quais: *Construções do tempo e do outro: representações e discursos midiáticos sobre a alteridade* (com Paulo Vaz, Mauad X, 2006) e *A sociedade do espetáculo revisitada: poder, mídia e vida cotidiana* (Porto Alegre: Sulina, no prelo). (jofreirefilho@hotmail.com)

Por motivos que esmiuçarei mais adiante, a academia começa, felizmente, a despertar para ausências e fragilidades elementares no conhecimento existente sobre a televisão, buscando compreensão mais sólida de seu passado e de seu desenvolvimento social e cultural. Outrora quase um monopólio de antigos profissionais do ramo e de entusiastas de determinados gêneros ou programas, a história da TV se tornou, a partir dos anos 1990, objeto de sucessivas abordagens científicas – em especial, nos Estados Unidos e na Inglaterra (países onde o serviço televisivo se consolidou precocemente), mas também na Alemanha, Austrália, Espanha, Canadá, França, Itália e Escandinávia (dentro do contexto da desregulamentação, digitalização e convergência do sistema midiático).

Na primeira parte deste artigo, apresento um breve panorama internacional desta emergência da história da televisão como objeto de estudo acadêmico. Examino, em seguida, embaraços teóricos e metodológicos enfrentados pelo historiador do meio, destacando, ainda, as linhas de investigação mais promissoras. Na conclusão, discuto propósitos e práticas das histórias da TV brasileira, refletindo acerca de minhas próprias incursões no campo. Argumento que a pesquisa histórica teórica e metodologicamente bem fundamentada favorece, entre outras contribuições, a clarificação ou reformulação de pressupostos e conceitos teóricos sobre as características tecnológicas e a organização social e textual do meio que se naturalizaram com o tempo, bloqueando a reflexão e o discurso crítico.

A "virada histórica" nos estudos televisivos

As comemorações do cinqüentenário da TV em vários cantos do globo, de meados da década de 1980 em diante, contribuíram, sem dúvida, para aguçar a percepção da historicidade do meio e, conseqüentemente, incrementar a sondagem histórica. O aniversário natalício não se constitui, todavia, na única e nem na mais importante justificativa para que a história da televisão deixe de ser uma *rara avis* bibliográfica. Deve-se, antes mais nada, situar a curiosidade científica sobre a história da televisão dentro do quadro mais amplo de renovado interesse internacional pela história da mídia como um todo, tanto por parte dos historiadores como de pesquisadores das áreas cognatas da comunicação e dos estudos culturais (Bondebjerg, 2002; Briggs e Burke, 2002; Brügger e Kolstrup, 2002).

Além disso, a chegada da "neotelevisão" (para usar o influente qualificativo cunhado por Eco (1986)) e os prognósticos mais temerários acerca do fim da "era da TV" (Gilde, 1996; Pérez, 2000; Missika, 2006) incitaram um crescente interesse arqueológico pelo meio em fase de mutação genética (ou de extinção). "Como a carta roubada de Poe, não há nada menos visível do que aquilo que está a vista", sublinha Piscitelli (1995, p. 45). "Se agora começamos a ver a televisão (algo muito distinto do que ver televisão) é porque ela está começando a desaparecer como um rosto de areia banhado pelo mar."

As mudanças na estrutura da produção e do consumo televisivo (abundância de ofertas de canais; desarticulação da TV da idéia de comunidade nacional; uso de controversas estratégias de sedução e fidelização da audiência; fragmentação do público em nichos de mercado baseados no gosto; hegemonia de novos gêneros e formatos, como os *realitiy* e os *talk shows*), fomentadas pelas novas tecnologias e pelo recente ambiente regulador, levaram pesquisadores europeus a interrogarem-se, por exemplo, sobre as circunstâncias históricas que permitiram a definição e implementação do serviço público de televisão, pondo em perspectiva suas eventuais e específicas virtudes políticas, culturais e estéticas (Branston, 1998; Lange, 2001).

O processo de pesquisa: gravitando em torno de um objeto inapreensível?

O primeiro e mais evidente obstáculo na elaboração de uma história da televisão é a busca e o processamento dos dados pertinentes, encontráveis em testemunhos orais, documentação escrita e registros audiovisuais (Alonso, 2004; Bignell, 2003, p. 36-40; Caughie, 2000, p. 11-14; Córner, 2003, p. 277-278; Jacobs, 2000, p. 4-5, 8, 10-14; Lange, 2001; Lagny, 1998). O difícil acesso a este último tipo de fonte representa sensível desafio, em particular, para os interessados na linguagem e nos padrões estéticos dos primórdios da TV. Enquanto os historiadores dispõem de contínuo (ainda que incompleto) acervo de obras do primeiro cinema, a televisão possui uma pré-história na qual os programas não eram gravados; para piorar, mesmo depois que o uso do videoteipe se tornou rotina, nos anos 1960, muito material foi desgravado para reutilização das fitas, deteriorou-se devido à incúria em sua conservação ou, simplesmente, foi descartado graças à falta de tino do seu valor histórico.

A ausência da garantia epistemológica do registro audiovisual é uma limitação para qualquer análise que procure apreender os estilos e as formas das primícias da TV, conforme admite Jacobs (2000, p. 4-5, 8, 10-14), em sua tentativa de reconstituição ou reconstrução de um sentido *visual* do antigo drama televisivo inglês (1936-1955). Pondera o autor, contudo, que a impossibilidade de contato com os programas em sua forma audiovisual original, embora imponha dificuldades significativas, não inviabiliza, fatalmente, a abordagem histórica de índole estética-formal, como prova a história do teatro, marcada por lacunas similares. Dada a inexistência de fontes primárias, cabe ao pesquisador reformular a noção de análise textual, recorrendo aos scripts e a todo "entorno discursivo" (Klinger 1997, p. 109) da produção em análise – resenhas, críticas, cartas de telespectadores, memorial de realizadores, memorandos internos da emissora, scripts, fotos e planos de gravação etc.

Escrever uma história da televisão não envolve, contudo, apenas a descoberta de documentos de antanho, mas também uma reflexão sobre como se engajar, de modo analítico e imaginativo, com aquele passado – isto é, com as conjunturas e os processos que assentam as condições de possibilidade não só para o funcionamento das instituições, como também para a construção dos discursos, dos imaginários, das representações e das práticas que circundam, interpretam e interpelam a indústria televisiva e seus produtos.

A elaboração e o desenvolvimento de uma pesquisa histórica comportam diferentes estágios que só posso recapitular, aqui, de modo bastante sucinto: a) formulação (e reformulação) de hipóteses estruturantes; b) a supracitada etapa de coleta e de organização disciplinada dos dados; c) assimilação dos fatos e eventos relevantes em quadros de referência coerentes: *cronologia*; *periodização* (o ordenamento cronológico da história em fases significativas, em consonância com desenvolvimentos no campo tecnológico, social, institucional ou estético); *causalidade* (individual, coletiva e estrutural); *importância* (influência, singularidade, tipicidade). A competência na interpretação da história (criação de estratégias inteligentes de leitura dos documentos escritos e dos registros audiovisuais, rechaçando o empirismo ingênuo) precisa estar aliada a certa engenhosidade narrativa; o somatório dos dois fatores deve resultar num texto final com *timing* para a suspensão do relato sintético das mudanças em benefício da pormenorização de acontecimentos especialmente densos e ressonantes (Bondebjerg, 2002; Corner, 2003).

Além de confrontar-se com exigências e desafios específicos, o historiador da televisão se depara com um problema familiar a todos os praticantes dos estudos televisivos: a definição do seu objeto. Referências ao caráter "complexo", "elusivo", "colossal", "caótico", "multifário", "híbrido", "desafiante" da TV como objeto de investigação crítica e sociológica são *de rigueur* entre os analistas do meio (ver, por exemplo, Brunsdon, 1998; Casetti e Chio, 1999, p. 13-15; Corner, 2003, p. 275-276; Orozco Gómez, 2001, p. 11-12). A natureza ambígua, polimorfa da televisão se reflete, obviamente, nos trabalhos de cunho histórico. Seguindo a trilha aventada por Corner (2003, p. 275-276), é possível identificar, pelo menos, cinco aspectos diferentes da televisão, cada um dos quais candidato a merecer atenção especial do historiador do meio:

1) A televisão como instituição, uma indústria e suas organizações, moldada pela política governamental e pela administração corporativa;

2) A televisão como realização, com foco na cultura e na prática profissional, cujo contexto histórico tende a ser delineado especialmente nos relatos autobiográficos;

3) A televisão como representação e forma, um enquadramento estético que toma emprestado o vocabulário da crítica literária, teatral e cinematográfica;

4) A televisão como fenômeno sociocultural, profundamente interconectado com a política, a esfera pública e a sociedade civil, com a cultura popular (e de massa), com o caráter mutável do lar e dos valores domésticos;

5) A televisão como tecnologia, um experimento científico que se tornou tanto um item doméstico quanto uma fonte crescentemente poderosa para uma mutação na estética social.

Em que pese o potencial de detalhamento dos estudos focados somente em uma das dimensões acima, os trabalhos mais profícuos são aqueles que conseguem desvelar eixos de interconexão histórica entre vários aspectos do meio e de seu aparato, combinando pesquisa diligente com *insights* argutos. Não se trata de preconizar exatamente uma (a rigor, inexeqüível) "história total", nos moldes da sugerida por Klinger (1997), mas sim de salientar a importância de manter-se atento à multivascularidade do *fenômeno televisivo*, na hora de buscar causalidades e explanações. Recentes estudos históricos da TV britânica, cujo espírito condutor é a investigação formal, constituem exemplos auspiciosos nesse sentido, compatibilizando relatos detalhados de mudanças na técnica e na estética, no sistema genérico e no regime discursivo da ficção e do entretenimento televisivo com elucidações das estruturas institucionais, dos desenvolvimentos tecnológicos e do contexto sociocultural e artístico (Caughie, 2000; Córner, 1991; Jacobs, 2000).

Principais linhas de investigação na atualidade

Enquanto que as parcas referências canônicas da história da televisão costumam trazer à cena, de forma supinamente panorâmica e linear, as grandes invenções, os personagens eminentes, as transmissões marcantes, os trabalhos mais instigantes publicados a partir da década de 1990 sobressaem por buscar abordagem mais focalizada e capaz de harmonizar a história social com indagações de orientação mais cultural.

Tais rupturas com o protocolo analítico tradicional estão afinadas com mudanças essenciais nos rumos da pesquisa historiográfica desde os anos 1960, quando os historiadores se afastaram dos relatos mais convencionais a propósito de líderes e instituições políticas e se voltaram para as investigações da vida cotidiana de operários, criados, mulheres e outros grupos subalternos. Aqueles que se aproximaram da história cultural na década de 1970 esperavam superar, por sua vez, as limitações normativas da perspectiva da história social, livrando-se de seu determinismo sociológico e de seus resultados estatísticos, ao mesmo tempo em que mantinham as portas abertas para as pessoas comuns que haviam sido convidadas à cena histórica pela geração anterior de pesquisadores. O interesse cada vez maior pela história cultural (ou seja, pelo estudo das idéias, das atitudes, dos planos, das emoções, das representações ou dos artefatos por intermédio dos quais homens e mulheres de determinada época interagem com seu ambiente) permitiu explorar o passado de novas formas – ousar novos métodos, esmiuçar novas fontes (textos, imagens, ações) e indagar novas e mais sutis questões a respeito da vida cotidiana (Burke, 1992; 2000; Chartier,1990; Darnton, 1986; Fass, 2003; Hunt, 1992).

Ao constatar a fragilidade do método e do esquema interpretativo empregados, em regra, para abordar a história da televisão, os estudos mais recentes também passaram a enfatizar diferentes aspectos do passado, propondo novos assuntos e novas modalidades de investigação. Três áreas de pesquisa despontam, a meu ver, como as mais promissoras:

1. Genealogia da televisão (Delavaud, 2000; 2003; Uricchio, 1992). A principal intenção, aqui, é construir uma arqueologia cultural da (nebulosa) pré-história da televisão – suas manifestações inaugurais, seus intrincados desenvolvimentos. São exumadas as primeiras utopias da televisão – a "televisão imaginada" (Delavaud, 2000; 2003) –, a partir do levantamento e da análise de um conjunto variado de textos ficcionais, jornalísticos e científicos cuja preocupação comum é interrogar-se sobre as condições de emergência e de viabilidade do meio. Examina-se como a televisão foi antecipada, sonhada e projetada em diversos países: no período que precede imediatamente o aparecimento da instituição televisiva, em meados do século XX, mas também num período bastante anterior, quando progressos científicos e técnicos efetivados no século XIX (como a invenção do telefone e da experiência nova de simultaneidade a ele associada) pareciam autorizar a esperança de satisfação iminente do sonho da visão a distância por meio da transmissão elétrica de imagens. As hipóteses e os argumentos visionários ou pragmáticos de escritores, jornalistas, cientistas, políticos e empresários foram antecedidos por um longo período de maturação da TV, dentro do qual o meio emergente procurou reivindicar sua autonomia, distinguindo-se de outras mídias (telefone, cinema, rádio) com as quais mantinha interações recíprocas complexas. No atual estágio de convergência (de dispositivos e de interesses) das mídias, a investigação dos processos históricos de formação (e afirmação) da identidade da TV representa, sem dúvida, um subsídio valioso para as reflexões sobre o futuro do meio – sejam aquelas engendradas sob ótica tradicional sociológica ou socioeconômica, sejam as formuladas a partir de uma perspectiva semiótica centrada no novo conceito de *intermediação*.

2. Formação e desenvolvimento dos gêneros programáticos (Caughie, 2000; Corner, 1991; Jacobs, 2000). O mergulho no período formativo da televisão ambiciona, neste caso, esquadrinhar o processo histórico mediante o qual convenções genéricas foram concebidas e homologadas, enfocando o desenvolvimento das estratégias estéticas e discursivas e das práticas de produção de uma categoria de programa em particular. Tal qual assinalei antes, a meta é uma abordagem de caráter mais holístico que enfatize a complexidade das forças e das mediações sociais, culturais, econômicas e tecnológicas que envolvem o processo de formatação dos programas. A investida histórica na seara da apreciação qualitativa (técnica e estética) de gêneros ou programas típicos pressupõe (e oferece elementos para) uma revisão crítica da tendência de rejeição da análise textual profunda de programas individuais em favor de considerações mais abstratas sobre o *"mysterium televisionis"*, sobre a "televisão em si mesma" que redundam, com freqüência, em repetitivas descrições da fenomenologia da televisão.

3. Arqueologia da recepção televisiva (Grimson et al., 1999; Longo, 1999; Spigel 1992; Thumim, 1995; Tichi, 1991; Varela, 1999; 2005). Como as pessoas experienciaram a chegada da TV em seu país? Quais as condições, os locais e as rotinas de consumo televisivo? De que maneira estes padrões se relacionam com desigualdades de classe e com a divisão genérica do lazer e do trabalho doméstico? Em que medida o contexto social e cultural da recepção ajudou a moldar as práticas institucionais e textuais da televisão? Estas são algumas das indagações fundamentais que a arqueologia da recepção televisiva tenciona responder, em sintonia com a nova historiografia do cinema e sua insatisfação com os relatos psicanalíticos abstratos, ahistóricos e universalizadores da relação texto/sujeito. Um dos marcos da área é a análise de Spigel (1992) a respeito de como as famílias brancas de classe média aprenderam a conviver com a televisão como um objeto e um meio doméstico nos Estados Unidos do pós-guerra. Dignos de notas são, também, neste campo, os trabalhos de Grimson et al (1999), Longo (1999) e Varela (1999; 2005), que investigam as primeiras décadas da TV na Argentina, realçando as estratégias adotadas para tornar a nova tecnologia familiar (nas diversas acepções do termo). Os vestígios da construção gradual do vínculo da audiência com a televisão são descobertos a partir da leitura da imprensa da época (jornais, revistas técnicas e culturais, de espetáculo e de atualidade) e da recuperação da memória (por intermédio de entrevistas abertas de tipo biográfico e de análise qualitativa de cartas) de pessoas que vivenciaram a pré-história do meio.

A história da televisão no Brasil, uma vasta *terra incognita*

As histórias da TV brasileira tendem a concentrar-se na dimensão institucional do meio, a exemplo do que ocorre com pesquisas efetuadas em outros países latino-americanos (consultar, por exemplo, Orozco Gómez, 2002). No caso específico brasileiro, a trajetória histórica da televisão é, em geral, delineada sob uma visada sociológica que prioriza – como parâmetro de análise e periodização – a influência (direta ou indireta; problemática; por vezes, espúria) do Poder (democrático/ ditatorial) e do Capital (nacional/ estrangeiro; em particular, estadunidense) na estruturação e no desenvolvimento do serviço de TV e de suas organizações. Assim, o quadro de referência causal e explanatório ("Como surgiu a televisão? Quando, em que aspectos e por que mudou?") e crítico ("Quais as influências destas mudanças na vida social e política?") é informado por questões ligadas à teoria da dependência; ao imperialismo e à homogeneização cultural; a projetos de governo desenvolvimentistas, nacionalistas ou neoliberais; ao processo de modernização autoritária; à difusão e ao reforço da ideologia dominante; à propaganda de produtos e de estilos de vida (Caparelli, 1982; Caparelli e Santos, 2002; Jambeiro, 2001; Mattos, 1990; 2002; Oliveira, 2001).

Sirva de exemplo, aqui, a exposição de motivos alinhavada por Mattos (2002, p. 15), na introdução de sua *História da televisão brasileira*:

> Foram consideradas as decisões e implementação de ações que acabaram por influenciar o desenvolvimento da nossa televisão. Em síntese, sob nosso ponto de vista, a história da TV brasileira reflete as fases do desenvolvimento e as políticas oficiais adotadas e por isso este veículo não pode ser analisado como objeto independente do contexto no qual está inserido.

O aludido "contexto" (quer dizer, as características da sociedade circundante que presumivelmente modelam o sistema televisivo) é reconstruído por Mattos com base em uma breve recapitulação da história do país (ciclos econômicos; fatos políticos); em informações acerca de procedimentos governamentais de natureza estratégica, regulamentar ou censória, cujas fontes são artigos, decretos e capítulos constitucionais, pronunciamentos, declarações e reportagens publicadas na grande imprensa (amiúde, já citadas e interpretadas por outros autores); dados e quadros estatísticos socioeconômicos, demográficos, de análise quantitativa do conteúdo programático (1971), do número de televisores preto-e-branco e em cores em uso no país (1950-2001), da procedência dos equipamentos utilizados pelas emissoras de televisão (1971), entre outros do mesmo feitio.

A proposta do livro, "de caráter eminentemente descritivo e fundamentado no conhecimento existente" (p.16), é, como indica o seu subtítulo, traçar "uma visão econômica, social e política" da história da televisão brasileira. Na prática, o que é efetivamente apresentado ao leitor é uma revisão cronológica das políticas governamentais de telecomunicação e do ordenamento jurídico da TV brasileira, conjugada com uma crítica ideológica do impacto deste modelo televisivo (por intermédio dos programas, seu produto final) no incremento do consumo e na manutenção do *status quo*.

Não há espaço, aqui, para esmiuçar os equívocos das abordagens que tratam, de forma monolítica, os programas televisivos, admitindo a existência de um significado ideológico transparente e singular na superfície de sua representação, negligenciando as múltiplas camadas de comunicação, os diversos (e, às vezes, conflitantes) valores e ideais sociais registrados em toda produção cultural massiva. Restrinjo-me a assinalar desdobramentos indesejáveis deste pressuposto teórico na pesquisa historiográfica. Embora seja importante contextualizar a indústria e os textos televisivos dentro de seu sistema de condicionamentos econômicos e políticos, é errado supor que a análise histórica do "contrato" ideológico e pecuniário forjado entre poderes de Estado, instituições políticas e organizações midiáticas ofereça explicação cabal para o desenvolvimento da forma e do conteúdo dos programas e, muito menos, para a codificação e decodificação do discurso televisivo.

Em virtude do caráter multifacetado (industrial, social, cultural e estético), a televisão é moldada tanto por fatores internos quanto por influências externas, abarcando um grande número de atores e instituições sociais na criação, na realização, na programação, na divulgação, na regulamentação, na crítica, no debate e no consumo de seu serviço e de seus produtos. Logo, qualquer estudo a propósito da formação e do desenvolvimento de uma cultura televisiva no país (*cultura* entendida, aqui, no sentido antropológico, como modo peculiar de viver e fazer a TV, a partir da imitação, apropriação, reinvenção de formas transnacionais) tem obrigação de contemplar, independente de qual seja o âmbito da pesquisa, outros elementos, além de notáveis agentes políticos e econômicos.

Há cerca de seis anos, quando decidi aventurar-me a estudar a TV sob uma perspectiva histórica, planejava documentar e analisar os encontros episódicos e as tentativas mais duradouras de interação dos literatos brasileiros com o moderno meio audiovisual (Freire Filho, 2002; 2004; 2005). Julgava que as negociações e os conflitos que envolvem a presença efetiva e *sui generis* dos homens de letras dentro da indústria televisiva nacional permitiriam repensar a relação entre o *intelectual*, o *popular* e o *massivo* no país e, ao mesmo tempo, iluminar o desenvolvimento de nossa teledramaturgia – em especial, da telenovela, gênero fundamental sob o ponto de vista cultural e comercial. Não pretendia somente descrever o processo de adaptação dos escritores às exigências profissionais e ideológicas da nova forma de expressão cultural. A partir da análise qualitativa de biografias, cartas, crônicas, depoimentos e entrevistas (publicadas na imprensa ou reunidas em livros), almejava também caracterizar a formação, no seio da elite cultural, de representações e paradigmas críticos sobre a TV, enfatizando os tópos, as metáforas e os demais artifícios retóricos que informam este terreno discursivo complexo.

O contato mais estreito com as fontes primárias – vasculhadas na Biblioteca Nacional (RJ), na Fundação Casa Rui Barbosa (RJ), no Museu da Imagem do Som (RJ e SP) e nos arquivos do jornal *O Globo* e da extinta revista *Manchete* (RJ) – foi evidenciando que a intelectualidade nativa nem sempre encarou a televisão como o inimigo público número um da literatura e do humanismo. Nas duas primeiras décadas de existência do veículo no Brasil, houve escritores e jornalistas culturais que, em contraste com as análises fatalistas de praxe, apostaram numa convivência mutuamente enriquecedora entre a galáxia de Gutenberg e a da imagem eletrônica, procurando assimilar as regras da linguagem televisiva, a fim de utilizá-las em prol da arte literária e da cultura livresca. Na busca de explanações comparativas, constatei que, ao longo dos anos 1950 e 60, membros das comunidades intelectual, literária e cinematográfica européia e estadunidense também levantaram, a seu modo, a bandeira da "televisão como a oitava arte" (Delavaud, 2000b; Grasso, 2002; Herms, 2003; Rossellini, 2001; Spigel, 1998). Detectar similaridades e diferenças nas diversas tentativas de enlace crítico ou profissional com o novo meio se tornou, desde então, um dos aspectos centrais de minha abordagem.

A pesquisa sobre o período formativo da TV brasileira me proporcionou outras surpresas. Devido ao fato de, entre 1950 e 1964, o televisor ser um bem de consumo circunscrito aos endinheirados, idealiza-se o perfil "cultural" (na acepção ilustrada do termo) da programação do período, classificado de "elitista" pelos historiadores. Teleteatros, óperas e balés não lastreavam, solitariamente, a televisão da "era dourada"; pululavam no vídeo atrações mais afinadas com a tradição lúdico-festiva dos entretenimentos populares – circo; folhetim; imprensa sensacionalista; melodrama; jogos; teatro de revista (Freire Filho, 2004; 2005).

É difícil escapar dos enquadramentos emocionais e afetivos, quando contemplamos o passado – os historiadores da televisão, por exemplo, se mostram inclinados a manter relação sentimental com certos períodos ou programas antigos; mais raramente, manifestam um senso exacerbado de distanciamento, a partir do qual o passado é avaliado, com base em critérios atuais, como limitado ou anedótico (no plano social, tecnológico ou estético) ou mesmo indigno de ser estudado (Corner 2003: 274). No caso da historiografia praticada no Brasil, a razão principal da visão romantizada dos primórdios da TV é a assimilação acrítica dos relatos autobiográficos dos "pioneiros" (Barbosa Lima, 1991, Barbosa Lima e Clark 1988; Loredo 2000; Silva Júnior 2001), submetidos ao trabalho de inflexão, seleção ou transmutação da memória (Girardet, 1987; Ong, 1983).

Concorre, ainda, para o juízo enganoso acerca do "alto nível cultural da programação", a teima em confundir capital econômico e capital cultural, na hora de inferir o gosto da audiência. Para entender a heterogeneidade das atrações levadas ao ar, já na "fase elitista", não basta, porém, relativizar o gosto dos afortunados proprietários de televisor, que não desperdiçavam a chance de pavonear seu novo símbolo de *status* – "Hoje, na Paulicéia, entre os elegantes da sociedade, existe uma nova fórmula de convite, para os encontros da tarde: Célia Maria telefona a Maria da Glória dizendo: – Venha tomar chá comigo e assistir à televisão" (*O Cruzeiro*, 28/10/1950: 37-38). É preciso considerar, também, o interesse precoce das emissoras em seduzir um contingente populacional que se familiarizava com a TV por intermédio de seu consumo em espaços públicos:

> Na capital paulista, hoje, pode-se assistir, de qualquer ponto da cidade, aos programas normais da televisão que a PRF-3TV manda para o ar diariamente das 17h às 19h. Centenas de aparelhos receptores foram instalados nas vitrines dos grandes estabelecimentos comerciais, e nas prateleiras dos bares, cafés e confeitarias. Diante desses receptores, há uma multidão de espectadores acompanhando "shows" que se desenrolam nos estúdios da TV no Sumaré, ou então assistindo (sic) os "shorts", desenhos animados, atualidades, transmitidos em filmes como no cinema (idem, ibidem).

Hipérboles à parte, encontramos informações similares acerca da penetração amplificada da TV (mediante a exibição fora da esfera privada) em fontes menos suspeitas do que *O Cruzeiro* (parte do conglomerado midiático capitaneado por Assis Chateaubriand). À medida que me conscientizava da vitalidade das discussões públicas sobre a nova tecnologia, fui chegando à conclusão de que minha versão dos debates históricos acerca do valor cultural da televisão – ainda que continuasse prioritariamente focada nas ações, nos julgamentos normativos e nas perspectivas ideológicas da comunidade artística e intelectual – deveria refletir, também, o pensamento e as práticas dos donos e do *staff* das emissoras, de governantes e legisladores e das audiências, destacando divergências e alianças provisórias nos esforços para definir o significado e mediar ou conter a ascendência do moderno dispositivo audiovisual no Brasil.

Baseado nesta premissa, alarguei consideravelmente o escopo da pesquisa e o perímetro das fontes primárias, arregimentando notícias, reportagens, editoriais, artigos, crônicas, fotos, charges e anúncios veiculados na imprensa feminina e em publicações especializadas na indústria da diversão (rádio e cinema, sobretudo). A versão final do projeto (intitulada *Os intelectuais, as massas e a TV no Brasil: história cultural de um relacionamento complexo*) ambiciona contemplar, portanto, o debate *intelectual* e *popular* acerca das funções e dos efeitos sociais e culturais da televisão (diversão/saber; declínio/ incentivo da leitura; rebaixamento/elevação da qualidade das expressões culturais concorrentes; fortalecimento/erosão dos laços domésticos e da identidade nacional; alienação/conscientização das massas etc.) – desde a chegada do veículo ao país como mera curiosidade técnica até sua consolidação como instituição, indústria, linguagem e forma hegemônica de entretenimento.

Embora se concentre nas décadas de 1950 a 1980, minha pesquisa recua, de forma estratégica, até os anos 1930, quando foram realizadas, em território nacional, as primeiras experiências e demonstrações com a nova tecnologia da TV (arrefecidas, na década de 1940, não apenas no Brasil, mas em todo o mundo, em função da Segunda Guerra). Dou destaque, especialmente, à 1ª Exposição de Televisão, instalada em 1939 no pavilhão de entrada da Feira de Amostras do Rio de Janeiro. No dia de 3 de junho, o presidente Getúlio Vargas inaugurou o evento, organizado pelo Ministério dos Correios da Alemanha, com patrocínio do Departamento Nacional de Propaganda. Compareceram, ao recinto abarrotado da exposição, jornalistas, figuras de proa da política, membros da alta sociedade e insignes representantes da comunidade científica nativa. Movidos por interesses políticos e econômicos, também estiveram por lá engenheiros e autoridades germânicas, como Hans Pressler, conselheiro do Instituto de Pesquisa dos Correios do Terceiro Reich, e Von Lebetzow, encarregado de negócios da Alemanha no Rio de Janeiro.

Coube ao Dr. Arthur Hehl Neiva, destacado junto à missão germânica, uma detalhada apresentação oral do processo científico da TV. Logo depois, iniciou-se o aguardado espetáculo da "visão a distância". Receptores da marca Telefunken transmitiram para centenas de curiosos não apenas a voz, mas também fisionomias e gestos de celebridades do rádio carioca, que se apresentavam num estúdio montado em outro extremo do pavilhão da Feira. Francisco Alves, o Trio Dalva de Oliveira e as Irmãs Pagãs (que interpretaram um samba, acompanhadas pelo conjunto regional de Benedito Lacerda) tiveram a honra de ser os primeiros artistas televisionados.

A atração seguinte foi o *visiofone* – conjugação de aparelho telefônico e de televisão, que permitia aos interlocutores conversar e trocar olhares simultaneamente. Getúlio e o ministro da Justiça Francisco Campos experimentaram, risonhos, a invenção. A fim de demonstrar todas as possibilidades da TV, a inauguração oficial foi encerrada com transmissão de um discurso do presidente, filmado pelo DNP, em dezembro de 1938, durante a Exposição do Estado Novo.

No dia 4 de junho de 1939, a Exposição de Televisão foi aberta ao público, assim permanecendo, com sucesso, por quinze dias. A imprensa deu ampla cobertura a todo o evento – posteriormente ignorado pela maioria dos historiadores (Federico, 1982; Sampaio, 1984), não obstante sua poderosa dimensão simbólica. Jornais e revistas saudaram, em regra, a chegada da "extraordinária invenção", do "prodígio moderno", da "maravilha do século", do "mais genial processo de comunicações até hoje inventado pelo gênio humano" – a televisão, "em toda a sua impressionante realidade". A despeito do preço elevado (mais ou menos o dobro do custo de um aparelho de rádio), observadores da época previam que a TV estava destinada a reformar, dentro de pouco, todo o andamento do "broadcasting", não tardando a incorporar-se "aos gozos triviais da existência".[38]

Todavia, pareceres menos favoráveis também emanavam dos periódicos. Um artigo assinado por J. Seabra na revista *Careta* advertiu que o governo estava prestes a realizar um péssimo negócio, "levando gato por lebre" – "A geringonça que se instalou na Feira de Amostras e que vinham chamando televisão está muito longe de ser o que circula com designação igual nos países mais adiantados e mais felizes do que o nosso"; "a aparelhagem caduca que pretendem vender como coisa nova a um de nossos ministérios é uma caricatura grotesca e monumental"; "coisa obsoleta e que não convence" (48). No *Jornal das Moças*, o colunista Paulo Roberto manifestou inquietação, por sua vez, quanto a duas das possíveis alterações determinadas pela "revolucionária aparelhagem da nova técnica do rádio": De que viverá o futebol, caso possamos assistir aos jogos em casa? E a

---

[38] Informações e comentários extraídos de *Gazeta de Notícias*, 02/06/1939: 9; idem, 04/06/1939: 1, 20; *Jornal do Comércio*, 03/06/1939: 7; idem, 04/06/1939: 9; *Jornal do Brasil*, 03/06/1939: 13; idem, 04/06/1939: 7; *Correio da Manhã*, 04/06/1939: 4; *O Jornal*, 04/06/1939: 7; *Revista da Semana*, 10/06/1939: 24; *Revista Carioca*, 10/06/1939: 34-35; *Diário de Notícias*, 15/06/1939: 4; *Jornal das Moças*, 15/06/1939: 22; *Cine-Rádio-Jornal*, 15/06/1939: 3; *Careta*, 08/07/1939: 38 e 43.

indústria cinematográfica como vai sobreviver, se pudermos desfrutar de filmes na comodidade de um pijama? O autor logo tratou de tranqüilizar suas leitoras: os "encarregados de equilibrar a complicada balança da vida social" que pensassem nos problemas ocasionados pelo advento da visão a distância – "Nós, que nada temos com estes altos assuntos, nem ganhamos para resolvê-los, podemos ficar serenamente pensando, só e sempre, na maravilhosa inovação que a ciência nos trouxe em boa hora" (15/06/1939: 22).

É desnecessário frisar a atualidade política, econômica, social e cultural das questões levantadas naqueles longínquos anos 1930 – período em que a transmissão televisa, a partir de uma unidade central para o consumo privado e doméstico, ainda não havia sido *naturalizada*. Como argumenta Caughie (2000, p. 13), a pesquisa histórica sobre a televisão nos oferece um registro das diferenças do passado que serve para lembrar-nos o que o presente pode ser – ou poderia ter sido. As possibilidades alternativas ou experimentais de uso interativo e de recepção pública sumariadas acima ratificam que a definição da TV como meio centralizado de comunicação de massa – experienciada e conceituada como axiomática, genética, universal – foi determinada historicamente por estruturas socioeconômicas e pelos modos de vida dominantes nas sociedades modernas ou em fase de modernização (Allen, 1983; Gripsrud, 1998), estando, portanto, aberta a mudanças.

Presumo que o exame (altamente seletivo, claro) de expectativas e temores veiculados durante a Exposição de Televisão ilustrou, um pouco melhor, o tipo de abordagem de minha pesquisa – centralizada na busca de representações e paradigmas interpretativos sobre a televisão já esquecidos ou ainda proeminentes no debate público. Como acontece (de maneira menos ou mais consciente) em toda investigação histórica, minha apreciação das polêmicas envolvendo a função social, as formas de propriedade e controle, as potencialidades expressivas e o valor cultural da televisão está condicionada por inquietações pessoais e problemas hodiernos. Espero, mais concretamente, que do meu relato da intricada sedimentação de uma cultura televisiva no país (modos específicos de ver e julgar) possam ser extraídas lições proveitosas para o enriquecimento da agenda crítica dos (tão em voga) debates sobre a qualidade da TV – perigosamente ameaçados por teorização precária, superficialidade analítica e amnésia histórica (Freire Filho, 2001; 2007).

Referências bibliográficas

ALLEN, Jeanne. The social matrix of television: invention in the United States. In: KAPLAN, Ann (ed.). *Regarding television:* critical approaches – an anthology. Frederick, MD: University Publications of America, 1983. p. 109-119.

ALONSO, Rafael Gómez. *Investigar la historia de la televisión en España*: algunos problemas documentales y metodológicos. Disponivel em: www.ucm.es/info/cavp1/ Area%20Abierta/7%20Area%20Abierta/ articulos/RafaEdit.pdf. 2004.

BARBOSA LIMA, Fernando. 40 anos da televisão latino-americana. *Comunicação & Política*, nº 13-14, p. 99-112, 1991.

BARBOSA LIMA, Fernando; CLARK, Walter. Um pouco de história e de reflexão sobre a televisão brasileira. In: MACEDO, Cláudia; FALCÃO, Ângela (orgs.), *TV ao vivo*: depoimentos. São Paulo: Brasiliense, 1988.

BIGNELL, Jonathan. *An introduction to television studies*. London: Routledge, 2003.

BODDY, William. *Fifties television*: the industry and its critics. Chicago: University of Illinois Press, 1990.

BONDEBJERG, Ib. Scandinavian media histories. A comparative study: institutions, genres and culture in a national and global perspective. *Nordicom Review*, vol. 23, nº 1-2, p. 61-79, 2002.

BRANSTON, Gill. Histories of British television. In: GERAGHTY, Christine; LUSTED, David (eds.), *The television studies book*. London: Arnold, 1998. p. 51-62.

BRIGGS, Asa e BURKE, Peter. *Uma história social da mídia*: de Gutemberg à Internet. Rio de Janeiro: Jorge Zahar, 2004.

BRÜGGER, Niels; KOLSTRUP, Soren (ed.). *Media history:* theories, methods, analysis, Aarhus: Aarhus University Press, 2002.

BRUNSDON, Charlotte. What is the "television" of television studies? In: GERAGHTY, Christine; LUSTED, David (eds.). *The television studies book*. London: Arnold, 1998.

BURKE, Peter. Abertura: a nova história, seu passado e seu futuro. In: BURKE, Peter (org.). *A escrita da história*: novas perspectivas. São Paulo: Ed. UNESP, 1992. p. 95-113.

_____. *Variedades de história cultural*. Rio de Janeiro: Civilização Brasileira, 2000.

CAPARELLI, Sérgio. *Televisão e capitalismo no Brasil*. Porto Alegre: L&PM, 1982.

CAPPARELLI, Sérgio & Santos, Suzy. Coronéis eletrônicos, voto e censura prospectiva. *Revista Cultura Vozes*, v. 96, n. 4, 2002.

CASETTI, Francesco e CHIO, Federico di. *Análisis de la televisión* – instrumentos, métodos y prácticas de investigación. Barcelona: Paidós, 1999.

CAUGHIE, John. *Television drama*: realism, modernism and British culture. Oxford: Oxford University Press, 2000.

CHARTIER, Roger. *A história cultural*: entre práticas e representações. Lisboa: Difel, 1990.

CORNER, John (ed.). *Popular television in Britain*: essays in cultural history. London: British Film Institute, 1991.

_____. *Critical ideas in television studies*. Oxford: Clarendon Press, 1999.

_____. Finding data, reading patterns, telling stories: issues in the historiography of television. *Media, Culture & Society*, vol. 25, n° 2, p. 273-280, 2003.

DARNTON, Robert. *O grande massacre de gatos, e outros episódios da história cultural francesa*. Rio de Janeiro: Graal, 1986.

DELAVAUD, Gilles. (ed.). Un siècle de télévision. Anticipation, utopie, prospective. *Dossiers de l'audiovisuel*, n° 112, novembre-décembre, INA, 2003.

_____. La télévision avant la télévision. In: DARRAS, Bernard; THONON, Marie (ed.), *Médias 1900-2000*. Paris : L'Harmattan, 2000a. p. 97-114.

_____. *André Bazin, critique de télévision*. 2000. Trabalho apresentado no VI Rencontres INA-Sorbonne. Disponível em : http://www.ina.fr/inatheque/activites/sorbonne/index.fr.html. 2000b.

ECO, Umberto. TV: la transparencia perdida. In: *La estrategia de la ilusión*. Barcelona: Lumen, 1986. p. 200-223.

FASS, Paula S.. Cultural history/social history: some reflections on a continuing dialogue – the cultural turn and beyond. *Journal of Social History*, vol. 37, n° 1, p. 39-47, 2003.

FEDERICO, Maria Elvira Bonavita. *História da comunicação* – rádio e TV no Brasil. Petrópolis, RJ: Vozes, 1982.

FREIRE FILHO, João. TV de qualidade: uma contradição em termos? *Líbero*, ano IV, vol. 4, n° 7-8, p. 86-95, 2001.

_____. A "esfinge do século": expectativas e temores de nossos homens de letras diante do surgimento e da expansão da TV. *Alea: Estudos Neolatinos*, vol. 4, n° 2, p. 243-264, 2002.

_____. The fate of literary culture in the age of the television spectacle. *Journal of Latin American Cultural Studies*, vol. 13, n° 3, p. 301-313, 2004.

_____. Memórias do mundo-cão: 50 anos de debate sobre o "nível" da TV no Brasil. In: VASSALLO DE LOPES, Maria Immacolata; BUONNANO, Milly (orgs.). *Comunicação social e ética*: Colóquio Brasil-Itália, p. 164-180. São Paulo: Intercom, 2005.

_____. O debate sobre a qualidade da TV no Brasil: da trama dos discursos à tessitura das práticas. In: BORGES, Gabriela; BAPTISTA, Vítor Reia (orgs.). *Discursos e práticas de qualidade na televisão da Europa e América Latina*. Faro, Ciccom/Universidade do Algarve, 2007 (no prelo).

GIRARDET, Raoul. *Mitos e mitologias políticas*. São Paulo: Companhia das Letras, 1987.

GILDER, George. *A vida após a televisão*. Rio de Janeiro: Ediouro, 1996.

GRASSO, Aldo (org.). *Schermi d'autore*. Intelletuali e televisione (1954-1974). Roma: RAI, 2002.

GRIMSON, Alejandro et al. Un electrodoméstico en la ciudad. Hacia una conceptualización del lugar de la televisión en el espacio público. In: GRIMSON, Alejandro; VARELA, Mirta, *Audiencias, cultura y poder*. Buenos Aires: Eudeba, 1999. p. 197- 225.

GRIPSRUD, Jostein. Television, broadcasting, flow: key metaphors in TV theory. In: GERAGHTY, Christine & LUSTED, David (eds.), *The television studies book*, p. 17-32. London & New York: Arnold, 1998.

HERMS, Josep M. Baget. Televisió de qualitat: evolució històrica del concepte. Disponible em: http://www.audiovisualcat.net/publicacions/I3.pdf. 2003.

HUNT, Lynn (ed.). *A nova história cultural*. São Paulo: Martins Fontes, 1992.

JACOBS, Jason. *The intimate screen*: early British television drama. Oxford: Oxford University Press, 2000.

JAMBEIRO, Othon. *A TV no Brasil do Século XX*. Salvador: EDUFBA, 2001.

KLAGSBRUNN, Marta; RESENDE, Beatriz (org.). *Quase catálogo* – A telenovela no Rio de Janeiro (1950-1963). Rio de Janeiro: CIEC/ ECO-UFRJ/ Secretaria de Estado de Cultura, 1991.

KLINGER, Barbara. Film history terminable and interminable: recovering the past in reception studies. *Screen*, vol. 38, n° 2, p. 107-128, 1997.

LAGNY, Michèle. L'accès aux sources télévisuelles. In : BOURDON, Jérôme e JOST, François (ed.), *Penser la télévision*. Paris : Nathan, 1998. p. 44-52.

LANGE, André. Introduction à l'histoire de la télévision.Disponível em : http:/ /histv2.free.fr/. 2001.

LOREDO, João. *Era uma vez... a televisão*. São Paulo: Alegro, 2000.

LONGO, Fernanda Elía. Cartas a la televisión: memoria, biografía e identidad cultural. In: GRIMSON, Alejandro; VARELA, Mirta, *Audiencias, cultura y poder* – estudios sobre la televisión. Buenos Aires: Eudeba, 1999. p. 177-195.

MATTOS, Sérgio. *Um perfil da TV brasileira*. Salvador: A Tarde, 1990.

_____. *História da televisão brasileira* – uma visão econômica, social e política. Petrópolis, RJ: Vozes, 2002.

MISSIKA, Jean-Louis. *La fin de la télévision*. Paris: Seuil, 2006.

OLIVEIRA, Lúcia Maciel Barbosa de. *Nossos comerciais, por favor!*: a televisão brasileira e a Escola Superior de Guerra. São Paulo: Beca, 2001.

ONG, Walter. *Orality and literacy*: the technologizing of the word. New York: Methuen, 1983.

OROZCO GÓMEZ, Guillermo (ed.). *Historias de la televisión en América Latina*. Barcelona: Gedisa, 2002.

_____, Guillermo. *Televisión, audiencias y educación*. Bogotá: Norma, 2001.

PÉREZ DE SILVA, Javier: *La televisión ha muerto*. Gedisa: Barcelona, 2000.

PISCITELLI, Alejandro. De la centralización a los multimedios interactivos. *Diálogos de la Comunicación*, n° 41, marzo, p. 21-35, 1995.

ROSSELLINI, Roberto. *La télévision comme utopie*. Paris: Cahiers du cinema, 2001.

SAMPAIO, Mario Ferraz. *História do rádio e da televisão no Brasil e no mundo* – memórias de um pioneiro. Rio de Janeiro: Achiamé, 1984.

SMITH, Anthony; PATERSON, Richard (eds.). *Television*: an international history. Oxford: Oxford University Press, 1998.

SPIEGEL, Lynn. *Make room for TV*: television and the family ideal in postwar America. Chicago: Chicago University Press, 1992.

_____. The making of a TV literate elite. In: GERAGHTY, Christine; LUSTED, David (eds.), *The television studies book*, p. 63-85. London: Arnold, 1998.

SILVA JÚNIOR, Gonçalo. *Pais da TV* – a história da televisão brasileira contada por —. São Paulo: Conrad Editora do Brasil, 2001.

TICHI, Cecelia. *Eletronic hearth*: creating an American television culture. Oxford: Oxford University Press, 1991.

THUMIN, Janet. A live commercial for icing sugar. Researching the historical audience: gender and broadcast television in the 1950s. *Screen*, vol. 38, n° 1, p. 48-55, 1998.

____(ed.). *Small screen, big ideas*: television in the 1950s. London: I.B. Tauris, 2002.

URICCHIO, William. Television as history: representations of German television broadcasting, 1935-1944. In: MURRAY, Bruce; WICKHAM, Christopher (eds.), *Framing the past*: the historiography of German cinema and television. Carbondale: Southern Illinois University Press, 1992. p. 167-196.

VARELA, Mirta. De cuando la televisión era una cosa medio extraña. Testimonios sobre la primera década de la televisión en la Argentina. In: GRIMSON, Alejandro & VARELA, Mirta, *Audiencias, cultura y poder* – estudios sobre la televisión, p. 161-175. Buenos Aires: Eudeba, 1999.

VARELA, Mirta. *La television criolla*: desde sus inicios hasta la llegada del hombre a la Luna (1951-969). Buenos Aires: Edhasa, 2005.

Identidade jornalística e memória

*Fernanda Lima Lopes**

Os jornalistas se fazem presentes em diferentes esferas da vida social. Nós os vemos na televisão, os escutamos pelos rádios, lemos seus textos nos jornais e revistas. Eles carregam caneta e papel para anotações, câmeras, gravadores, microfones. Sabemos que há alguns deles que trabalham fazendo perguntas, conversando com um e outro, aqui e lá, falando ao telefone. Outros ficam nas redações, digitam textos em terminais de computador. Outros, ainda, ajeitam a gravata antes de aparecerem no vídeo para anunciam com voz séria os acontecimentos do dia. E há ainda muitos outros que formam esse grupo heterogêneo de pessoas reconhecidas como "jornalistas". Mas qual é a identidade dessas pessoas agrupadas sob tal rótulo?

Podemos dizer que elas são um tipo de trabalhadores: ganham salário, têm funções a cumprir, desempenham certas tarefas. Conseguimos saber quem eles são pelo seu modo de trabalhar e pelos produtos que resultam de seu trabalho. Mas será possível definir sua identidade apenas a partir do que eles fazem?

---

* Mestre em Comunicação pela Universidade Federal do Rio de Janeiro e graduada em Jornalismo pela Universidade Federal de Minas Gerais. Atua como professora de Semiótica no curso de Comunicação Social do Unileste/MG. É jornalista responsável pelo setor de Comunicação da Escola Educação Criativa (Ipatinga/MG). Tem experiência na área de Comunicação, com ênfase em Jornalismo, principalmente nos seguintes temas: identidade, memória, representações sociais, técnicas jornalísticas, história do jornalismo, teorias do jornalismo, estudos da linguagem, semiótica, novas tecnologias de informação e comunicação e discussões sobre a contemporaneidade. (ferdynanda@yahoo.com)

Manuell Castells (2000) explica que não. Os fazeres e práticas estão ligados aos papéis desempenhados pelos sujeitos sociais. Mas identidade compreende mais do que papéis: enquanto estes organizam funções, identidade é organização de significado.

Em relação aos jornalistas, muito do que lhes é atribuído como significado é fornecido pelo trabalho que exercem. Mas também é possível identificar os jornalistas a partir das mais variadas fontes de significado, por exemplo: pelo diploma de graduação que carregam, pelas leis que definem regras dessa profissão, pelas associações de classe que reúnem representantes do grupo e que dizem defender interesses da categoria. São também fontes de significado: os interesses que os jornalistas defendem, as idéias que compartilham, os valores em que acreditam, os sonhos e desejos que manifestam, a memória que constroem.

Há que se destacar que todas essas fontes de identificação, tais como valores, interesses, normas, técnicas, padrões produtivos, memória e outros estão em constante processo de construção e reconstrução. Ao observarmos o jornalismo desde seus primórdios, percebe-se que há características marcantes no grupo que parecem mais estáveis e permanentes, outras mais voláteis, outras ainda que passam a existir e fazer parte da identidade jornalística. Pois é exatamente assim que a identidade se constitui. Ela não é algo estático ou perene, algo pronto que pode ser desvelado. Investigar a identidade jornalística supõe, em primeiro lugar, entender que identidade é formada a partir de vários elementos que são continuamente negociados e podem ser constantemente revistos e transformados.

A identidade é vista como um arranjo mais ou menos estável, ao mesmo tempo durável e flexível, uma espécie de consenso provisório que se constrói acerca de um agente social. Essa definição reflete uma nítida aproximação teórica com o conceito de *habitus*, de Pierre Bourdieu (1998). Fazer um paralelo entre ambos é interessante porque nos fornece uma maneira equilibrada de entender a identidade deste agente social: o grupo dos jornalistas.

A noção de *habitus* equilibra dois diferentes modos de se encarar o agente: um primeiro, que o considera integralmente responsável por seu próprio posicionamento no espaço social, e um segundo, que encara o agente como mero suporte da estrutura social. O conceito de *habitus* alerta para o fato de que o indivíduo nem é totalmente sujeito da consciência e autônomo no agir nem é só reflexo das estruturas que organizam a sociedade.

Críticas podem ser feitas ao primeiro modo de pensar: em primeiro lugar, ele restringe sua abordagem à capacidade de ação do indivíduo e o enxerga como ator sempre consciente de seus atos e escolhas. Ora, quem pensa dessa forma, ingenuamente pode argumentar, por exemplo, que o jornalista tem plena liberdade para construir seu texto e que, se ele quiser, pode desenvolver seu trabalho livre da interferência de outras pessoas. Entretanto, esse enfoque é limitado, pois corre o risco de não perceber que as ações dos jornalistas não estão livres de influências de outros grupos e culturas. Outro problema desse ponto de vista é menosprezar as relações de poder capazes de submeter o jornalismo a determinadas configurações. Um outro problema dessa maneira de entender o agente como portador da totalidade da consciência é esquecer a possibilidade descrita por Freud e outros autores da psicanálise, de haver, por trás de ações e escolhas, a força do inconsciente.

Em oposição ao entendimento do sujeito autônomo e livre no agir, existe um posicionamento teórico derivado do estruturalismo que vê que os indivíduos são parte de uma estrutura e estão fortemente ligados a ela, de modo que as determinações e conformações do espaço social nunca partem do indivíduo, mas das estruturas. A crença é a de que as relações socioeconômicas moldam as formas sociais de organização e, conseqüentemente, determinam os agentes sociais. Essa é uma abordagem restritiva, porque pensar que todos estão estruturalmente definidos exclui qualquer espaço para autonomia individual. Se observássemos os jornalistas sob a ótica dessa segunda concepção, tenderíamos a acreditar que *todos* os seus valores, ações e crenças só existiriam como uma forma de submissão à estrutura social vigente.

Ora, os dois posicionamentos descritos acima não dão ao agente uma dimensão suficientemente complexa para que ele seja compreendido como indivíduo imerso em relações de poder. É exatamente por essa razão que a identidade jornalística deve ser estudada sob a perspectiva do conceito de *habitus*. Ele revela o esforço de Pierre Bourdieu em, de um lado, livrar-se da restrição estruturalista que vê o agente como suporte da estrutura e, de outro lado, enxergar capacidades criativas, inventivas do agente, mas sem cair na filosofia da consciência.

A palavra *habitus* foi tomada empresado da escolástica por Pierre Bourdieu para remeter-se à idéia de conhecimento adquirido. Ele é, assim, uma espécie de *modus operandi* que funciona como uma matriz na qual os agentes baseiam suas percepções, apreciações e ações. É um princípio gerador que tanto reproduz as condições objetivas e regulares quanto permite inovações e ajustes.

Nesse sentido, as práticas dos jornalistas não são pura execução. Ao produzir um texto, o profissional, ao mesmo tempo, imprime nele algumas marcas pessoais e reproduz modelos já estruturados pela coletividade. Esse exemplo mostra que os agentes dinamicamente se deslocam entre as estruturas e as práticas. As pessoas tanto interiorizam a exterioridade quanto exteriorizam a interioridade (Bourdieu, 1998). É o *habitus* que faz um elo entre as estruturas externas com as práticas internas a um agente ou grupo. Esse arranjo é que nos permite perceber a configuração de um esquema durável e flexível.

Durabilidade e flexibilidade, como vimos, são idéias relacionadas à identidade. Também ela não pode ser abordada como se fosse uma estrutura pronta ou acabada. Tampouco pode ser entendida como resultado de uma representação que o sujeito faz consciente e autonomamente de si mesmo. Identidade é, sobretudo, um processo de construção de sentidos que são negociados e constantemente revistos no espaço social.

Assim, a identidade do jornalista não se define apenas a partir de suas escolhas individuais nem somente é resultado de marcas estruturalmente definidas. Ela deve ser investigada, sobretudo, nos espaços de transformação e mudança, aspectos inseparáveis do conceito de identidade.

Pensar em identidade é pensar em lutas e negociações. Tal como já foi mencionado, valores, crenças, normas, práticas e representações oferecem fontes de significado para um grupo. Esses elementos identitários são constantemente organizados e reorganizados tanto interna quanto externamente. As lutas se estabelecem dentro e fora do grupo. Nele, existe uma certa lógica interna de funcionamento, com suas regras, normas, ideais, que nem sempre são aceitas de maneira homogênea por todos os jornalistas. O grupo é palco para lutas simbólicas por reconhecimento e validação de pontos de vista; ali dentro estabelecem-se relações hierárquicas e há diferentes formas de disputas de poder.

O espaço externo ao grupo também é arena de batalha. No contato com outros agentes do espaço social, também são disputados elementos que constituem fontes de significado para os jornalistas. Enfim, investigar a identidade jornalística é uma tarefa que busca olhar para momentos de encontros e interações, de conflitos e representações. Nesse sentido, identidade deve ser compreendida como algo que é continuamente construído e reconstruído ao longo do tempo.

É interessante comentar que "mudança/transformação" são palavras que, aparentemente, não combinam com "identidade". De fato, associar essas idéias representa um modo específico de entender o conceito de "sujeito", o qual já passou por diferentes concepções ao longo do tempo. No livro *A identidade cultural na pós-modernidade,* Stuart Hall (2002) aponta três períodos históricos com seus respectivos modos de compreender a formação identitária do sujeito. Em resumo, são eles: 1) o sujeito centrado, da época iluminista, 2) o sujeito sociológico e, por fim, 3) o sujeito fragmentado, fruto da "crise das identidades".

Hall explica que o sujeito do iluminismo era percebido como detentor de uma grande estabilidade. Quando se mencionava identidade, isso significava a crença em algo de essencial, fixo e permanente que pudesse identificar uma pessoa – algo que existisse desde o nascimento até a morte do sujeito. O grande foco, nessa época, era na capacidade de autodeterminação do indivíduo, ou seja, a identidade era percebida como uma completude da pessoa: tudo o que ela era dependia apenas dela mesma, como se fosse uma essência.

Mas essa concepção de identidade passou a tomar outros rumos com as contribuições dos conhecimentos do campo da sociologia. A segunda noção – a do sujeito sociológico – entende a identidade a partir inserção do homem na sociedade. De acordo com esse novo viés, o mundo público, a cultura exterior e a relação com as outras pessoas também passam a ser importantes fatores para a formação do mundo interior, ou seja, passam a ser considerados influenciadores da subjetividade do indivíduo.

A terceira e última concepção descrita por Hall é aquela ambientada no período que ele gosta de chamar de pós-modernidade. O cenário em que se localiza a nova noção é o mundo globalizado, com a diluição das fronteiras físicas entre os países, com os meios de comunicação e transporte "diminuindo" distâncias, com as crises da verdade e da ciência. Nesse contexto, a identidade passa a ser entendida como fragmentada e até contraditória. Hall afirma que quando a fantasia de uma identidade unívoca, segura e coerente começa a dar lugar à possibilidade de identidades múltiplas e cambiantes, isso é o retrato da chamada "crise das identidades" (Hall, 2002).

A identidade propriamente dita nunca foi algo estável e homogêneo; o que existiu outrora foi apenas uma crença na idéia de identidade unificada, mas identidade inteiramente coesa nunca existiu. De qualquer forma, durante muito tempo, a grande crença era a de que os sujeitos e as coisas possuíam uma essência.

As raízes dessa maneira de pensar a identidade como algo estável vem desde a tradição da filosofia grega, que postulou a questão do Ser. Sócrates, Platão, Aristóteles e seus seguidores acreditavam na composição do ser uno, indivisível e imutável. Esse modelo venceu o pré-socrático Heráclito, que afirmava que "tudo flui". Esse pensador contestava a unidade permanente do ser e dizia que nada permanece o mesmo. Mas, como já dissemos, não foi esse o caminho seguido pelos fundadores do pensamento ocidental. Foi, sim, o enfoque ontológico que guiou a forma de pensar desenvolvida a partir de então.

No Renascimento, a busca ontológica pelo Ser deu lugar a uma preocupação epistemológica com o Conhecer. Com Descartes, a razão passa a ser supervalorizada e o sujeito da razão vem a ser o centro do conhecimento do mundo. Mas ainda assim o indivíduo permanece sendo concebido como proprietário de uma identidade unificada, ou seja, esse sujeito-racional-conhecedor continua a ser entendido como portador de uma certa coerência e unidade.

Mas houve uma mudança nessa forma de entender a identidade, e diversos aspectos conduziram a isso. O advento da História como disciplina, a psicologia, antropologia e a psicanálise passaram a questionar a certeza nas bases fixas do sujeito. Os pensamentos desta tríade de filósofos – Marx, Nietzsche e Freud – "afastaram o eu do centro do cosmos, atribuindo a esse último dinâmicas de caráter econômico, ontológico ou incônscio, não controláveis pelo homem" (Colombo, 1991). A partir de tais paradigmas, passou a ganhar mais força a concepção de que *ser* não pode ser considerado um dado pronto, mas é melhor entendido como sendo resultado de um processo. Diante disso, o conceito de identidade também passa a ser cada vez mais compreendido como fruto de uma construção.

Construção social, narrativa e memória

É impossível compreender a identidade de um sujeito fora de sua colocação social (Lévi-Strauss apud Colombo, 1991). Para responder à pergunta "quem são os jornalistas?", é necessário voltar os olhos para aquilo que o grupo organiza interiormente como significativo, e, além disso, é preciso situá-lo num âmbito de sociabilidade, de partilha comum de significados.

A identidade do grupo só consegue manter-se válida se ele conseguir legitimação diante da sociedade. Portanto, para o estudo identitário, a figura do Outro é imprescindível.

> "Tudo o que fazemos, tudo o que somos, como sujeitos e atores no mundo social dependcem (sic) de nossa relação com os outros: de como os vemos, os conhecemos, nos relacionamos com eles, nos importamos com eles ou os ignoramos. (...)
>
> O Outro, no entanto, pode agir como um espelho; e, no reconhecimento da diferença, construímos nossa própria identidade, nosso próprio senso de nós mesmos, no mundo. Se compreendemos essas diferenças, ou se meramente as vemos, então temos de levar o Outro em conta" (Silverstone, 2002, p. 249).

A crença de que o ato de perceber o Outro é um requisito imprescindível para criarmos uma imagem de nós mesmos e do mundo está também no pensamento do filósofo Levinas (apud Silverstone, 2002 e Moscovici, 2005), que ensina que *ser* é ser com os outros, pois é na alteridade que a existência se dá. Mas alerta Moscovici, que a diferença entre eu e o Outro não pode ser tomada como uma relação excludente, isto é:

> "quando pensamos na relação entre o Eu e o Outro, este não é concebido como aquele que não é como nós, que é diferente de nós. O outro é, ao mesmo tempo, o que me falta para existir e aquele que afirma de outra maneira a minha existência, minha maneira de ser" (Moscovici, 2005, p.13).

Nesse sentido, não se deve cair na tentação de tomar o Outro como objeto. Ele é também um sujeito com o qual eu me relaciono. É à medida que interajo com outros sujeitos que minha própria subjetividade vai sendo construída. "A resposta à pergunta *quem sou eu?* não é apenas uma questão de semelhança ou de diferença. Trata-se, antes de tudo, de uma questão de interdependência e de interação que nos transforma no campo social" (Moscovici, 2005, p.12).

Portanto, "a intersubjetividade não deriva da subjetividade, mas o contrário" (Giddens, 2002). Isso quer dizer que o autoconhecer-se só é possível depois que se conhece os Outros. A formação de uma auto-imagem e de uma autoconsciência não provém apenas de uma reflexividade interna, mas deriva de trocas, ou seja, de inter-relações sujeito-sujeito no espaço social.

No caso dos jornalistas, é fácil perceber a importância da interação com o Outro para a existência desse grupo, já que a própria função que esses trabalhadores desempenham na sociedade está intrinsecamente conectada com o ato de falar ao outro. Tal como esclarece Vera França da Veiga, "o jornalismo está enraizado no terreno da palavra humana, (...) instância de pulsão expressiva e socializante do homem" (Veiga, 1998, p. 26); é uma das formas do "dizer" social.

Quando o jornalista atua na sociedade, por meio de seus textos (impressos, radiofônicos, televisivos ou dos mais diversos formatos), age para falar *do* Outro e *ao* Outro. Em alguns momentos ele até fala *de*, e/ou *para* si mesmo, numa atitude a qual chamamos auto-referenciação (por exemplo, em numerosas matérias que cobriram, em 2004, um projeto de lei com a proposta de criar um Conselho Federal de Jornalismo, assunto cujos principais interessados eram os próprios jornalistas), mas isso não significa que nessas ocasiões os jornalistas estão centrados exclusivamente no interior do próprio grupo. Textos jornalísticos auto-referenciais também ancoram sua legitimidade e aceitação por via do reconhecimento pelo Outro. Quando os jornalistas falam de si mesmos, é porque querem ser ouvidos. Ao construírem seus discursos e partilhá-los no espaço social, eles constroem sua memória, assumem um lugar de fala e mobilizam uma série de representações. Com isso, negociam poder e autoridade, silenciando vozes, ampliando outras, promovendo esquecimentos, ressaltando lembranças, enfim, procurando identificar-se tanto para si mesmos quanto para os outros que os rodeiam.

Como vimos, o Outro é aspecto fundamental para a elaboração de uma auto-imagem. Sem ele, não se constrói identidade. Mas vale ressaltar que esse contato com o Outro não é um contato inerte. Identidade é também entendida como uma operação narrativa (Ricouer apud Pahl, 1997), ou como uma espécie de autobiografia, isto é, um projeto dotado de consciência e reflexividade (Giddens, 2002). De acordo com tais concepções, construir identidade é como contar uma história que produza sentido para quem a conta e para quem a escuta. "As pessoas se identificam com aquilo que dizem de si mesmas e que os outros dizem delas" (Pahl, 1997, p. 174). Muito do que dizemos de nós mesmos ou do que os outros dizem de nós se constrói a partir de lembranças. Por isso, a memória é considerada um atributo de suma importância para alinhavar a organização dessa narrativa refletida. Dizem James Fentress e Chris Whickam que "quando recordamos elaboramos uma representação de nós próprios para nós próprios e para aqueles que nos rodeiam" (Fentress e Whickam, 1992, p. 20). A memória também estabelece coerência e sentido à narrativa de si mesmo, pois "...saber o que fomos confirma o que somos..." (Lowental, 1989, p. 83). A memória é, assim, uma dimensão fundamental dos processos identitários.

Antes de passar para o comentário mais específico acerca da importância da memória na identidade jornalística, é interessante recuperar (assim como fizemos anteriormente com o conceito de identidade) algumas diferentes maneiras de enxergar o conceito de memória. Tanto identidade quanto memória são fenômenos estudados a partir de interações sociais e influências coletivas. Mas é bom lembrar que nem sempre foi assim. Tal como descrevemos mais acima, o pensamento sobre identidade passou de um âmbito mais individual e autocentrado para uma abordagem sociocultural mais ampla. Esse mesmo percurso foi traçado pelos estudos sobre memória.

O pensador Maurice Halbwachs é visto como um marco nas pesquisas dessa área, ao romper com uma tradição teórica que tendia a pensar a memória como um atributo do indivíduo. Halbwachs dá aos estudos sobre a memória um viés sociológico, mostrando que mesmo as lembranças mais íntimas e pessoais não podem ser separadas da máxima durkeimiana de que "o homem é um ser social". Os textos *Les cadres sociaux de la mémoire*, publicado em 1925, e *La mémoire collective chez les musiciens* (1939), bem como o livro *A memória coletiva*, só publicado em 1950, marcaram o deslocamento de enfoque do individual para o coletivo.

Autores como Lowentall, Pollak, Fentress e Wickham aprofundaram a compreensão da memória social, incorporando as contribuições de Halbwachs, mas também sendo capazes de enxergar a existência de aspectos ligados ao âmbito pessoal. De qualquer forma, o pensamento nessa área modificou-se para um entendimento de que a memória – pessoal ou coletiva – está fortemente ligada às relações que se dão no espaço social. Contribuições teóricas dos campos da psicologia social, da história, da medicina social, entre outros, também dão conta de apontar a existência de ligação entre memória e formação da identidade.

De fato, a inter-relação desses conceitos não é difícil de ser percebida. Como diz David Lowental "(a) perda da memória destrói a personalidade e priva a vida de significado" (Lowental, 1989: 209); ou "(os) grupos também mobilizam lembranças coletivas para sustentar identidades associativas duradouras" (Lowental, 1989, p. 84). Ou ainda como afirma Michael Pollak, *"a memória é um elemento constituinte do sentimento de identidade*, tanto individual como coletiva (...)" (Pollak, 1992, p. 209).

Mais uma vez, vale lembrar que tanto memória quanto identidade são conceitos que se afastam das idéias de homogeneidade, perenidade ou estabilidade permanente. Em relação à memória, ressalta-se que ela é sempre constituída pelo par lembrança/esquecimento, motivada por interesses do presente, o que faz com que o grupo esteja constantemente reconfigurando aquilo que ele acha mais importante sustentar como lembrança (Colombo, 1991). Em relação à identidade, segundo Roland Barthes, vive-se atualmente um momento de crise da representação e de fragmentação do sujeito, de modo que já não se pode admitir a existência, no sujeito, de um núcleo estável que possa ser representado. Nesse contexto, a identidade caracteriza-se por ser somente uma espécie de amálgama capaz de dar a sensação de unidade, quer dizer, o que existe é apenas uma ficção de identidade que é *"reapresentada"* como unitária (Barthes apud Colombo, 1991). Além disso, alerta-nos Anthony Giddens que:

> "(...) a sensação de auto-identidade é simultaneamente sólida e frágil. Frágil porque a biografia que o indivíduo reflexivamente tem em mente é só uma 'estória' entre muitas estórias potenciais que poderiam ser contadas sobre seu desenvolvimento como eu; sólida porque um sentido de auto-identidade muitas vezes é mantido com segurança suficiente para passar ao largo das principais tensões e transições nos ambientes sociais em que a pessoa se move" (Giddens, 2002, p. 56).

A narrativa biográfica que um indivíduo ou grupo faz de si mesmo é construída a partir de uma seleção de informações entre tantos dados que fizeram parte da totalidade do real vivido. A memória recolhe fragmentos do passado (Lowentall, 1989) e conserva informações que passam por um processo de organização e reconstituição (Le Goff, 2003). A autonarrativa, e por conseqüência a identidade, são apoiadas por essas informações e – mais do que isso – pelo uso que o indivíduo ou grupo faz dessa informação. Há valores da tradição ou eventos da história que são aspectos de identificação tão fortes que são capazes de sustentar, por muito tempo, uma certa auto-imagem daquele indivíduo ou grupo.

Por outro lado, tal como lembra Giddens, existem momentos de tensão e fragilidade ao longo da construção da narrativa de si mesmo. Em muitas ocasiões, fenômenos (que podem ser internos ou externos) desestabilizam a constância desse processo consciente de auto-organização e impulsionam tomadas de posição: ou de manutenção ou de mudança.

No caso dos jornalistas, o período de discussão pelo qual a categoria passou em 2004, quando houve um projeto de lei para criação do Conselho Federal de Jornalismo, pode ser considerado um momento de tensão. Durante os cinco meses de tramitação da proposta no Congresso Nacional, uma série de matérias jornalísticas foi publicada nas páginas dos veículos de comunicação do país e trataram, em público, de um tema que, a princípio, interessaria prioritariamente aos jornalistas.

Os textos auto-referenciais são locais privilegiados de investigação sobre os jornalistas, pois nesse espaço destinado a discutir um assunto do interior do próprio grupo, os jornalistas revelam, em geral com grande transparência, a elaboração de uma auto-imagem via manifestação discursiva que procura definir um lugar de fala.

Ainda que em proporções desiguais, os textos trouxeram diferentes posicionamentos acerca da questão. Muitos abordaram o assunto do CFJ promovendo associações com a questão da liberdade de expressão. Apresentaram, também, referências a momentos vividos por jornalistas em outras épocas no Brasil. Enfim, promoveram uma série de narrativas auto-referenciais, trabalhando, inclusive, com elementos memoráveis dotados de valiosos significados para a identidade jornalística.

Num exemplo que remete à história dos Estados Unidos, Barbie Zelizer (1992) demonstra que a morte do presidente Kennedy representou um momento crucial para que os jornalistas se legitimassem através de suas próprias narrativas sobre o caso. A contação, promoção e recontação das "fábulas" são auto-referenciais. Contando e recontando as histórias do assassinato, ou seja, elaborando e reelaborando a memória sobre o episódio, os jornalistas construíram, pelo discurso, sua própria celebridade, reafirmando-se como os contadores legítimos daquele fato. A posição dos jornalistas diante do acontecimento singular despertou uma disputa com os historiadores pelo poder de fala sobre o assunto.

O exemplo de Zelizer serve para confirmar que a maneira pela qual o jornalista é aceito e compreendido não é dada desde sempre. Em cada momento, os jornalistas negociaram discursivamente seu lugar de fala e organizaram sua auto-imagem: primeiro, na época em que houve o assassinato propriamente dito; em seguida, nos vários relatos memoráveis sobre o evento: 10 anos depois, 20 anos depois... Ao trabalharem a memória do episódio da morte de Kennedy, os jornalistas também propiciaram mudanças na maneira de se verem e de serem vistos pelas pessoas, isto é, estiveram em processo de construção de sua própria identidade.

No texto *Memória e Identidade social*, Pollak resume o conceito de identidade à formação de uma "imagem de si, para si e para os outros". Nesse sentido, afirma que há três elementos importantes na construção da mesma: primeiro – uma fronteira de ordem física (no caso dos grupos, o sentimento de pertencimento); segundo – uma continuidade no tempo (uma permanência física, moral e psicológica pela qual o grupo se faz sensível, visível e perceptível aos outros) e, por fim, um certo sentimento de unidade ou sensação de coerência.

Uma das maneiras de se estabelecer fronteiras é pela delimitação de um "*savoir-faire*". Muito do que a sociedade percebe da identidade jornalística está relacionado ao reconhecimento do tipo de atividade que os jornalistas exercem. Quando vemos um âncora na televisão, ou um repórter com seu gravador diante de um entrevistado, ou um amontoado de fotógrafos ao redor de um político, supomos que ali estão indivíduos pertencentes ao grupo dos jornalistas. Seus modos de trabalhar são fonte de reconhecimento por parte das outras pessoas, o que caracteriza, portanto, uma delimitação da abrangência de ação de um grupo a partir de julgamentos externos.

Internamente, o *"savoir-faire"* também organiza fronteiras do grupo profissional. Quando os agentes reúnem-se em torno das práticas típicas do jornalismo, estão, assim, partilhando o *habitus*, ou seja, realizando suas ações – individuais ou coletivas – dentro de variadas relações de poder e de estruturas organizantes do espaço que ocupam. O fazer diário da profissão engloba mais que as atividades a serem realizadas cotidianamente, abrangendo também os diversos contextos atrelados a esse fazer. Anthony Giddens destaca a importância dos fazeres na construção de identidades:

> "A existência é um modo de estar no mundo no sentido de Kierkegaard. Ao 'fazer' a vida cotidiana, todos os seres humanos 'respondem' a questão do ser – e o fazem pela natureza das atividades a que se dedicam. (...) tais 'respostas' estão fundamentalmente localizadas no nível do comportamento" (Giddens, 2002, p. 50).

Gerard Namer explica que a vida cotidiana do indivíduo e sua memória estão profundamente ligadas à profissão que esse ocupa. A esfera do trabalho e da produção técnica é local de construção daquilo que o autor denomina "memória funcional", a qual é sedimentada a partir de uma prática funcional. Observa-se aí, portanto, a organização de uma memória coletiva em torno das funções desempenhadas por um grupo profissional (Namer, 1987). Assim, pode-se dizer que os papéis desempenhados pelos jornalistas por meio de suas atividades fornecem elementos para sua autodefinição.

Mas vale lembrar: identidades são mais do que papéis. Enquanto as primeiras organizam significados, os segundos organizam funções (Castells, 2000). A identidade do jornalista não pode ser vista restritamente como resultado de uma prática. Sendo "construção de significado", identidade considera os fazeres, mas também engloba os valores, as crenças, os mitos, os saberes, as representações sociais, a história, a memória, as relações de poder, além de outros elementos que são fonte de fortes ligações para os indivíduos que o compõem um grupo.

Delimitar fronteiras é também um movimento de negociações com outros atores que dividem o mesmo espaço social. A estruturação da identidade é um processo nada estático, em que valores são disputados em conflitos sociais e intergrupais (Pollak, 1992).

Um dos papéis atribuídos ao jornalista da atualidade é o de informar, via meios de comunicação, aquilo que aconteceu no mundo. Pierre Nora (1979) explica que, antes do advento da mídia, eram os historiadores os grandes responsáveis por dar a uma ocorrência o *status* de acontecimento. Na era dos meios de comunicação, as práticas midiáticas acabaram por impor o imediatamente vivido como história e os jornalistas passaram a disputar com os historiadores a legitimidade de selecionar os fatos dignos de serem comentados e lembrados.

O autor Jay Rosen lembra que vários papéis foram atribuídos aos jornalistas americanos em diferentes momentos da história dos EUA. Na época da independência em relação à Inglaterra, eram vistos como revolucionários; no início da história da república eram identificados como "criaturas" de partidos políticos e que já no meio do século XIX se enquadravam como uma classe de trabalhadores da mídia de massa (Rosen, 1999). No Brasil, as representações desses profissionais também são diversificadas e cambiantes (panfletários, políticos, literatos, boêmios, intelectuais, objetivos, isentos, investigadores, denuncistas, sensacionalistas, manipuladores...).

Para entender como se processam essas caracterizações que conferem ao jornalista uma dada posição na sociedade, mais uma vez recorremos aos ensinamentos de Pierre Bourdieu (2003; 2005). Esse teórico descreve que o mundo social se organiza tanto objetiva quanto subjetivamente. É a lógica da diferenciação que organiza objetivamente o mundo. Estruturas objetivas como as instituições, ou as divisões econômicas, proporcionam um certo consenso das percepções, dos entendimentos e das formas de ação dos grupos. Em outras palavras, "o espaço social tende a funcionar como um campo simbólico, um espaço de estilos de vida e de grupos de estatuto, caracterizados por diferentes estilos de vida" (Bourdieu, 2005, p.160). Nesse ambiente, cada grupo se destaca por seus signos peculiares que, em muitos aspectos, definem a forma como ele vai sendo organizado e entendido dentro de um sistema simbólico. Mas as categorias de percepção e os modos de compreender o mundo também são fruto da subjetividade. Através de lutas simbólicas, é possível transformar e inovar as percepções e categorizações que normalmente são aceitas como consenso.

Falar de aceitação consensual é também falar de poder simbólico. Possuir poder simbólico é ter o reconhecimento por parte daqueles que se submetem a tal poder. Como diz Bourdieu, "é um poder que existe porque aquele que lhe está sujeito crê que ele existe" (Bourdieu, 2005, p. 188). Assim, quando se pensa sobre a legitimidade dos jornalistas em funcionarem como porta-vozes das notícias, ou dos fatos do mundo, está-se pensando sobre o crédito que esse profissional possui para desempenhar tal tarefa. Se o papel de informador – ou outro papel, dependendo da época ou do local – é atribuído ao jornalista, isso só ocorre porque a sociedade reconhece e aceita que ele possui capital simbólico para desempenhar aquela função.

Como vimos anteriormente, a identidade também se organiza a partir do elemento "permanência no tempo" (Pollak, 1992). Não há sujeito se não há uma duração. Mas, como alerta Giddens, só a duração não basta, pois é necessário que exista um reconhecimento da mesma:

"Como o eu é um fenômeno um tanto amorfo, a auto-identidade não pode referir-se meramente à sua persistência no tempo à maneira como os filósofos poderiam falar da 'identidade' dos objetos e das coisas. A 'identidade' do eu, ao contrário do eu como fenômeno genérico, pressupõe uma consciência relativa. É aquilo 'de que' o indivíduo está consciente no termo 'autoconsciência'. A auto-identidade, em outras palavras, não é algo simplesmente apresentado, como resultado das continuidades do sistema de ação do indivíduo, mas algo que deve ser criado e sustentado rotineiramente nas atividades reflexivas do indivíduo" (Giddens, 2002, p. 54).

Diante da proposição acima, formulou-se a seguinte pergunta: como funciona aquilo que pode ser considerado a "consciência" de um grupo? Sugere-se que a memória é uma das chaves para essa resposta. Ao mobilizar lembranças e promover esquecimentos, os grupos constroem significado para aquilo que foram no passado e sustentam aquilo que significam no presente (momento em que elaboram suas memórias). Assim, é pela mobilização de lembranças – e também pela promoção de esquecimentos – que se pode obter uma narrativa coerente do transcorrer da vida e do desenrolar do tempo. A manutenção de uma memória viva indica o desejo do grupo ou do indivíduo por uma ancoragem duradoura (não fixa), ainda que essa possa se deslocar com o tempo.

É interessante notar que as memórias e a narrativa da trajetória do eu são profundamente marcadas por um desejo de ancoragem segura, ou seja, o indivíduo ou grupo constrói sua identidade associando-a a elementos que possam ser reconhecidos dialeticamente por ele mesmo e pelos outros. Uma das mais fortes fontes de "ancoragem segura" é o conjunto de valores ou crenças hegemonicamente difundidos, no sentido de Gramsci, aos quais o indivíduo ou grupo se agarra para dar sustentação à própria memória.

Muitas vezes os jornalistas cultivam suas memórias ligando-as a posições ideológicas hegemônicas. No livro *Calandra: o sufoco da imprensa nos anos de chumbo*, por exemplo, o jornalista Pery Cotta (1997) conta sobre a época em que ele trabalhava no jornal *Correio da Manhã*, durante a ditadura militar. Em diversas passagens do texto, o autor procura atrelar o papel de jornalista ao de defensor dos interesses públicos, dos valores de liberdade:

"Os objetivos do velho CM eram as mesmas aspirações coletivas da sociedade brasileira, defendidas por ele com fervor, dentro da linha marcante do interesse nacional e do compromisso direto com os leitores. Suas opiniões coincidentes com o bom senso geral, sempre surgiam de forma natural e afloravam com o costumeiro brilho. Dessa forma, espelhavam força política sempre crescente e, em conseqüência, ganharam autoridade moral incomparável" (Cotta, 1997, p. 18).

Também Carlos Eduardo Lins da Silva, ao reeditar, em 2005 o livro *Mil Dias* (1988), trabalho sobre a *Folha de S. Paulo*, originado de uma pesquisa realizada nos anos 1980, associa sua lembrança a valores tidos como "universais": "Naquele período da vida nacional, a *Folha* foi uma espécie de porta-voz das ansiedades da sociedade civil que se organizava para restabelecer o Estado de direito e a democracia" (Silva, 2005, p. 14-15).

Também é comum encontrar relatos desenvolvidos em torno de mitos, como, por exemplo, o da objetividade; ou do mito do herói aventureiro, também conhecido como "complexo de Clark Kent" (Vieira, 1991 apud Oliveira, 2005). No livro *Repórteres* (1997), onze jornalistas contam suas experiências com reportagem, em textos que transmitem os aspectos aventureiros desse tipo de trabalho. Joel Silveira (apud Dantas, 1997) conta sobre a cobertura da guerra na Itália no inverno de 1944-45, relatando as dificuldades e riscos enfrentados no *front* em busca das informações. "Passar por ali era uma provação diária. E nós, correspondentes vindos de Pistóia, não tínhamos opção: era cruzar a ponte ou ficar do lado de cá. Quer dizer, do lado de cá da guerra" (Dantas, 1997, p. 97). Outro repórter, Audálio Dantas, que é também organizador do livro acima, delineia as características esperadas de um repórter:

"Coragem para ver é uma das exigências do ofício de repórter. A esta deve-se acrescentar outra, igualmente importante – a coragem de contar o que se vê.

Muita gente deve imaginar que os repórteres fazem parte de uma raça especial de homens sem medo, tantas são as situações de perigo em que eles se metem. Na verdade, os repórteres não são mais nem menos corajosos do que outras pessoas. É verdade, também, que nunca se viu um bom repórter que pertença à categoria dos covardes sem remissão. Por isso, deles se exige, pelo menos a coragem de espantar o medo nos momentos em que isso é preciso" (Dantas, 1997, p. 20).

Ao organizarem sua memória, associando seus atos passados a mitos ou posições ideológicas dominantes, os jornalistas reforçam o sentido de sua permanência no tempo, procurando elaborar a imagem de um grupo coerente, sólido e competente e que tem autoridade e poder de fala ao longo da história. Os exemplos procuram mostrar, enfim, que nesses momentos memoráveis, o jornalista negocia os contornos para sua própria identidade.

Referências bibliográficas

BOURDIEU, Pierre. *O poder simbólico*. Rio de Janeiro: Bertrand Brasil, 2003.

_____. *A economia das trocas simbólicas*. São Paulo: Perspectiva, 1998.

_____. The political field, the social science field and the joournalistic field. In: BENSON, R.; NEVEU, E. *Bourdieu and the journalistic field*. Cambridge, UK: Polity Press, 2005, p. 29-46.

CASTELLS, Manuel. *O poder da identidade*. Rio de Janeiro: Paz e Terra, 2000.

COLOMBO, Fausto. *Os arquivos imperfeitos*. São Paulo: Perspectiva, 1991.

COTTA, Pery. *Calandra: o sufoco da imprensa nos anos de chumbo*. Rio de Janeiro: Bertrand Brasil, 1997.

DANTAS, Audálio (org.). *Repórteres*. São Paulo: Senac, 1997.

FENTRESS, James; WICKHAM, Chris. *Memória Social*. Lisboa: Teorema, 1992.

GIDDENS, Anthony. *Modernidade e identidade*. Rio de Janeiro: Jorge Zahar, 2002.

HALBWACHS, Maurice. *A memória coletiva*. São Paulo: Vertice, 1990.

HALL, Stuart. *A identidade cultural na pós-modernidade*. Rio de Janeiro: DP & A, 2002.

LE GOFF, Jacques. *História e memória*. Campinas: Editora Unicamp, 2003.

LOWENTHAL, David. *Past is a foreign country*. New York: Cambridge University Press, 1989.

MOSCOVICI, Serge. Sobre a subjetividade social. In: SÁ, C. P. de (org.). *Memória, imaginário e representações sociais*. Rio de Janeiro: Editora Museu da República, 2005, p. 11- 62.

NAMER, Gerard. *Memoire et societé*. Paris: Meridien Klinksiec, 1987.

NORA, Pierre. O retorno do fato. In : LE GOFF, J.; NORA, P. (orgs). *História*: novos problemas. Rio de Janeiro: Francisco Alves, 1979.

OLIVEIRA, Michele Roxo de. *Profissão jornalista*: um estudo sobre representações sociais, identidade profissional e as condições sociais de produção da notícia. 2005. Dissertação de Mestrado. FAAC/Universidade Estadual Paulista, Bauru, 2005.

PAHL, Ray. *Depois do sucesso*; ansiedade e identidade fin-de-siècle. São Paulo: Fundação Editora da Unesp, 1997.

POLLAK, Michael. "Memória e identidade social". In: *Estudos Históricos*, v. 5 n. 10. Rio de Janeiro, 1992.

ROSEN, Jay. *What are journalists for?* New Haven: Yale University Press, 1999.

SILVA, Carlos Eduardo Lins da. *Mil dias*: seis mil dias depois. São Paulo: Publifolha, 2005.

SILVERSTONE. Roger. *Por que estudar a mídia?* São Paulo: Loyola, 2002.

VEIGA, Vera França da. Pré-texto teórico. In: *Jornalismo e Vida Social:* a história de um jornal mineiro. Belo Horizonte: editora UFMG, 1998.

ZELIZER, Barbie. *Covering the body:* the kennedy assassination, the media, and the shaping of collective memory. Chicago: University Press, 1992.

Jornalistas de economia no Brasil: juventude, formação especializada e relações de parentesco no mercado de trabalho

*Hérica Lene**

Nas últimas décadas do século XX, o jornalismo de economia se expandiu no curso das transformações políticas e econômicas ocorridas no Brasil a partir da redemocratização e de um contexto histórico no qual a economia ganhou cada vez mais força entre as esferas sociais.[39]

Até a década de 1970 o noticiário econômico no país era essencialmente financeiro/comercial, voltado para informações práticas: cotações da Bolsa, informações sobre câmbio, entrada e saída de navios, preços e pro-

---

* Doutoranda em Comunicação e Cultura pela Universidade Federal do Rio de Janeiro, mestre em Comunicação pela Universidade Federal Fluminense, especialista em Estratégias em Comunicação Organizacional pela Faculdade Cândido Mendes e graduada em Comunicação Social, habilitação em Jornalismo, pela Universidade Federal do Espírito Santo. (hericalene@yahoo.com.br.)

[39] O jornalismo de economia tem uma larga tradição e se consolida no Brasil ao longo do século passado. Os veículos de comunicação voltados para a indústria, o comércio e os negócios de maneira geral surgem em todo o país desde meados do século XIX. Pioneiro neste sentido é o *Jornal do Commercio*, fundado em 1827, no Rio de Janeiro, e que se mantém até hoje em circulação, apesar de sua baixa difusão e crises freqüentes. Sobre este tema cf. SODRÉ, Nelson Werneck. *História da Imprensa no Brasil*. Rio de Janeiro: Mauad, 1999; BARBOSA, Marialva. *Os Donos do Rio* – Imprensa, Poder e Público. Rio de Janeiro: Vício de Leitura, 2000.

dução de produtos agrícolas. A partir dessa década, os principais jornais passaram a dar destaque ao noticiário econômico não só porque as notícias sobre política sofriam forte censura, mas também porque a economia havia se tornado um dos temas centrais do regime militar.

Nos anos 1980, a redemocratização trouxe novos ares ao país e a imprensa vai refletir, naturalmente, essas mudanças. Diante das transformações do final do século passado, e tendo como objeto de estudo o jornalismo de economia, este artigo tem como proposta abordar a questão do *habitus* dos jornalistas que atuam nessa cobertura específica no Brasil.[40]

A questão que se coloca é: o perfil desse profissional mudou a partir da Nova República, diante do processo de redemocratização do país, governos neoliberais e de um cenário mundial marcado pelo avanço tecnológico, convergência multimídia e acelerada globalização econômica no final do século XX?

O objetivo é traçar um perfil desse profissional no início do século XXI a partir da análise documental[41] de três fontes: uma pesquisa feita no 1º Encontro de Jornalistas de Economia, realizado no dia 27 de outubro de 1979, no Rio de Janeiro, com 82 participantes (Quintão, 1987); outra com 55 profissionais da imprensa do Rio de Janeiro, São Paulo e Brasília sobre o jornalismo de economia na transição democrática (Abreu, 2001; 2003); e um levantamento do currículo de 491 jornalistas de todo o país realizado entre dezembro de 2004 e maio de 2005 (Ribeiro e Paschoal, 2005).

---

[40] Esta abordagem integra uma pesquisa sobre a imprensa no Brasil nas duas últimas décadas do século XX, tendo como objeto de estudo o jornalismo de economia, que estou desenvolvendo no programa de Pós-Graduação em Comunicação e Cultura da UFRJ, com o apoio do CNPq. O objetivo é compreender o processo de mudanças pelo qual passou o jornalismo nesse período. Será analisado também o surgimento de "jornalistas-personalidades ou celebridades" na cobertura de economia.

[41] A análise documental compreende a identificação, a verificação e a apreciação de documentos para determinado fim. Funciona como expediente eficaz para contextualizar fatos, situações, momentos. As fontes desse tipo de análise freqüentemente são de origem secundária: constituem conhecimento, dados ou informação já reunidos ou organizados (Moreira, 2005, p. 269-279).

Trata-se de um estudo sobre essa subcategoria do campo jornalístico levando-se em conta aspectos da formação acadêmica e complementar, regiões de ingresso no mercado de trabalho, características da ocupação de cargos e relações de parentesco com outros jornalistas. Busca-se, portanto, observar o *habitus* desse grupo. Ao mapear a trajetória desses profissionais, neste artigo tomamos como referencial teórico os conceitos de campo[42] e de *habitus*[43] desenvolvidos pelo sociólogo Pierre Bourdieu (1997; 1999).

Anos 1970: a consolidação da categoria "jornalismo de economia" na imprensa brasileira

O jornalista de economia, nos anos 1970, começava a buscar maior especialização para atuar nessa cobertura, além da formação de nível superior.

---

[42] Bourdieu concebeu a noção de campo intelectual como um universo relativamente autônomo de relações específicas. Partindo dessa noção, montou uma teoria geral da economia dos campos, que permite descrever e definir a forma específica de que se revestem, em cada campo, os mecanismos e os conceitos mais gerais (capital, investimento, ganho). Bourdieu (1999) leva em conta a estruturação social como que constituindo um ambiente de campos de poder: como o campo político, o cultural e subcampos intelectuais, como o composto por jornalistas, por escritores e por educadores. O objetivo, ao introduzir a noção, é perceber a gênese social de um campo, apreender aquilo que faz a necessidade específica da crença que o sustenta, o jogo de linguagem que nele se joga, as coisas materiais e simbólicas que estão envolvidas, para explicar os atos dos produtores e as obras por eles produzidas. Bourdieu (1997) considera o universo do jornalismo um campo, que está sob pressão do campo econômico por intermédio do índice de audiência ou, no caso dos jornais, da venda dos exemplares por meio de assinaturas e em bancas. E esse campo, muito fortemente sujeito às pressões comerciais, exerce, ele próprio, uma pressão sobre todos os outros campos, enquanto estrutura. Ele impõe sobre os diferentes campos de produção cultural um conjunto de efeitos que estão ligados, em sua forma e em sua eficácia, à sua estrutura própria, isto é, à distribuição dos diferentes jornais e jornalistas segundo sua autonomia com relação às forças externas, às do mercado dos leitores e às do mercado dos anunciantes.

[43] *Habitus* seria uma espécie de gramática de ações que serve para diferenciar um grupo social de outro no campo social. Seria, portanto, um conjunto de esquemas implantados desde a primeira educação familiar, constantemente reatualizado ao longo da trajetória social, que demarcam os limites à consciência possível a ser mobilizada pelos grupos e/ou classes, sendo assim responsáveis pelo campo de sentido em que operam as relações de força.

Em uma pesquisa sobre o jornalismo dessa área no período do regime militar, Aylê-Salassié Filgueiras Quintão (1987, p. 121-124) registrou o perfil do profissional nessa época, a partir de informações levantadas por meio de questionário com 82 dos 150 participantes do 1º Encontro de Jornalistas de Economia, realizado no dia 27 de outubro de 1979, no Rio de Janeiro.[44]

Participaram desse evento jornalistas de São Paulo, Rio de Janeiro, Minas Gerais, Rio Grande do Sul, Paraná, Sergipe, Ceará, Pernambuco e Bahia. O levantamento das informações desses profissionais mostrou que foi no período do "milagre econômico" que a maioria começou a atuar: 92,6% iniciaram suas atividades jornalísticas entre 1967 e 1976 e 38% entre 1969 e 1972.

Os estados do Rio de Janeiro e São Paulo eram os maiores empregadores desses profissionais. Dos 82 entrevistados, 42,7% começaram a trabalhar na profissão no Rio e 36,6% em São Paulo. Juntos, esses dois centros urbano-industriais absorviam 79,3% dos jornalistas de economia no país nos anos 1970.

Com relação à formação desse profissional e seu preparo intelectual formal para o exercício das atividades da cobertura jornalística de economia, a pesquisa feita por Quintão (1987, p.121-124) mostra que 60,9% eram graduados apenas em Comunicação e 27% em um outro curso da área de Ciências Sociais – 9,7% em Ciências Sociais; 8,5% em Economia; e 8,5% em Direito. O percentual restante representa os que começaram, mas não concluíram, um curso superior, e os que não tinham nenhuma formação universitária.

Dos 79,5% dos jornalistas com curso superior, 43% fizeram seus cursos no Rio de Janeiro e 36,5% em São Paulo. Os graduados em Comunica-

---

[44] O evento foi patrocinado pelas três associações desses profissionais criadas na década de 1970: a AJOESP, fundada em São Paulo em 1972, com 70 associados; a AJEF, que surgiu em 1973 no Rio de Janeiro, com 50 sócios; e, em 1976, foi criada, em Brasília, a AJOEB, com cerca de 100 associados. O objetivo era se fortalecer como categoria porque esses profissionais tinham dificuldade de acesso às fontes e estavam submetidos ao rigor da censura (Quintão, 1987, p.118-121). Com a redemocratização do país, Abreu (2003, p.48) registra que essas associações deixaram de existir porque acabaram perdendo o objetivo, na medida em que se ampliaram as fontes de informação e que deixou de ser um privilégio de alguns o acesso aos responsáveis pelas decisões políticas e econômicas do país.

ção Social começaram a ocupar o espaço nesse mercado de trabalho já a partir de 1966.[45]

As instituições mais citadas como local de formação desses jornalistas foram: as Faculdades Cândido Mendes e a de Filosofia, a Universidade Federal (UFRJ) e a PUC, no Rio de Janeiro; e a Faculdade Cásper Líbero e a USP, em São Paulo.[46]

Nos anos 1970, poucos jornalistas tinham pós-graduação. A pesquisa feita em 1979 mostra que apenas dois dos 82 entrevistados fizeram esse tipo de curso, sendo que um fez mestrado em Comunicação pela PUC do Rio de Janeiro e, o outro, mestrado em Economia Internacional em São Paulo.

O jornalista tinha uma formação suficiente para atuar no jornalismo de economia? Quintão (1987, p. 121-124) constata que a experiência desses profissionais para cobrir a área não era suficientemente sólida. Os cursos acadêmicos formais apresentavam deficiências do ponto de vista da preparação de profissionais para essa cobertura específica. Nessa época, surgiram cursos rápidos de especialização ou treinamento nessa área (25,6% dos entrevistados afirmaram que fizeram esses cursos em busca de suplementar sua formação acadêmica).

Com relação ao posicionamento dos jornalistas de economia sobre sua atuação no período, Quintão identificou nesse grupo duas principais correntes na época. Uma defendia o treinamento e a especialização como funda-

---

[45] Somente em 1969 o diploma de bacharel em Jornalismo ou Comunicação passou a ser de fato condição para se obter o registro profissional e para o exercício das atividades (através do Decreto-lei 972 de 17/10/69). Mas o movimento para a consolidação de uma formação específica da categoria começou em 1938, quando Getúlio Vargas, através do Decreto-lei n.910, dispôs sobre as condições de trabalho nas empresas jornalísticas e criou as escolas de jornalismo (Ribeiro, 2000, p. 256-267). Os cursos de Jornalismo de nível superior haviam sido criados em 1943, mas a grande procura por esses cursos deu-se a partir dos anos 1960 (Abreu, 2003, p. 31).

[46] O primeiro curso regular de jornalismo do país foi fundado pela Fundação Cásper Líbero, vinculado à Faculdade de Filosofia, Ciências e Letras São Bento, da Pontifícia Universidade Católica (PUC) de São Paulo, autorizado pelo Decreto nº 23087, de 19 de maio de 1947. O primeiro curso de uma instituição pública foi criado na Faculdade Nacional de Filosofia da Universidade do Brasil, a atual UFRJ (Ribeiro, 2000, p. 258).

mentais para a preparação dos repórteres de economia, considerando-a um instrumento novo e essencial para o exercício da profissão na área. E a outra entendia que a especialização, pelo contrário, servia para legitimar um regime político autoritário e o sistema econômico concentrador de renda e alienante em vigor. "Para esse segundo grupo, os jornalistas de economia tornam-se veículos de difusão da ideologia do segmento de classe que se apodera dos aparelhos do poder do Estado a partir de 1964" (Quintão, 1987, p.110).

Em um período de uma imprensa vigiada pelo regime militar, predominou o oficialismo na cobertura de economia. E era freqüente ocorrer a cooptação desse profissional por parte das autoridades governamentais.

Alzira Alves Abreu (2001; 2003), em uma pesquisa realizada com 55 jornalistas da imprensa do Rio de Janeiro, São Paulo e Brasília, também fez uma abordagem sobre o posicionamento político junto à da formação educacional desses profissionais.

Ela verificou que entre os jornalistas que ocupavam cargos de prestígio ou de direção nas redações, e iniciaram a vida profissional nos anos 1970-1980, houve um aumento dos que concluíram cursos universitários de Jornalismo (53%) em relação aos formados em Ciências sociais, História ou Economia (23%) e em Direito (6%). Na geração anterior, a que ingressou nas redações no período do pós-guerra ou durante os anos 1950, somente 8% fizeram o curso de Jornalismo, e os que freqüentaram universidade, em sua maioria, concluíram a graduação em Direito (Abreu, 2003, p. 31).[47]

O estudo de Abreu, realizado no final do século passado, mostrou que a geração de jornalistas que iniciou a vida profissional nos anos 1960, durante o regime militar, viveu o auge do engajamento político. E que a profissionalização foi, inclusive, procurada como um recurso para uma atu-

---

[47] O curso de Direito era procurado pela maioria dos jornalistas que atuavam na imprensa carioca no final do século XIX e início do XX, conforme registra Marialva Barbosa (2000, p. 61-112), em um estudo sobre os principais jornais diários do Rio de Janeiro entre 1880 e 1920. Em segundo lugar vinham os cursos médicos. Grande parte dos jornalistas se formava nos estados de São Paulo e Rio de Janeiro. Mapeando um total de 44 jornalistas oriundos das Faculdades de Direito, 27 eram formados pelo Rio e 7 por São Paulo. Nove outros haviam concluído o curso em Recife e apenas um no exterior (em Coimbra).

ação autônoma do ponto de vista político, "um meio de o jornalista obter o reconhecimento social através da especialização" (Abreu, 2003).

Antoine Prost, citado por Abreu (2001, p. 4; 2003, p.17), registra que o engajamento é típico do século XX porque foi nesse século que caíram todas as barreiras que impediam o direito do indivíduo de se associar, se reunir e se expressar e ampliaram-se os sindicatos, os partidos políticos, os movimentos de reivindicação, as associações cívicas etc. O engajamento é uma atitude pessoal, é uma decisão "voluntária" e se engajar politicamente significa a adesão a uma ideologia e o exercício de uma atividade organizada no interior de um partido ou movimento.

Abreu (2001), ao citar Michelle Perrot, explica que ser engajado é participar de um conjunto de valores, atitudes, de um processo de identidade. O engajamento teria nascido do sentimento do intolerável diante da injustiça, da indignação provocada pela arbitrariedade, levando à idéia de que a passividade é culpada e cúmplice.[48]

O indivíduo engajado se mobiliza em torno de objetivos políticos, que podem ser orientados para a luta pela garantia das liberdades democráticas, pelos direitos dos cidadãos, contra as ditaduras, pela reunião ou separação dos territórios de uma nação, em defesa da classe operária, em defesa dos oprimidos etc.

No Brasil, ser engajado nos anos 1960/1970 representava participar de ações a serviço de uma sociedade mais justa, mais igual, derrubar os militares do poder e implantar um regime democrático ou socialista. Neste último caso estavam os filiados ao Partido Comunista Brasileiro (PCB), ao Partido Comunista do Brasil (PC do B) e a outros movimentos de esquerda e também aos movimentos revolucionários de guerrilha que se formaram no final dos anos 1960 (Abreu, 2001, p. 3-4; 2003, p. 18).

A imprensa foi para muitos jovens o caminho para divulgar suas posições ideológicas, uma forma de exercer um engajamento político. Essa ação resultou na introdução de mudanças na imprensa e na forma de praticar o jornalismo.

---

[48] Cf. Michelle Perrot. *La cause du peuple*. In: *Vingtième Siècle*. n. 60. Out-Dez 1998. p.4-13.

Abreu (2001, p. 6) registra que dos entrevistados para sua pesquisa, 42% foram filiados a partidos ou movimentos de esquerda, sendo que 60% declararam sua filiação ao PCB durante os anos 1960/70. Os outros 40% se distribuem entre os vários movimentos de esquerda que atuaram no final dos anos 1960 e que atraíram um grande número de jovens universitários com propostas de mudanças sociais por meio da luta armada.

É importante assinalar que no período pós-guerra, no Brasil, muitos jornais de prestígio e grande circulação tinham entre seus jornalistas filiados ou simpatizantes do PCB. A escolha por essa profissão era uma forma de exercer um engajamento político, divulgar uma ideologia e atuar politicamente. No final dos anos 1960, foram os dissidentes do PCB que utilizaram a imprensa como forma de engajamento.

Essa predileção por parte das redações em contratar jornalistas "engajados" para os seus quadros aparece em relatos de profissionais da imprensa que atuaram nessa época, como é o caso do feito pelo jornalista Cláudio Lachini no livro *Anábase – História da Gazeta Mercantil* (2000). Ao relatar o processo de modernização pelo qual passou esse diário de notícias de economia na metade dos anos 1970, ele registrou:

> A redação do jornal foi se fortalecendo com novas contratações. Muitos eram ex-militantes da política estudantil. Luiz Fernando Levy[49] chegou a confessar que preferia jornalistas de esquerda e, particularmente, quem tivesse passado pelo Partido Comunista Brasileiro (PCB) por serem considerados "os melhores quadros da imprensa, disciplinados, combativos, leais e conservadores" (Lachini, 2000, p. 24).

E é possível perceber se o jornalista mudou com relação ao seu posicionamento político do regime militar para o período de redemocratização? Abreu (2001, p. 12-13) afirma que a partir dos anos 1980 esse engajamento começou a diminuir ou a assumir novas formas.

As editorias de economia, criadas ou reestruturadas durante a ditadura militar, com a redemocratização do país, continuaram a deter um grande prestígio

---

[49] Luiz Fernando Levy herdou em 1980 o jornal, fundado em 1920 e adquirido por sua família em 1934 (Lachini, 2000, p. 62).

nas redações. A redemocratização no Brasil se deu paralelamente à desilusão política com o socialismo, com a desagregação do regime comunista, com o desprestígio da ideologia marxista e com o fim das utopias de construção de um mundo socialista mais justo e mais igual (Abreu, 2001, p.12-13).

Este é o momento em que velhas formas de engajamento político desaparecem, é o momento de atitudes apolíticas, de recuo dos intelectuais, que não desempenham mais o papel de mediadores ou porta-vozes das idéias de mudança e de revolução. Há uma ascensão dos técnicos, dos "experts", dos jornalistas, que falam sem paixões.

Para Abreu (2001), está nascendo um novo tipo de engajamento, em que o cidadão tem pouco interesse em uma participação institucional, não tem interesse em aderir a um partido ou movimento, de atuar politicamente por meio de expressão artística, literária etc. "O engajamento agora se atomizou e se privatizou. Não tem mais motivações revolucionárias, não quer mudar o mundo."

Os jornais passaram a valorizar os aspectos técnicos, mais profissionais do jornalismo, em detrimento de ideologias e da política. Hoje, quando o país vive um período de plena liberdade de imprensa, com o funcionamento das instituições democráticas, há um desinteresse crescente pelos temas políticos, que é geralmente atribuído ao público consumidor de notícias.

Alguns jornalistas declaram que os leitores ou telespectadores têm um interesse cada vez maior pelo noticiário jornalístico de forma utilitária; o público se interessa por aquilo que ele pode usar, busca informações que podem lhe trazer algum ganho direto e imediato. Ele tem cada vez menos tempo para se dedicar à leitura de jornais, está cada vez mais seletivo, mais pragmático, utilitário. Por outro lado, houve uma enorme fragmentação de interesses, e o número de assuntos que têm a atenção do público é cada vez maior.

A pesquisa de Abreu identificou, portanto, algumas orientações do jornalismo que são praticadas no início deste século: um jornalismo apartidário, despolitizado e pluralista. "Os jornalistas ontem eram engajados politicamente, tinham uma ação dentro de partidos políticos ou movimentos. Hoje são profissionais ou técnicos que vivem a crise do engajamento" (Abreu, 2001, p. 12-13).

Mudanças no *habitus* no final do século XX?

Que outras mudanças podem ser observadas no *habitus* do profissional que atua no jornalismo de economia nas duas últimas décadas do século XX e início do XXI? O aumento da capacitação profissional por meio de cursos de pós-graduação e de extensão na área de economia no Brasil e no exterior é, certamente, uma delas, principalmente porque os profissionais agora enfrentam um mercado de trabalho muito mais concorrido e exigente do que três décadas atrás.

A partir da análise dos currículos de 491 profissionais publicados no livro *Jornalistas Brasileiros – quem é quem no jornalismo de economia* (Ribeiro e Paschoal, 2005), resultado de um levantamento realizado entre dezembro de 2004 e maio de 2005, é possível verificar o perfil de quem produz a notícia de economia neste início de século.

Nesse livro, levaram-se em conta dois critérios para publicação dos currículos: jornalista que trabalha com economia e que tenha alguma ligação com um veículo de comunicação, considerando-se veículo as agências de notícias, as emissoras de rádio e de televisão, os jornais, as revistas e os sites. Além dos que trabalham com economia em veículos ou colaboram com algum deles, também foram incluídos os diretores de redação e/ou editores chefes.[50]

A maior parte dos profissionais que atuam no noticiário de economia são formados em Comunicação Social. Do total, 340 declararam ter graduação em Jornalismo (69,24%), sendo que 44 são formados em Jornalismo e também em outra graduação (8,96%).

Dos 44 que têm dupla formação, nove são formados em Jornalismo e em Economia (1,8% dos 491 entrevistados), seis em Jornalismo e em Letras, um em Jornalismo e em Matemática e sete em Jornalismo e Direito.

Dos que atuam como jornalistas, mas não são formados em Comunica-

---

[50] O universo de 491 entrevistados ficou dividido da seguinte forma: 402 jornalistas que atuam em redação; 72 que ocupam cargos de direção (diretor ou editor-chefe) e 17 classificados na publicação como "independentes" porque trabalhavam em redação e, atualmente, embora não estejam vinculados a um veículo, continuam trabalhando com jornalismo econômico como *free-lancers*.

ção Social, somente três têm formação superior apenas em Economia; 12 em Direito, sendo que dois em Direito e em outra graduação da área de Humanas; três em Ciências Sociais e 14 têm graduações em outras áreas.

A região Sudeste do país abriga o maior mercado de trabalho para os jornalistas de economia e é onde se encontram as instituições de ensino mais procuradas para a formação acadêmica. Lá, se formaram 52,74% dos 491 profissionais.

São Paulo e Rio de Janeiro continuam, como nos anos 1970, sendo os dois grandes centros de formação acadêmica e de iniciação na carreira do jornalismo de economia: 180 se formaram em instituições paulistas e 52 em escolas cariocas. Do total, 39 graduaram-se na região Sul do país, 35 no Nordeste, 14 na Centro-Oeste e 8 na Norte.

As instituições de ensino superior responsáveis pela formação da maior parte dos jornalistas que atuam na área de economia no país continuam sendo as tradicionais USP e Faculdade Cásper Líbero e a UFRJ. Na seqüência das mais procuradas, estão as Pontifícias Universidades Católicas (PUC) de São Paulo e do Rio de Janeiro.

Ainda com relação à formação do jornalista de economia, observa-se que o profissional do final do século passado e início deste está mais preocupado em continuar a se capacitar. Dos 491 considerados na pesquisa, 31,6% fizeram uma pós-graduação: 86 fizeram especialização (17,5%); 30 mestrado (6,10%); 38 MBA (7,73%) e apenas um fez doutorado.

O jornalista de economia está buscando se especializar mais para desenvolver a cobertura específica na qual atua. Das áreas procuradas para a pós-graduação, 81 fizeram cursos dentro do campo da economia (incluindo cursos de jornalismo de economia), 50 fizeram em Comunicação e 21 em outras áreas.

A formação complementar por meio de cursos de extensão ou de curta duração também tem sido procurada para a absorção de conhecimentos específicos sobre os diversos segmentos que compõem a cobertura jornalística do campo econômico. Do total, 48 declaram que fizeram esse tipo de aperfeiçoamento profissional: 26 na área de economia; 15 fizeram cursos de treinamento em jornalismo promovidos por veículos de comunicação (*Estado de S. Paulo, Editora Abril* e *Gazeta Mercantil*) e sete fizeram outros cursos na área de jornalismo.

Ocupação na redação: jovens na reportagem e experientes em cargos de direção

Verifica-se uma maior participação de profissionais jovens na imprensa de economia. A maior parte dos 491 jornalistas começou na profissão nas duas últimas décadas do século XX: 24,43% nos anos 1980 e 34% nos anos 1990. Por que temos uma imprensa de economia formada predominantemente por jovens?

O fato de o século XXI ter começado mal para as empresas jornalísticas, que passaram a existir diante de um cenário de crise financeira, pode ser uma das principais causas. A crise que assolou o mercado e as empresas de comunicação, entre os anos 2000 e 2004, acabou expulsando do mercado jornalistas experientes e abriu espaço para jovens.

O crescimento do endividamento – com a tomada de créditos externos nos anos 1995-1998, com o dólar em baixa – somado a investimentos nem sempre bem-sucedidos em telecomunicações e combinado com a estagnação da economia nacional desde 2001 levou grandes empresas a refazer suas estruturas, renegociar dívidas com credores e a demitir funcionários.

A história mostra que, quando a economia do país vai mal, a mídia é um dos primeiros setores atingidos, porque empresas privadas, estatais e governo se retraem e cortam imediatamente verbas publicitárias. Empresas antes sólidas e de tradição, como o *Jornal do Brasil* e a *Gazeta Mercantil*, deixaram de recolher impostos, terceirizaram seus funcionários para não pagar encargos trabalhistas e, volta e meia, enfrentam greves por atraso de salários (Caldas, 2003: 35).[51]

Enquanto as editorias de economia das redações estão sendo ocupadas por jovens profissionais na produção da notícia, nos cargos de direção (diretor ou editor-chefe) predominam jornalistas com mais experiência. Veri-

---

[51] As redações da *Gazeta Mercantil* chegaram a empregar 500 jornalistas em todo o Brasil. Eles produziam a edição nacional e também os 21 jornais regionais que a empresa chegou a ter antes da crise que a acometeu nos últimos anos do século XX. Em 2001, demitiu 400 pessoas (incluindo jornalistas e outros profissionais) num só dia. Em 2004, aproximadamente 300 jornalistas trabalhavam para a produção do conteúdo da *Gazeta Mercantil* (LENE, 2004).

fica-se essa característica ao observar que dos 52 dos 72 entrevistados dessa categoria que informaram a época em que começaram a trabalhar no jornalismo, 16 deles entraram nesse mercado na década de 1950; 18 nos anos 1960; e 13 nos anos 1970. Apenas cinco entraram no mercado nos anos 1980 e somente um nos anos 1990.

Com relação à formação desses 72 jornalistas mais experientes que ocupam cargo de direção, 36 informaram que têm curso superior em Jornalismo, sendo cinco com duas graduações (em Jornalismo e em outra área das ciências humanas).

Como nas décadas de 1950 e 1960 ainda não estava consolidada a exigência de diploma em jornalismo para o exercício da profissão, verifica-se a formação em outros cursos superiores: oito em Direito; dois somente em Ciências Sociais; um em Economia; um em Matemática; um em Letras; e um em Letras e em Matemática.

A preocupação dos profissionais que entraram no mercado jornalístico entre os anos 1950 e 1970 em buscar uma formação acadêmica após a graduação era menor. Havia uma valorização da experiência na área de jornalismo que não necessariamente passava pelo fato de o profissional ter especialização, mestrado ou até mesmo doutorado.

Do total dos ocupantes de cargo de direção, dois informaram terem feito curso de extensão (na área de economia), oito fizeram especialização, três cursaram um mestrado e nenhum fez MBA ou doutorado. Dos que fizeram pós-graduação, dois foram na área de Economia, seis em Comunicação e dois em outras áreas das Ciências Humanas.

Mulheres ocupam redações, mas são minoria nas chefias

A cobertura do noticiário econômico neste início de século tem a participação de grande número de mulheres. Do total, levando-se em consideração os jornalistas que atuam em redação (fixos e *free-lancers*) e os que ocupam cargos de direção, 251 são homens e 236 são mulheres. A presença feminina, portanto, é praticamente proporcional: 51% homens e 48% de mulheres.

Mas ao analisar as duas subcategorias em separado, percebe-se que há uma diferença na ocupação dos cargos e distribuição de poder entre gêneros. Em redação, as mulheres têm uma maior presença: 222 dos 410 que compõem o grupo de jornalistas que atuam em veículos para a cobertura de economia, ou seja, elas representam 45,21%. E são 188 homens: 38,28% desse grupo.

Em cargo de direção, no entanto, predomina o gênero masculino. Dos 72 jornalistas dessa subcategoria, 63 são homens e apenas 8 são mulheres. Esse dado reflete a distorção na ocupação de cargos que ocorre no mercado de trabalho no Brasil: as mulheres representam metade da população economicamente ativa do país, mas ainda são minoria nos cargos de chefia.[52]

No jornalismo, pouco a pouco, esse hiato vem diminuindo e a mudança de comportamento já aparece em registros em livros e em sites da categoria como uma conquista e uma evolução do mercado. No *Comunique-se*, por exemplo, foi registrada pelo jornalista Eduardo Ribeiro:

> As mulheres, por todos os indicadores existentes, já são maioria tanto nas redações quanto nos bancos universitários, nos cursos de jornalismo. Apesar disso, sua ascensão ao comando dos veículos ainda se dá de forma lenta e de certo modo parcimoniosa. Mas a cada dia vemos que os tabus vão caindo e os postos de comando, mesmo em veículos apontados como "privativos" de homens, começam a ser ocupados com naturalidade por mulheres. Temos, é bem verdade, vários tabus para serem quebrados ainda, mas isso é apenas uma questão de tempo. Pode demorar alguns anos, mas chegará o dia em que também veremos mulheres no comando de publicações "másculas"

---

[52] No ambiente corporativo brasileiro, 72% dos cargos de gerência e supervisão são ocupados por homens, de acordo com uma pesquisa realizada pela empresa Ken Blanchard no país com 2,3 mil líderes de 47 empresas nacionais, de 14 segmentos diferentes, e divulgada em 2005. Ela mostra que a representação de mulheres em cargos de chefia ainda é pequena, mas não foi constatada diferença de eficácia entre os sexos em suas ocupações. O ambiente empresarial brasileiro ainda se mostra muito tradicional, no qual se espera tipicamente que o gerente seja homem (Reis, 2005). A Pesquisa Nacional por Amostra de Domicílios (PNAD 2002), realizada pelo IBGE, mostra que há, no país, discriminação também com relação à remuneração no mercado de trabalho. A presença das mulheres vem se tornando cada vez maior, mas que, em 2002, elas continuavam com rendimento inferior ao dos homens.

como *Veja*, *IstoÉ* e *Época*, de jornais da estirpe de um *Estadão*, de uma *Folha de S.Paulo*, de um *O Globo*, de um *Zero Hora*, de um *Estado de Minas*, do jornalismo das principais redes de televisão do País como *Globo* (sem esquecer que Alice Maria já chegou lá), *Band*, *Record* e *Cultura* etc. (Ribeiro, 2005).

A jornalista Suely Caldas registra no livro *Jornalismo Econômico* (2003) que as mulheres foram chegando nas redações, sobretudo, nos anos 1980, e que nessa época os homens começaram a se afastar para criar suas próprias empresas de assessoria de imprensa. Ela estima que hoje a proporção de mulheres no jornalismo de economia seja de 70% para 30% de homens e registra o fato de elas começarem a ocupar cargos de chefias:

> No início dos anos 90, elas já dominavam a área: a editora econômica de *O Globo* era Joyce Jane, do *Estadão*, Célia Chaim, da *Folha de S. Paulo*, Leonora de Lucena, e do *Jornal do Brasil*, Cristina Calmon. Na *Gazeta Mercantil* brilhavam muitas estrelas, entre elas Claudia Safatle, Maria Clara do Prado, Beth Cataldo, Célia Gouveia Franco, Angela Bittencourt e Vera Brandimarte. E, na *Globo*, Lílian Witte Fibe, egressa da *Gazeta*, acumulava a editoria de economia com o papel de apresentadora de telejornais (Caldas, 2003, p. 33).

Com relação aos salários, Caldas (2003, p. 33) fala que elas começaram ganhando menos que os homens, mas que depois passaram a disputar o mercado de trabalho em condições iguais, não enfrentando mais os preconceitos dos anos 1960 e 1970. "Hoje, o critério de escolha é o da competência, experiência e talento, não de sexo", ressalta a autora, que começou na carreira em 1966 e se formou em Jornalismo pela UFRJ em 1967.

Sobre a questão da remuneração dos jornalistas de economia, os dados analisados para a elaboração deste artigo não abordam este aspecto. Sobre os salários, Caldas (2003, p. 34) registra que o jornalista de economia já foi o mais bem pago no passado, quando as editorias dessa área ainda estavam se organizando.

> Hoje, os salários ainda são ligeiramente mais altos que os de outras editorias, mas não muito. Não é mais o setor do jornalismo que define os melhores salários. É conhecimento, cultura, competência, talento,

bom texto e, sobretudo, capacidade de fazer uma reportagem em qualquer área do jornalismo, sensibilidade de capturar a atenção do leitor e transmitir o que tem a dizer com simplicidade e emoção, qualquer que seja o assunto (Caldas, 2003, p.34).

A autora cita alguns valores médios de remuneração de jornalistas de economia. As empresas têm políticas de recursos humanos diferenciadas e os salários variam. Nas grandes publicações – *Valor Econômico, Estado de S. Paulo, Folha de S. Paulo* e revistas especializadas – o salário médio é próximo de 16 salários mínimos, ligeiramente acima do que é pago por outras editorias, com exceção de política. "Em Brasília, a média salarial melhora, há mais competição por talentos, e os bons profissionais ganham entre 32 a 40 salários mínimos mensais, aproximadamente" (Caldas, 2003, p. 34).

O *Jornal do Commercio* do Rio de Janeiro, o segundo jornal mais antigo do país[53], é o que paga menores salários, mas virou uma espécie de formador de profissionais para outros jornais. O repórter iniciante nesse veículo ganha, em média, seis salários mínimos, passando para cerca de oito se for transferido para uma empresa maior (Caldas, 2003, p. 34).

Herança no jornalismo de economia

Além da questão da ocupação das redações pelos gêneros, a análise dos currículos do levantamento feito em 2005 mostra também que há influência das relações de parentesco na ocupação dos cargos na imprensa de economia ou na decisão de seguir a profissão. Muitos jornalistas dessa área têm parentes atuando no jornalismo, tanto consangüíneos (pais e filhos, avós e bisavós, irmãos, tios e sobrinhos) quanto por afinidade (cunhados, tios e sobrinhos irmãos do cônjuge, noras e genros).

---

[53] Foi fundado em 1º de outubro de 1827 no Rio, por Pierre Plancher, um bonapartista fervoroso que se exilara na França, fugindo da Restauração. Em Paris, tinha sido dono de uma editora, que publicava as obras de Benjamin Constant, Voltaire, Chateaubriand de Talleyrand, de Scheffer e outros. No Brasil, abriu uma livraria na Rua do Ouvidor, no Rio de Janeiro, e começou a editar algumas obras (Dimas Filho, 1987, p. IX-X).

Do total, 72 afirmaram ter parentes jornalistas e dois especificaram que têm parentes trabalhando com jornalismo de economia. O casamento com jornalistas também pode ser verificado na pesquisa: 27 são casados com pessoas da mesma profissão e mais seis têm como cônjuge jornalistas que atuam na área de economia.

Essas relações de parentesco ou até mesmo de amizade contribuem para a inserção desses profissionais nas redações. Isabel Travancas (1993), em uma pesquisa sobre o mundo dos jornalistas, registra que a entrada no mercado de trabalho implica a conjunção de dois fatores: competência e relações pessoais – fatores que vão influenciar também na ascensão dentro da carreira. Ambos, segundo ela, são apontados pelos jornalistas como importantes.

Essa pesquisa mostrou que quase todos arranjaram o primeiro emprego graças, principalmente, a algum professor, amigo ou parente que lhes abriu as portas de um veículo. Também são comuns os casos em que o bom desempenho na faculdade levou à obtenção de um estágio ou emprego, ainda que temporário (Travancas, 1993, p. 86-87).

Aliás, essa característica – indicação de parentes ou amigos – compõe o *habitus* dos jornalistas há um longo tempo. Em um estudo sobre a imprensa carioca no período de 1880 a 1920, Marialva Barbosa (2000, p. 79) registra esse como um dos principais traços da profissão no final do século XIX e início do XX:

> No caso dos jornalistas, a condição de ser hereditariamente ligado a um profissional do setor facilita o ingresso nos jornais, uma vez que a admissão se faz invariavelmente por apresentações pessoais: o jovem acadêmico torna-se repórter levado pelas mãos de um parente próximo ou de um conhecido com prestígio político e/ou alguma relação com um dirigente dessas publicações. A partir dos próprios conhecimentos travados nos jornais pode ser convidado para assumir postos em outras publicações (Barbosa, 2000, p. 79).

Na imprensa de economia do final do século XX e início do XXI, temos alguns exemplos desses fatores de influência. Três jornalistas que são referência na cobertura dessa área no país têm parentes na mesma profissão: Joelmir Beting, Sidnei Basile e Luís Nassif.

Joelmir Beting, que se iniciou na carreira como revisor do *Diário da Noite* em 1956, aos 19 anos, ainda enquanto estudava Sociologia na USP, hoje é chefe de um clã de jornalistas: além do filho Mauro, a nora Helen Martins, a cunhada Cecília Zioni, e os sobrinhos Graziella Beting, Erich Beting, Vico Iasi e Letícia Zioni (Ribeiro e Paschoal, 2005, p. 187-198).

Beting primeiro atuou como jornalista de esportes. "Quando eu me formei em 1961, em Sociologia, eu resolvi sair do jornalismo esportivo para o jornalismo econômico. Mas, antes disso, eu tive de aguardar a Copa do Mundo de 1962, só depois da Copa é que eu deixei o jornalismo esportivo e fui para o jornalismo econômico, inicialmente cobrindo o setor da indústria automobilística, que estava, no caso do Brasil, decolando", afirmou. Ele se formou Sociologia na USP, onde estudou cinco anos de doutrina econômica e economia política, e depois fez mestrado em Sociologia Industrial.[54]

Sidnei Basile, que é advogado e cientista social formado pela USP, iniciou sua carreira na imprensa em 1968 e hoje ocupa o cargo de diretor secretário Editorial e de Relações Institucionais do Grupo Abril, também fez herdeiros no jornalismo de economia. Seu filho, Juliano Basile, é repórter da sucursal do *Valor Econômico*, em Brasília, desde 2000 e também é, por sua vez, casado com uma jornalista, Viviane Basile, da *TV Globo* de Brasília (Ribeiro e Paschoal, 2005, p. 203).

Já Luís Nassif, formado em Jornalismo pela USP em 1978, tem dois parentes na profissão: Luiz Fernando Mercadante, que foi casado com uma tia de Nassif, e foi diretor da revista *Realidade* e diretor da *Globo*; e a irmã, Maria Inês Nassif, jornalista política de várias publicações (Ribeiro e Paschoal, 2005, p. 215-216).

Nassif deu os primeiros passos na área aos 15 anos, como redator, mas começou no jornalismo profissional em 1970, na reportagem geral da revista *Veja*. Quatro anos depois, começou a atuar na área de economia desse veículo e, em 1975, na cobertura de finanças. Ele conta que o fato de ter se especializado em Matemática Financeira ajudou no seu desempenho profissional.[55]

---

[54] Entrevista à autora no dia 26 de março de 2007.
[55] Entrevista à autora no dia 26 de março de 2007.

A importância das relações pessoais no ingresso na profissão ou na ascensão na carreira também pode ser exemplificada pelo relato da jornalista Vera Saavedra Durão, formada em Jornalismo pela Universidade Federal Fluminense (UFF):

> Comecei a me aventurar no jornalismo depois que saí da cadeia da ditadura, no longínquo ano de 1973. Como tinha iniciado o curso de jornalismo, resolvi concluí-lo e me tornar jornalista. Fui ajudada, na época, pelo fato de que conheci a Suely Caldas, cujo marido Álvaro Caldas, estava preso junto com o meu, aqui no Rio (Ribeiro e Paschoal, 2005, p. 309-311).

Vera Saavedra Durão foi indicada pela amiga, que trabalhava na pesquisa do *Jornal do Brasil*, para fazer um *free-lancer* para o veículo. "Depois, consegui com o Ramaiana, jornalista que também estava preso com o Álvaro Caldas, um estágio na rádio JB, em 1973", contou ela, que acrescentou que na época "era mais fácil arranjar emprego".

Conclusão

A análise dos resultados das pesquisas de Quintão (1987) e Abreu (2001; 2003) forneceu características do *habitus* dos jornalistas de economia que atuavam na imprensa brasileira do período anterior ao da redemocratização do país. Verifica-se que o profissional começava, nos anos 1970, a buscar a capacitação por meio de cursos de extensão ou de pós-graduação para a cobertura do campo econômico.

No início deste século, ao analisar os currículos de 491 jornalistas de economia que atuam nos veículos de comunicação do país, verifica-se que a preocupação com a capacitação profissional por meio de cursos de pós-graduação e de extensão na área de economia no Brasil e no exterior é, certamente, uma mudança e uma tendência, principalmente porque os profissionais agora enfrentam um mercado de trabalho muito mais concorrido e exigente do que nos anos 1970. Não basta apenas o aprendizado da profissão no dia-a-dia nas redações, como era comum ocorrer na imprensa até o início da segunda metade do século XX.

A maior parte dos profissionais que atuam no noticiário de economia neste início de século são formados em Comunicação Social. Do total, 340 declararam ter graduação em Jornalismo. E a maioria também se forma e se emprega na região Sudeste. As mais citadas instituições de ensino superior responsáveis pela formação desses profissionais no país continuam sendo as tradicionais USP e Faculdade Cásper Líbero e a UFRJ.

O mercado de trabalho para o jornalista de economia está bastante concentrado na região Sudeste. Os 491 jornalistas da pesquisa de 2005 estão empregados ou têm outros tipos de vínculos trabalhistas com 108 veículos de comunicação, sendo que 65,75% estão nessa região: 57 em São Paulo, 10 no Rio de Janeiro, três em Minas Gerais e 1 no Espírito Santo. O restante está distribuído nas outras regiões do país: 11,11% tanto no Nordeste quanto no Sul; 6,5% no Centro-Oeste e 4,63% no Norte.

Dentro do universo desta análise, observa-se que o profissional que atua na cobertura dos fatos econômicos se emprega em pelo menos: 8 jornais especializados nessa área; 41 jornais de cobertura geral, inclusive a de economia; em 18 revistas especializadas; em 9 revistas gerais; em 7 emissoras de TV; em 3 canais de TV a cabo; em 10 agências de notícia; em 7 emissoras de rádio e em 5 sites especializados.

Com relação às relações desse profissional com e no mercado de trabalho, observa-se por meio da análise dos currículos que há maior participação de profissionais jovens na imprensa de economia. As mulheres têm participado cada vez mais desse mercado, mas continuam em pouca quantidade nos cargos de direção, ocupados em sua maioria por homens e com maior tempo de atuação no jornalismo.

Outro traço da profissão que a análise dos currículos assinala é a alta rotatividade. É comum o jornalista de economia ter passado por vários veículos de comunicação e mudar com certa freqüência de emprego.

Observa-se também que a entrada no mercado de trabalho implica a conjunção de dois fatores: competência e relações pessoais (incluindo parentesco com outros jornalistas) – fatores que vão influenciar também na ascensão dentro da carreira.

A alta rotatividade e a indicação de parentes ou amigos para ingresso ou troca de cargos ou de veículos compõem o *habitus* dos profissionais que atuam no campo jornalístico ao longo do tempo. Estes traços são verificados na profissão pelo menos desde o final do século XIX (Barbosa, 2000, p. 61-112).

Do período pós-redemocratização do país e início deste século, há algumas orientações gerais que compõem a práxis profissional: o desenvolvimento de um jornalismo mais apartidário, despolitizado e pluralista.

Referências bibliográficas

ABREU, Alzira A. *Jornalistas e jornalismo econômico na transição democrática*. In: ABREU, A. A.; LATTMAN-WELTMAN, F.; KORNIS, M. A. *Mídia e Política no Brasil*: jornalismo e ficção. Rio de Janeiro: Editora FGV, 2003.

_____. Jornalistas e editorias de economia. In: *10º Encontro Anual da Compós*, GT Estudos de Jornalismo. Jun. 2001. Brasília. Disponível em: www.facom.ufba.br/pos/compos- gtjornalismo/home 2001.htm. Acesso em: 25 set. 2003.

BARBOSA, Marialva. *Quem são os jornalistas?* In: *Os Donos do Rio*: imprensa, poder e público. Rio de Janeiro: Vício de Leitura, 2000.

BOURDIEU, Pierre. Campo do poder, campo intelectual e habitus de classe. In: *A Economia das Trocas Simbólicas*. 5ª edição. São Paulo: Perspectiva, 1999, p.183-202.

_____. *Sobre a Televisão* (seguido de A influência do jornalismo e Os Jogos Olímpicos). Trad. Maria Lúcia Machado. Rio de Janeiro: Jorge Zahar Ed., 1997.

CALDAS, Suely. *Jornalismo econômico*. São Paulo: Contexto, 2003.

DIMAS FILHO, Nélson. *Jornal do Commercio*: a notícia dia a dia – 1827-1987. Rio de Janeiro: Ed. Jornal do Commercio, 1987.

LACHINI, Cláudio. *Anábase*: História da Gazeta Mercantil. São Paulo: Editora Lazuli, 2000.

LENE, Hérica. *A crise da Gazeta Mercantil*: tradição e ruptura do jornalismo econômico brasileiro. 2004. 212p. Dissertação de mestrado em comunicação, Universidade Federal Fluminense, Niterói, jan. 2004.

MOREIRA, Sônia Virgínia. Análise documental como método e como técnica. In: DUARTE, J.; BARROS, A. (orgs.) *Métodos e Técnicas de Pesquisa em Comunicação*. São Paulo: Editora Atlas, 2005.

QUINTÃO, Aylê-Salassiê Figueiras. *O jornalismo econômico no Brasil depois de 1964*. Rio de Janeiro: Agir, 1987.

PESQUISA NACIONAL POR AMOSTRA DE DOMICÍLIOS (PNAD 2002). IBGE. Disponível em: http://www.ibge.gov.br/home/presidencia/noticias/10102003pnad2002html.shtm. Acesso em: 27 fev. 2007.

REIS, Julia. *Mulheres ocupam apenas 18% dos cargos de chefia no Brasil, diz pesquisa.* 5 Ago 2005. Disponível em: http://www2.uol.com.br/infopessoal/noticias/ HOME OUTRAS 368965.shtml. Acesso em: 27 fev. 2007.

RIBEIRO, Ana Paula Goulart. *Imprensa e história no Rio de Janeiro dos anos 50*. 2000, 335 p. Tese de doutorado em comunicação, Escola de Comunicação da UFRJ, Rio de Janeiro, set. 2000.

RIBEIRO, Eduardo. Novo tabu quebrado pelas mulheres. *Comunique-se.* 6 Abr. 2005. Disponível em: www.comunique-se.com.br. Acesso em: 1º mar. 2007.

RIBEIRO, Eduardo; PASCHOAL, Engel. *Jornalistas Brasileiros*: quem é quem no jornalismo de economia. São Paulo: Mega Brasil e Call Comunicações, 2005.

SODRÉ, Nelson Werneck. *História da Imprensa no Brasil.* Rio de Janeiro: Mauad, 1999.

TRAVANCAS, Isabel Siqueira. *O mundo dos jornalistas.* 3ª ed. São Paulo: Summus Editorial, 1993.

Em busca da notícia:
memórias do *Jornal do Brasil* de 1901[56]

*Nilo Sérgio Gomes**

No dia 9 de abril de 1891, começou a circular, no Rio de Janeiro, o *Jornal do Brasil*. Era uma quinta-feira. A data escolhida para o lançamento do jornal sinalizava, embora de forma discreta, o ideário político por ele defendido: neste dia comemoravam-se os 60 anos do *Te Deum* celebrado quando Pedro II ascendeu ao trono (Ferreira, 1984).

O nome do jornal destacado no alto da primeira página era sua principal manchete. Abaixo dele, um artigo descrevendo os objetivos do jornal: a defesa da legalidade constitucional e dos interesses gerais do país. A defesa do

---

[56] Este artigo tem por base a dissertação "Em busca da notícia – memórias do *Jornal do Brasil*, 1901", defendida em junho de 2006 no Programa de Pós-graduação em Memória Social, do Centro de Ciências Humanas e Sociais da Universidade Federal do Estado do Rio de Janeiro (Unirio), tendo como orientadora a profª. e Drª Lucia M. A. Ferreira.

* Bacharel em Comunicação Social, com habilitação em *Comunicação e Editoração* e em *Jornalismo* pela Escola de Comunicação da Universidade Federal do Rio de Janeiro e mestre em Memória Social pelo Programa de Pós-graduação em Memória Social da Universidade Federal do Estado do Rio de Janeiro. Jornalista profissional, é, atualmente, editor da *Rádio MEC* e do *Jornal dos Economistas*, ambos no Rio de Janeiro. Pesquisador da Memória e História do Jornalismo e da Linguagem Jornalística, com textos apresentados em seminários e congressos e publicados em periódicos acadêmicos. (nilosgomes@uol.com.br)

regime monárquico era feita de forma sutil, como no artigo de cunho editorial publicado na primeira página da edição do dia 22 de abril seguinte, quando é dito que "os mortos governam os vivos", em uma crítica dirigida ao governo republicano que derrubara a monarquia, mas mantivera os mesmos procedimentos políticos, como o regime de gabinete do período monarquista.

Uma década depois de lançado, o *Jornal do Brasil* se tornaria referência como uma das primeiras – senão a primeira – empresas jornalísticas no país a estabelecer uma administração com métodos e objetivos capitalistas, ampliando seu raio de leitores, especialmente por publicar notícias e colunas relatando as condições de vida e trabalho da população e anúncios com ofertas de serviços populares, eles que mais tarde seriam conhecidos como "anúncios classificados".

Lugar de memória

O jornalismo é cada vez mais fonte de memória social, e os jornalistas que produzem o noticiário (reportagens, artigos, anúncios, edição etc.) são eles próprios portadores desta memória. Como afirma (Halbwachs, 1990, p. 26), "nunca estamos sós", "temos sempre conosco e em nós uma quantidade de pessoas que não se confundem". Todas essas memórias estão presentes na hora em que escrevo um artigo, uma peça, um editorial, um poema.

Memórias carregadas de implícitos, interdiscursos, memória social de dizeres que carregamos e que Orlandi (1999, p. 64) diz ser "o saber discursivo que faz com que, ao falarmos, nossas palavras façam sentido", o "já-dito que possibilita todo dizer". De tal modo que se possa escrever sobre "o 11 de setembro" e isso produzir sentido, hoje, em referência ao ataque às torres de Nova Iorque. No passado, embora de forma reprimida pela censura, esta mesma data fez referência ao golpe militar no Chile, em 1973, ocorrido no mesmo dia e mês. Ou seja, houve uma mudança de implícitos.

Achard (1999), analisando enunciados "no domínio da Economia Política", como no caso da palavra "crescimento", diz serem esses implícitos "sintagmas cujo conteúdo é memorizado e cuja explicitação (inserção) constitui uma paráfrase controlada por esta memorização" (p. 12). A "memória de dizeres" (Orlandi, 1999), como na coluna "A Nota", do *Jornal do Brasil* de 23 de janeiro de 1901, onde V. de Algerana escreve a respeito da morte da Rainha Victória, sem precisar explicar quem ela era:

> Quase não é possível compreender a Inglaterra sem a Rainha Victória – Parece um dia sem sol, um céu sem estrelas.
> (Edição da tarde)

Ser um lugar de memória implica ser também lugar de escolhas e de procedimentos porque a memória não é espontânea. No jornal, as matérias noticiadas foram sobre assuntos e eventos selecionados, escolhidos por critérios de edição, tornando-se memória potencial que poderá ser ou não recordada. Se sair de seu silêncio, do esquecimento e da insignificância, como assinala Davallon (1999), a matéria irá se tornar vestígio e fonte de memória. Como as notícias do *Jornal do Brasil* de 1901, retiradas do esquecimento para o projeto de pesquisa, que resultou na dissertação na qual se baseia este artigo.

O jornal cumpre papel cada vez mais central na sociedade contemporânea, da era da informática e da globalização – a era do conhecimento: o de informar a esta sociedade e de certa forma, ao fazer isso, com ela interagir. O jornal noticia e influencia o desenrolar daquilo que é notícia. Diariamente, a cada minuto do dia somos bombardeados e infiltrados por uma quantidade admirável de informação, que secundariamente vai se acumulando e constituindo um grande armazém ou uma grande rede de memórias, hoje ainda mais expandida com a internet. É muita informação.

A mídia tem, portanto, papel e função de destaque neste "guardar tudo", tanto quanto memória potencial, possível de ser relembrada, quanto pelo que escreve e edita, deixando para futuros vestígios de hoje. A mídia é, portanto, lugar de memória. Um dos locais mais freqüentados na Biblioteca Nacional do Rio de Janeiro é exatamente a seção de periódicos. As possíveis memórias ali estão guardadas em silêncio, até que um recordar as desperte e as faça produzirem sentidos.

Imprensa, memória e história

O jornalismo é tardio no Brasil. A proibição imposta pela Corte portuguesa a que, no Brasil Colônia, se desenvolvessem a indústria, a universidade e a imprensa, projetou sobre a vida do país repercussões das quais ele demoraria a se libertar, mesmo quando já republicano. A virada para o século XX é um momento de afirmação da República brasileira, vencidos os últimos embates contra a restauração da monarquia. O Brasil entra o século XX plenamente integrado ao sistema de poder mundial, como nação de importância secundária, embora com sua dimensão continental. O café era seu principal produto e a economia cafeeira sua principal base econômica.

A burguesia, agora, sim, não tinha mais dúvidas de que retomara o poder, passado longínquo que era o período florianista, dos jacobinos e positivistas da primeira fase da República brasileira. Os mesmos cafeicultores que já detinham poder no final da monarquia voltavam ao poder no regime republicano, sob a insígnia da "república do café com leite", sem o monarca que dizia não gostar da política e em uma democracia extremamente restritiva e reservada, até mesmo entre as elites. De uma população em torno de 17 milhões, em todo o país, havia não mais que 300 mil eleitores, se tanto[57]. E Prudente de Morais, que sucedeu Floriano, no primeiro governo autenticamente civil da República brasileira, em 1894, seria apenas o primeiro paulista...

Em 1901, o Brasil estava às vésperas de transformações, com a reforma urbana que modernizaria a então capital da República, o combate às epidemias e a restauração da credibilidade financeira do país, que voltara a obter créditos do capital internacional. Era hora de investir. Na virada do século morria-se no Rio, São Paulo e Buenos Aires de febre amarela e peste bubônica. "Soube-se de mais duas vítimas da bubônica, em São Paulo", noticiava a edição de 5 de janeiro de 1901 do *Jornal do Brasil*.

Com a reafirmação da hegemonia do capital industrial-financeiro paulista, a partir da "burguesia cafeeira"– uma burguesia já, desde então, intimamente relacionada, quando não associada, ao capital internacional, tendo à frente os capitais ingleses, como nos diz Silva (1976) –, a economia

---

[57] Dados do IBGE, disponíveis no Portal www.ibge.gov.br. Em 1900, a população brasileira era de 17.438.434 habitantes, sendo 8.900.526 homens e 8.537.908 mulheres. Não há dados sobre o número oficial de eleitores. Mas, nas eleições de 1910, o *Jornal do Brasil* informa em sua primeira página do dia 3 de março de 1910, "que até o momento de entrar a nossa folha para a impressão era o seguinte o resultado conhecido da eleição": 216.892 votos para Hermes da Fonseca e 116.570 para Rui Barbosa.

brasileira retomou o crescimento e a expansão de suas atividades, gerando condições objetivas para que a imprensa se transformasse também em um negócio, envolvendo lucro e mercado, modernizando e profissionalizando sua gestão e o seu produto.

O *Jornal do Brasil*, no Rio, e o *Estado de S. Paulo*, em São Paulo, surgido com o nome de *A Província de S. Paulo*, nos idos 60 do século XIX – defendendo as idéias republicanas (Toledo, 2004), ao contrário do primeiro, monarquista em seu nascedouro (Ferreira, 1984) –, são exemplos dessa imprensa brasileira que, na virada para o século XX, ganha cores e tônus de empresa capitalista.

Mas ainda era um capitalismo incipiente, este que a burguesia cafeeira proporcionava à economia do país. Tanto que os ideais do espírito empreendedor e capitalista com que os irmãos Mendes de Almeida administravam o *Jornal do Brasil* cairiam por terra três décadas após assumirem o jornal. Na ausência de um mercado de capitais vigoroso no país, a Mendes & Cia. tomara muitos empréstimos, um deles, em uma empresa comercial com a qual não conseguiram liquidar a dívida, perdendo o jornal, das máquinas e instalações ao título.

Talvez, esse incipiente e frágil capitalismo que caracteriza a economia nacional por toda essa época e, em especial, na virada do século, reflita bem mais a ausência de projeto para o país, por parte da burguesia e das elites brasileiras, essa mesma burguesia que não fizera a República e nem lutara pela monarquia. O Brasil que entra o século XX, portanto, não tem ainda uma imprensa capitalista e, portanto, de massas. Mas já tem uma imprensa em transição. A esse respeito, Sodré (1966), afirma que:

> A passagem do século assinala, no Brasil, a transição da pequena à grande imprensa. Os pequenos jornais, de estrutura simples, as folhas tipográficas, cedem lugar às empresas jornalísticas (...), alterando-se as relações do jornal com o anunciante, com a política, com os leitores. Essa transição (...) está naturalmente ligada às transformações do país, em seu conjunto, e, nele, à ascensão burguesa, ao avanço das relações capitalistas: a transformação na imprensa é um dos aspectos desse avanço; o jornal será, daí por diante, empresa capitalista, de maior ou menor porte (p. 15).

Nas pesquisas que tratam do processo de desenvolvimento econômico das empresas capitalistas no Rio de Janeiro não há a presença de jornais. No amplo levantamento feito por Levy (1994), sobre o aparecimento da indústria, no Rio, entre as poucas referências à imprensa há a citação dos jornais *O Globo* (o primeiro) e *O País*, como propriedades do conselheiro e financista Francisco de Paula Mayrink. O mesmo se dá em Bonelli (1996).

A imprensa que atravessa o século XX no Brasil não é ainda, portanto, uma empresa capitalista, na acepção moderna, mas já não é também aquela velha empresa individual, artesanal. As formas de gestão e organização empresarial ainda eram embrionariamente capitalistas, mas as preocupações com novas formas de apresentação gráfica e do texto jornalístico para alcançar maior público, oferecendo novos serviços, como os anúncios publicados na forma que mais tarde consagraria o *Jornal do Brasil* como o pioneiro dos "anúncios classificados" – "precisa-se..." –, já eram sinais de mudanças. Mais as notícias populares, como até então não se fazia, além da charge que passara a publicar desde 1898, sempre à primeira página, como um editorial, uma opinião sobre um assunto do dia – toda essa combinação de ofertas e de novas características jornalísticas do *Jornal do Brasil* começava a mostrar os seus primeiros resultados.

É também na virada do século que o jornal passa a ser identificado pelos concorrentes como "o popularíssimo". Segundo o professor Candido Mendes, neto e sobrinho-neto dos donos do *Jornal do Brasil*, na virada para o século XX, em entrevista concedida ao autor deste artigo, havia "uma tríplice inovação": a busca de um público, a modernidade tecnológica que viria com os novos equipamentos para a nova sede, ainda na primeira década do novo século, e "uma primeira visão dessa sociedade que sai do ceticismo imperial", isto é, uma sociedade em busca de sua própria modernidade.

A imprensa tardia no país buscava acelerar o passo, recuperar o tempo perdido, definindo objetivos, alvos e lucros a serem conquistados e uma estratégia discursiva como instrumento e meio para essa conquista. Estavam em pleno curso, disputa e desenvolvimento as visões que mais adiante se tornariam predominantes, de uma imprensa moderna e contemporânea dos avanços tecnológicos de sua época, capaz de incorporar diversidades de discursos e atender interesses e demandas cada vez mais presentes e diversificados na sociedade, através de um produto chamado jornal.

Os jornais viram empresas capitalistas. Memórias de jornal

O *Jornal do Brasil* que vira o século é uma imprensa que busca ampliar sua circulação, define um público alvo – a então emergente classe média e uma faixa ampla de um público popular, que começa a ocupar os subúrbios da cidade – e desenvolve uma linguagem que, sem perder contato com o linguajar das elites de sua época, era também familiar e até instrutora daquele público mais amplo. Não há ainda o discurso jornalístico tal qual conhecemos hoje, mas já há uma linguagem em busca da notícia.

Além das notas relatando as condições de vida, lazer e trabalho das camadas mais amplas da população, em um texto curto e já portador do que mais tarde passou a se denominar "linguagem jornalística" (Lage, 2004), o jornal publicava anúncios que se tornariam, posteriormente, conhecidos "classificados" e que eram novidades que o jornal oferecia aos leitores. Era o único a publicar uma coluna intitulada "Queixas do povo"[58], bem como os resultados e dicas do jogo do bicho, já então bastante popular na cidade capital do país.

Na entrevista citada, o professor Candido Mendes diz ainda ter na memória as lembranças contadas pela avó, defendendo os anúncios que, inclusive, a partir de 1906, seriam publicados na primeira página do jornal, criando marcas que se inscreveriam na história da imprensa brasileira. Ele conta:

> (...) minha própria avó, Maria da Glória Teixeira de Almeida, neta do Marquês do Paraná, ainda a ouvi dizendo que ela insistiu muito com o meu avô para que isso (publicar os anúncios) se fizesse porque era preciso criar, com a modernização, um efetivo mercado de trabalho à condição, já, de uma nova classe média, isso é que é muito interessante. Por que aquele anúncio surge e se desenvolve com tanta força naquele momento? Porque era preciso circular informação do trabalho doméstico, do trabalho de empregadas, do trabalho de modas, de

---

[58] Esta coluna do *Jornal do Brasil* seria foco de um projeto de estudos sobre cidadania no Rio de Janeiro, cujos resultados estão reunidos no livro de Eduardo Silva, 1988. (Ver referências bibliográficas.)

ofertas de serviços que estavam tipicamente dentro daquele assunto, daquela elite comerciante e de terciário que estava se criando no Rio de Janeiro, naquele momento.

O *Jornal do Brasil* que entra o século XX é, sob certos aspectos, símbolo, no jornalismo, da modernidade de uma "era das certezas" (Costa e Schwarcz, 2000), em um Rio de Janeiro que vive a sua própria *belle époque*. O capitalismo passa a se desenvolver e expandir com mais solidez no país, o regime republicano completa sua primeira década e o *Jornal do Brasil* é, entre os jornais, muito provavelmente um dos primeiros a assumir um caráter capitalista, de forma profissionalizada, deixando para trás a imprensa artesanal, voltada apenas para a divulgação e propaganda de idéias e ideais, sem a organização e o discurso que vão caracterizar os jornais e a imprensa, em geral, a partir já das primeiras décadas do século XX. O jornal mudava a sua feição, a sua gestão e o seu discurso.

No Rio como em São Paulo já existiam jornais com penetração junto ao público. Mas poucos como o *Jornal do Brasil* investiram tanto na modernização, tanto da empresa quanto da linguagem. O chamado discurso jornalístico era um dom em construção nas páginas do *Jornal do Brasil* de 1901. Candido Mendes, na entrevista, aponta as principais diferenças do jornal de seus avós em relação às demais folhas da época:

> A *Gazeta* e o *País* eram jornais tipicamente político-partidários, vinculados ostensivamente às lutas presidenciais e às facções da República do "café com leite". O outro é um jornal mais dedicado à contemporaneidade da informação, se assim pudesse dizer, e há uma certa distância do fato político, como era o *Jornal do Commercio*, frente ao que era efetivamente a *Gazeta*, o *País* e depois *O Imparcial*, dentro da mesma seqüência. O *Jornal do Commercio* seria o jornal da cultura letrada, muito mais do que da informação. Com a informação dessa modernidade vem o terceiro momento do *Jornal do Brasil*, na mão de meus avós.

Dos três jornais citados, os dois primeiros desapareceriam na década seguinte. Já o *Jornal do Commercio* existe até hoje, mas inovação tecnológica e de linguagem não eram suas características, na virada para o século XX. Nesta virada, Londres, Paris e Nova Iorque já contavam com modernos jornais, cujas tiragens alcançavam o primeiro milhão (Hobsbawm,

1998). O desenvolvimento tardio da imprensa no Brasil teve, certamente, conseqüências de todo tipo, dos fundamentos aos métodos de gestão e – por que não? – ao discurso, linguagem, concepção, soluções gráficas, impressão, divisão de trabalho etc.

A lógica do lucro que já predominava em praticamente todos os segmentos da economia brasileira – e se modernizava em alguns setores de ponta, como a indústria e os negócios financeiros – agora chegava à imprensa. A partir de agora, criar um jornal passaria cada vez mais a exigir capital, um mercado e um público alvo, este último um desafio paradoxal, visto a grande massa da população ser analfabeta. Lins (1991), na reconstituição da obra e das memórias do jornalista e crítico de artes plásticas Gonzaga Duque, que vive essa época da virada do século, afirma que:

> A lógica da mercadoria organiza a nova ordem. (...) Para se protegerem, escritores e artistas começam a procurar o jornalismo, o funcionalismo ou a política. Ou ainda, a entrada para a Academia, já que o analfabetismo da população impedia o desenvolvimento de um amplo mercado editorial (p. 38).

A entrada no XX é uma época de luz, era da velocidade, dos pioneiros vôos de Santos Dumont (Silva, 2001), dos primeiros automóveis, os novos transportes públicos, como o metrô de Paris, os bondes elétricos, as luzes das cidades, uma sucessão irrefreável de avanços, inventos e conquistas. "*Catch me who can*", dizia slogan da época (Costa e Schwarcz, 2000). O ano de 1901 marca, no Brasil, a circulação do primeiro carro. Seu dono e motorista, o jornalista e abolicionista José do Patrocínio.

Em tom de ensaio, como ainda era dominante na linguagem dos jornais da época, o *Jornal do Brasil* se despede do século XIX em sua edição de 31 de dezembro de 1900, reafirmando "as conquistas do direito (...) A sociedade saiu de uma existência de modorra para desenvolver-se. Os povos deixaram a sua posição de passividade para entrar em uma época de atividade, de que não há exemplo na história".

Dos últimos representantes daquele jornalismo voluntário e artesanal que fez história no país, os jornais de Rui Barbosa e José do Patrocínio deixaram de circular exatamente na virada do século. *A Imprensa*, de Rui, lançado em 1898 (d'Amaral, 2001), fecha suas portas em 1901. A edição da tarde do dia 19 de janeiro de 1901 do *Jornal do Brasil* noticiaria o desfecho de *A Imprensa*, de Rui, concluindo com o seguinte comentário: "Todos lamentam a decisão inesperada de abandonar o campo de luta nesse momento." Um ano depois é a *Cidade do Rio*, fundado por Patrocínio (Guilhon, 2001), em 1887 (com várias interrupções, voltando a circular em 1895), que também desaparece, agora para sempre.

Para os jornais de Rui e de Patrocínio não havia mais espaço em um mercado que se profissionalizava, aonde finalmente o capital chegara para impor a lógica da sua ordem e da sua reprodução. Lima Barreto (1943), em "Recordações do escrivão Isaías Caminha", escreve um diálogo bem representativo desta chegada do capital à imprensa brasileira, nos primeiros anos do século XX. Os dois personagens são Plínio de Andrade e Leyva.

– A imprensa! Que quadrilha! Fiquem Vs. sabendo que, se o Barbaroxa ressuscitasse (...) só poderia dar plena expansão à sua atividade se se fizesse jornalista. Nada há tão parecido como o pirata antigo e o jornalista moderno; a mesma fraqueza de meios, servida por uma coragem de salteador; (...).

– Você exagera, objetou Leyva. O jornal já prestou serviços.

– Decerto... não nego... mas quando era manifestação individual, quando não era coisa que desse lucro; hoje, é a mais tirânica manifestação do capitalismo e a mais terrível também... (...) Não é fácil a um indivíduo qualquer, pobre, cheio de grandes idéias, fundar um que os combata... (p. 104)

Essa idéia de uma imprensa empresarialmente capitalista, através do *Jornal do Brasil*, não era uma iniciativa isolada, mas sim a compreensão das oportunidades e do momento para o surgimento de um "novo capitalismo acionário e popular e anônimo", como disse Candido Mendes, na citada entrevista. Ao responder sobre os motivos que levaram seus avós a investir no *Jornal do Brasil* e nele publicar notícias e anúncios populares, ele afirma:

Eu volto ao relato de familiares. (O que levou a isso foi) A idéia de que o Rio era uma metrópole, passou a megalópole e que havia um novo público resultante da nova classe média ascendente. O que fez com que eles criassem uma Academia de Comércio, em 1902? A idéia de que a classe média, essencialmente é o resultado já do comércio metropolitano; a classe média do Rio é uma classe comerciante, e já era um público novo interessado no jornal mais pelo instrumento de trocas, portanto, nos anúncios, do que mesmo como repercussão da notícia. Isso foi uma noção muito clara que havia na época porque os mesmos autores (fundadores) da primeira escola de comércio, que achavam que havia necessidade de produzir um novo conhecimento, foram os que criaram os anúncios (populares) no jornal. (...)

Os dois foram personagens maiores do encilhamento, sentiram a importância na época desse novo capitalismo acionário e popular e anônimo que estava começando a surgir no ar...

Ou seja, a modernização da imprensa brasileira vista através das memórias do *Jornal do Brasil*, tanto de suas páginas, na virada para o século XX, quanto dos movimentos e articulações empresariais e políticas que se dão, nesta época, bem como das recordações do neto e sobrinho-neto dos irmãos Mendes & Cia., ocorre vinculada a um ideal de um "novo capitalismo acionário e popular e anônimo". Isto é, com "A lógica da mercadoria (que) organiza a nova ordem" (Lins, 1991, p. 38), com essa passagem da imprensa artesanal para a capitalista apontada por Sodré (1966).

O século nascia, no Rio de Janeiro, com uma promessa de jornal. A tardia imprensa brasileira acelerava os passos para entronizar-se na modernidade, como veículo, mídia e ao mesmo tempo produto desta era e de todas as suas afirmações e contradições. O aspecto gráfico do *Jornal do Brasil* que entra o novo século era diferente daquele lançado, uma década antes. A charge, ocupando cinco de suas nove colunas, marcava a principal distinção. Era ainda uma "mancha" gráfica pesada, o que acentuava a predominância do texto, embora já não tanto quanto na primeira fase.

Se na primeira página que inaugurou o século XX não havia notícia em sua seção de "Noticiário", não será esta a constatação da primeira página do jornal em sua última edição da tarde do dia 31 de dezembro de 1901, que já era outra, do ponto de vista da presença e da prioridade da informação, embora ainda fosse, do ponto de vista gráfico e visual, muito semelhante. A primeira página da edição do último dia do ano está praticamente tomada pelas notícias, até com informação internacional, como a nota cujo título, para lá de irônico (mas não só isso), dizia "Progresso feminino", informando sobre um roubo ocorrido na Califórnia (EUA) e praticado somente por mulheres. A mulher aparece, enfim, na cena da notícia, mas como ladra.

Anúncios, silêncios e silenciados

Junto com o noticiário sobre as condições de vida da população – o transporte de bondes, ruas alagadas, falta de luz, roubos e furtos de roupas e galinhas – uma outra novidade que causou sucesso e atraiu leitores foram os anúncios com ofertas de serviços populares, publicados sempre na página quatro, junto a outro tipo de informação de grande apelo popular: os resultados e as dicas do jogo do bicho. Os textos dos anúncios retratam a época, no Rio de Janeiro:

Precisa-se de uma criada branca para todo serviço. (10/1)

Precisa-se de modista que corta e cose com perfeição. (16/1)

Aluga-se uma boa ama-de-leite, francesa, na Rua Gonçalves Dias, n. 81, 3º andar, quarto n. 10. (20/2)

Precisa-se de um compositor e impressor tipógrafo, pessoas de confiança. (23/3)

Capitalismo tardio, também aqui os direitos viriam depois. É possível perceber pelos anúncios, por exemplo, que o trabalho infantil era aberto e incentivado. É o que se constata ao ler nas páginas do jornal as seguintes ofertas de serviço de mão-de-obra.

Precisa-se de cozinheiro, criada, ama-seca, lavadeira e mocinha de 13, 14 anos para cuidar de uma criança. (3/1)

Precisa-se de um pequeno para caixeiro. (10/1)

Precisa-se de uma rapariguinha para ama-seca. (18/1)

Precisa-se de um pequeno e uma pequena de 10 e 12 anos para serviços leves. (18/1)

Alugam-se duas mocinhas de 12 e 15 anos para copeiras. (20/2)

Precisa-se de um pequeno de 10 anos para serviços leves, na Travessa do Paço. (2/3)

Precisa-se de uma mocinha para serviços domésticos de pequena família, na rua 7 de Setembro, 96. (1/7)

Em pleno período de repressão ao jogo do bicho, criado pelo Barão de Drummond na década anterior e tornado inimigo público, a partir do governo Campos Sales (Lessa, 2000, p. 215), o *Jornal do Brasil* passa, exatamente, a divulgar em suas páginas os resultados da aposta popular e, mais ainda, as dicas para o jogo do dia. Naturalmente, com o humor da época. O resultado era publicado em uma coluna assinada por "Marocas", e trazia invariavelmente um pequeno texto antes dos números. Como na quinta-feira, 3 de janeiro de 1901.

> JOANINHA. Continuo a sofrer de nevralgia. Que dor insuportável! Ainda hoje não te posso escrever por esse motivo. Vai o resultado. Ant. gr. 20. Touro, cent. 182; Mod. Gr. 18; Porco, cent. 670; Rio gr. 20; Peru, cent. 780; Salt. gr. 7; carneiro... 9 beijos e 17 abraços da tua Marocas.

A quantidade de beijos e abraços variava, tanto quanto os números do bicho e os casos contados. "Não tive notícias do Casusa, coitado! Tenho medo de que ele se suicide", escreveu dias depois, deixando para "Joaninha" "seis beijos e 10 abraços". Tantos beijos e abraços já indicavam sugestões para o jogo seguinte, embora as sugestões mesmas, assumidas como dicas em versos, fossem publicadas na forma de quadras de soneto, nem sempre de boa qualidade ou rima, em uma seção geralmente acima dos anúncios, e que vinha assinada pelo pseudônimo de "Kabuloso", isto é, com uma identidade masculina.

> Sou homem desconfiado / Mas sincero e verdadeiro / Se não jogo no carneiro / Faço jogo no veado. (9/1)
>
> Sou homem de muita sorte / Em nada meto o bedelho / Jogarei até a morte / No cavalo e no coelho. (15/1)
>
> Tenho motivos de sobra / Para jogar sem cuidado / No veado / E na cobra. (1/2)
>
> Braz de Arruda Perdigão / Residente em Macaé / Joga sempre no pavão / E também no jacaré. (4/1)

O discurso jornalístico é uma prática em construção, em transição, nas páginas do *Jornal do Brasil* de 1901, e suas definições editoriais contêm espaços para a divulgação de diversos e diferenciados conteúdos. Contudo, chama a atenção, sendo um jornal que se propõe a popular, as presenças e ausências de grupos e etnias representantes de expressivas camadas sociais, como é o caso dos negros, das mulheres e dos índios.

Nas mais de 200 edições da tarde do *Jornal do Brasil*, de 1901, consultadas para a dissertação base deste artigo, as citações a negros e negras têm quase sempre as mesmas referências: noticiário policial, quando não com as mesmas caracterizações de "capoeiras", "malandros", "mulheres de vida fácil, frágeis". Nos subtextos das notas, em seus implícitos quando não em seus silêncios é possível enxergar escalas e conflitos sociais da época. Na edição de três de janeiro, por exemplo, uma nota na página dois informa da agressão que o dono de comércio em Piedade praticou no "crioulo Sebastião Barreto": "vibrou-lhe uma forte cacetada, ferindo-o na cabeça". Em poucas linhas, a nota afirma que "só ontem, a polícia da 1ª circunscrição suburbana teve conhecimento da ocorrência, prendendo o agressor e removendo hoje o ferido para o Hospital da Misericórdia". No dia 14 do mesmo mês, nota com o sugestivo título "D. Juan... crioulo", diz que:

> O crioulo Porfírio Manoel, morador no Morro do Pinto, encontrou anteontem, à noite, na estação do Engenho de Dentro, Antonieta Maria da Silva, residente à rua Eugênia, n. 4, do que, sem mais preâmbulos (queria) praticar certos atos de libidinagem a que Antonieta, resistindo mesmo ao pulso do seu indiscreto namorado, não quis aceder (*Jornal do Brasil*, edição da tarde de 14 de janeiro de 1901).

Em primeiro de fevereiro, a edição da tarde do *Jornal do Brasil* publicava, na página dois, nota sobre um assassinato em São Paulo, onde "Preto Ignácio, pernambucano, célebre pelas suas façanhas de desordeiro perigoso, morreu ao tentar agredir outros dois homens". Na mesma página, outra nota, bem miúda, informava sobre uma agressão a canivete, cujo autor é assim descrito: "Pedro Moleque é um crioulo levado dos diabos, conhecido no Andaraí como desordeiro."

Na edição do dia 13, nota tratando de "um indivíduo de cor preta" ganhou pequeno espaço, de oito linhas, em uma coluna, na primeira página:

"Às 3 horas da tarde de ontem, queixou-se ao delegado da 1ª suburbana d. Constança dos Santos, moradora à rua Marechal Floriano, n. 2, de que, às 11 horas da manhã, foi sua casa assaltada por um indivíduo de cor preta, que lhe furtou um vestido de alpaca preta, ainda novo". Uma outra nota daquela edição saiu publicada na mesma página, mas, na seção "Queixas do povo", e bem revela as condições sociais, de então, quando os negros não eram mais escravos, mas, sim, "alugados", como nos informa o seguinte texto:

> Dizem-nos que é espancada diariamente uma menor de cor preta, pela moradora de um prédio da Rua Silveira Martins, próximo ao n. 88. A menor acha-se alugada, ao serviço da dona da referida casa, que desumanamente a esbordoa e maltrata, de modo a revoltar a vizinhança (*Jornal do Brasil*, edição da tarde, 13 de fevereiro de 1901).

Mas a aparição mais comum dos negros nas notícias do jornal era como vilão. No dia quatro de janeiro, por exemplo, a página dois do jornal publicou nota tratando da prisão, "a uma da madrugada, na Praia de Botafogo, de Ambrósio Victorio, africano, 90 anos, conhecido ébrio, vagabundo e gatuno de galinhas". A velhice deveria ser um problema na época, pois, na mesma edição, há outra nota informando sobre a "tentativa de suicídio" de duas pessoas idosas – "uma com doença incurável e outro desgostoso da vida". Por que desgostoso? O jornal não esclarece. Mas tanto deveria ser difícil a vida para a terceira idade que, ainda nesta mesma edição de quatro de janeiro, o *Jornal do Brasil* noticiaria o caso "Suspensão de pagamentos no Estado do Rio de Janeiro", "em várias repartições", até "as Caixas Econômicas", "o que levou o aposentado, velho tenente Queiroz, de 85 anos, a não receber". Há também o caso do guarda municipal Eusébio Alves de Moura, "nomeado em agosto de 1842", requerendo aposentadoria.

São raras as notas sobre idosos, que ainda assim aparecem mais do que os índios, os nativos da terra. Nas edições consultadas há duas referências, mesmo assim, indiretas. A primeira em 17 de janeiro, onde à primeira página, na seção "Noticiário", há a informação sobre "a exposição de produtos nacionais, quase todos com nomes indígenas". A nota informa da inauguração dessa exposição, na Rua do Ouvidor, com alimentos, "pó para limpeza", "polvilho indígena, o trigo brasileiro", todos oriundos "do vegetal hidychium coronarium, o lírio do vale, e de que são fabricantes privilegiados os srs. José de Vasconcellos & C.".. A notícia narra ainda "a invenção de um líquido para apagar incêndio, que pode ser colocado em grandes ou pequenas salas", também à mostra na exposição. A outra nota é anterior a esta, tendo sido publicada em 5 de janeiro, na seção de telegramas na página 2. Informa da revolta dos índios contra a presença inglesa em Cape Coast Castle. O índio não está presente, e se já não sabemos de negros, menos ainda dos indígenas brasileiros.

Se é possível haver silêncios sobre esses assuntos, sobre a mulher é encontrada uma nota na edição de 15 de fevereiro, uma sexta-feira de carnaval, na página 2, discreta, sem título, a respeito de abuso sexual "contra uma menina de 11 anos, por uma bem conceituada pessoa em Cascadura", que aconteceu "em plena rua". Nas edições seguintes o jornal não volta ao assunto, nem revela o nome da pessoa "bem conceituada". Não eram raras notas sobre abuso sexual. Em primeiro de julho, o jornal publicaria carta sobre "crime hediondo": o caso de uma "menina vítima de agressão sexual, que morreu defendendo a sua honra". O nome do agressor também aqui não aparece.

Em compensação, "Firmina das Dores e Maria da Conceição" têm seus nomes publicados na edição do dia 26 de janeiro, na primeira página. Elas "são duas valentonas e quando o sangue lhes sobe as guelras ficam levadas do diabo". Daí, "foram recolhidas ao xadrez da 12ª". Quem também não teve muita sorte foi dona Chiquinha, cujo nome e endereço apareceriam como última nota da primeira página do *Jornal do Brasil* de 5 de janeiro:

> Mulher moradora da rua Lavradio, embriagada, mordeu vizinho que fora reclamar. D. Chiquinha dormiu no xadrez (*Jornal do Brasil*, edição da tarde de cinco de janeiro de 1901).

As questões femininas quando aparecem nas páginas do *Jornal do Brasil* de 1901 sugerem que são vistas e "editadas" (julgadas, silenciadas?) pelo olhar masculino, o que parece bastante provável, visto ser uma sociedade fortemente dominada pelos homens. Na edição de 3 de janeiro, por exemplo, a nota sob título "Queixa infundada", publicada na primeira página, trata de uma jovem, menor de idade, que fora reclamar ao delegado de polícia maus-tratos dos pais. Prossegue a nota: "Procuramos saber o que havia de verdade nessa queixa e apuramos não ter fundamento. A menina estava apaixonada e queria casar-se". Em 28 de fevereiro, a mulher "quarentona" seria tema da charge assinada por P. Isasi. Os traços do artista retratam uma mulher encurvada pelo peso da idade, óculos, bengala e saia larga, aparentando muito velha, em conversa com um jovem, chapéu e cigarro à boca, insinuante, mas ao mesmo tempo de cara zombeteira. Travam o seguinte diálogo:

– Triste, muito triste a sorte da mulher que atinge aos quarenta!
– Decerto, porque os homens põem as quarentonas de quarentena.

(*Jornal do Brasil*, edição da tarde de 28 de fevereiro de 1901).

Embora não tenha sido localizada nenhuma nota, comentário ou artigo tratando dos direitos políticos da mulher, no Brasil, na seção telegramas, à página 2 da edição de 13 de fevereiro, há a notícia procedente de Paris, cujo título era "O voto da mulher". Diz: "A câmara dos deputados aprovou por 371 votos contra 161 a lei eleitoral que concede à mulher o direito do voto, de acordo com as opiniões do grande legislador Prudhomme, cujos conceitos jurídicos foram afinal compreendidos".

Coincidência ou evidência do discurso masculino e machista, a aprovação pelo parlamento francês do direito de voto às mulheres acaba sendo atribuída às opiniões de um homem: "o grande legislador Prudhomme". Resta saber se a referência diz respeito ao notório anarquista francês, cujo nome teria sido grafado de uma forma diferente, ou à personagem "Prudhomme", criada pelo escritor e caricaturista francês Henri Monnier. Segundo verbete na primeira edição do Novo Dicionário da Língua Portuguesa, de Aurélio Buarque de Holanda Ferreira (1975), a palavra "prudhommesco" é um adjetivo que "encarna a banalidade sentenciosa, enfática e ridícula própria de Prudhomme" (p. 1161).

Seja a um ou a outro a referência, permanece, de fundo, o silenciamento da luta das mulheres pelos seus direitos políticos, que, quando conquistados, são atribuídos, de alguma forma, à ação ou reflexão dos homens.

Considerações finais

O *Jornal do Brasil*, através de seus discursos, do que viria a ser mais tarde conhecida e chamada como a "linguagem jornalística", não somente cria, reproduz e reforça imaginários como escreve seu próprio discurso, reproduzindo-os e/ou acrescentando-os e/ou silenciando-os em suas próprias "falas".

Lendo essas "falas" através das notas, charges, comentários e reportagens do *Jornal do Brasil* de 1901 percebe-se o silêncio sobre a real situação de negros e negras, uma década depois da tardia Abolição; ou sobre os derrotados de Canudos, cuja maior parcela sobrevivente veio para a capital e se instalou na primeira favela do Rio, no Morro da Providência, nas proximidades do Campo de Santana; ou o silêncio em que foram colocados os índios – silenciados. Fica-se sabendo pouco sobre os negros, a não ser que são "capoeiras", "malandros", "arruaceiros", "fazedores de algazarras".

Os índios, que por essa época ainda detinham nações extensas vivendo em boa quantidade nos territórios do Rio de Janeiro, não são notícia. Como as crianças, que aparecem apenas nos anúncios classificados – "precisa-se de um menino... de uma menina de 12 anos..." –, no emprego aberto da mão-de-obra infantil, ou quando vítimas de abuso e violência sexual. Diferentemente das mulheres, que aparecem, inclusive, como personagens nas charges da primeira página, mas, contudo, quase sempre em situação adversa, ou como ladras, criminosas, ou quando "crioulas", "volúveis", "embriagadas".

As construções e práticas discursivas presentes nas notícias do *Jornal do Brasil* de 1901 sugerem que os discursos sobre as mulheres são, sim, operações conduzidas pelo olhar e pelo julgamento masculino, pela "moral dos homens", contudo, mais do que isso, esses discursos deixam à mostra sujeitos e identificações de uma época e de uma sociedade, em uma cidade capital de um país periférico, ao mesmo tempo o maior do continente sul-americano, o qual, coincidentemente, como já dito, foi o último a acabar com a censura à imprensa, abolir a escravatura e a proclamar a República. Essas marcas, de certa forma, estão impregnadas nos discursos do jornal, até mesmo pela suas ausências.

Esses discursos estão, pois, também em transição, como a gestão e a administração da empresa jornalística, deixando para trás formas mais literárias e assumindo novas maneiras de ser e dizer; textos que se ainda não são aqueles que hoje são típicos da produção jornalística e industrial, contudo já não são mais os que marcaram época nos jornais da segunda metade até o final do século XIX. E que ingressam mesmo no novo século como emblemas do passado, que terminaram passando, cedendo vez para um novo texto, "curto e objetivo": o texto da notícia. Se o discurso do *Jornal do Brasil*, em 1901, não é ainda a linguagem jornalística tal qual a conhecemos e concebemos nos dias de hoje, ele é, sim, um discurso em busca da notícia.

Referências bibliográficas

ACHARD, Pierre. Memória e produção discursiva do sentido. In: ACHARD, Pierre et al. *Papel da memória*. Campinas: Pontes, 1999.

BARRETO, Afonso H. Lima. *As recordações do escrivão Isaías Caminha*. Rio de Janeiro: Livro do Bolso, 1943.

BONELLI, Regis. *Ensaios sobre política econômica e industrialização no Brasil*. Rio de Janeiro: Senai/Ciet, 1996.

COSTA, Ângela M. da; SCHWARCZ, Lilia Moritz. *Virando séculos – 1890-1914*. No tempo das certezas. São Paulo: Companhia das Letras, 2000.

D'AMARAL, M.Tavares. *Rui Barbosa*. A Vida dos Grandes Brasileiros. São Paulo: Editora Três Ltda., 2001.

DAVALLON, J. A imagem: uma arte de memória? In: ACHARD, P. et al. E. *Papel da memória*. Tradução e introdução: José Horta Nunes. Campinas: Pontes, 1999.

FERREIRA, Aurélio Buarque de H. *Novo Dicionário da Língua Portuguesa*. Rio de Janeiro: Editora Nova Fronteira, 1975.

FERREIRA, Marieta de Moraes. Jornal do Brasil. In: BELOCH, I.; ABREU, A.A. (coord.). *Dicionário histórico-biográfico: 1930-1983*, 2º vol. Rio de Janeiro: Ed. Forense-Universitária; FGV/CPDOC; Financiadora de Estudos e Projetos-Finep, 1984.

FURTADO, C. *Desenvolvimento e subdesenvolvimento*. Rio de Janeiro: Editora Fundo de Cultura, 1961.

GUILHON, Orlando J.F. *José do Patrocínio*. A Vida dos Grandes Brasileiros. São Paulo: Editora Três Ltda., 2001.

HALBWACHS, M. *A memória coletiva*. São Paulo: Editora Revista dos Tribunais Ltda., 1990.

HOBSBAWM, E. *A era dos impérios*. São Paulo: Editora Paz e Terra, 1988.

LAGE, Nilson. *Linguagem jornalística*. São Paulo: Editora Ática, 2004.

LESSA, Carlos. *O Rio de todos os Brasis*. Rio de Janeiro: Record, 2000.

LEVY, Maria Bárbara. *A indústria do Rio de Janeiro através de suas sociedades anônimas*. Rio de Janeiro: Editora UFRJ, 1994.

LINS, Vera. *Gonzaga Duque* – a estratégia do franco-atirador. Rio de Janeiro: Tempo Brasileiro, 1991.

ORLANDI, Eni P. Maio de 1968: os silêncios da memória. In: ACHARD, P. et al. *Papel da memória*. Tradução e introdução: José Horta Nunes. Campinas: Pontes, 1999.

SILVA, Eduardo. *As queixas do povo*. Rio de Janeiro, São Paulo: Editora Paz e Terra, 1988.

SILVA, Sergio. *A expansão cafeeira e origens da indústria no Brasil*. São Paulo: Editora Alfa-Ômega, 1976.

SODRÉ, N. W. *A história da imprensa no Brasil*. Rio de Janeiro: Editora Civilização Brasileira, 1966.

TOLEDO, Roberto Pompeu de. A capital da solidão. *São Paulo: Editora Objetiva, 2004.*

Parte 2 – Imprensa, Discurso e Narrativa

Imprensa, produção de sentidos e ética

*Bethania Mariani**

O discurso jornalístico e a dispersão do cotidiano

Em texto anterior (Mariani, 1998), afirmei que a imprensa funciona desambigüizando o mundo, ou seja, a construção das notícias se dá pela formulação de enunciados que organizam os acontecimentos em uma ordem logicamente representável. A imprensa narra, descreve e recobre a fragmentação e a dispersão cotidianas em seções – cidade, país, mundo, ciência, política, lazer, esportes, cinema etc. –, realizando uma espécie de catalogação do real, deixando o real palatável e simbolicamente disciplinado. Cada jornal, ao formular a seu modo enunciados que estabilizam determinados sentidos, se sustenta com base no imaginário da transparência da linguagem e objetividade da notícia, um imaginário que constitui leitores e

---

* Doutora em Lingüística pela Universidade Estadual de Campinas, professora no Departamento de Ciências da Linguagem da Universidade Federal Fluminense e pesquisadora do CNPq. Dedica-se principalmente à pesquisa do discurso jornalístico-político, das idéias lingüísticas no Brasil e da colonização lingüística. Mais recentemente, dedica-se aos estudos em Psicanálise de orientação lacaniana, buscando interfaces com a análise do discurso. Publicou os seguintes livros: *O PCB e a imprensa: o imaginário sobre o PCB nos jornais (1922-1989)*, 1998; *Colonização lingüística – Brasil (séculos XVI a XVIII) e Estados Unidos da América (século XVIII)*, 2004; *A escrita e os escritos: reflexões em análise do discurso e psicanálise*, 2006 (org.). Tem artigos publicados em revistas e livros no Brasil e no exterior. (bmariani@terra.com.br)

jornalistas. Escrever/ler as notícias, "mesmo para aqueles que se acreditam não-simplórios"[59], é se inserir em uma cidade (país/mundo/ciência/política/lazer, etc.) desambigüizada e que responde à necessidade de homogeneidade lógica do sujeito pragmático.

Uma necessidade historicamente construída e revestida por uma linguagem que, como diz Foucault, "terá a presunção da observação e da neutralidade" (Foucault, 1992, p. 122). A banalidade, a atrocidade, o exotismo, o habitual, enfim, tudo o que perpassa o cotidiano é digerido, domesticado, ou, como afirma Foucault, inserindo a imprensa em meio aos poderes que administram as sociedades. Essas regiões heterogêneas do real são analisadas segundo "a grelha eficaz mas cinzenta da administração, do jornalismo, da ciência" (Foucault, loc.cit.). Na imprensa, então, narrativas, entrevistas e descrições de acontecimentos, sob a ilusão de uma linguagem neutra, tornam visíveis as muitas experiências sociais e, ao mesmo tempo, direcionam modos de compreender e significar essas experiências. As propagandas que os jornais fazem a seu próprio respeito apontam para construção do jornal como algo necessário, quase como um prestador de serviços para o social.

Seguindo M. Pêcheux, pode-se acrescentar que no discurso jornalístico se encontra parte de um "formigamento de escritos, citando falas e outros escritos" que vão dando formato, na materialidade discursiva que se constitui, a "redes polarizadas de repetição frustrando a identidade, rupturas que tomam alhures gêneses continuadas, pontos de antagonismo que se abraçam e se abrandam para retornar mais adiante..." (Pêcheux, 1990 [1988], p. 15). Dessa forma, o heterogêneo e o fragmentário são cobertos por uma rede semântica garantidora da compreensão das coisas-a-saber selecionadas como relevantes. E que coisas-a-saber são essas? São conhecimentos gerais, situações, ações, personagens e comportamentos que podem ser seguidos ou devem ser evitados. No discurso jornalístico, as coisas-a-saber "representam assim tudo o que arrisca faltar à felicidade (e no limite à simples sobrevida biológica) do 'sujeito pragmático' (isto é, cada um de nós, os simples particulares): isto é, tudo o que o ameaça pelo fato mesmo que isso existe" (Pêcheux, 1990 [1988], p. 33-34).

---

[59] Expressão usada por M. Pêcheux (1990 [1980]).

Coisas-a-saber e sujeito pragmático: uma análise

Em pesquisa realizada anteriormente (Mariani, 2002-2005)[60], busquei analisar a construção de um conceito de saúde física e mental vinculado à construção do sujeito pragmático no discurso jornalístico. O foco da análise era a observação de colunas de consultório, sobretudo as de consultório psicanalítico, objetivando verificar como emergem determinados sentidos, ou seja, como são construídos sentidos que configuram os parâmetros de normalidade física e mental para esse sujeito pragmático.

Essa construção de sentidos se realiza em um momento histórico atual, ou seja, encontra-se inserida no conjunto contraditório de relações político-sociais e culturais que constitui a mídia impressa bem como seus leitores. Tal momento histórico, tal 'atualidade', é definido também pelas relações de continuidade e de ruptura que mantém com uma memória dos sentidos já construídos e muitas vezes esquecidos desses parâmetros de normalidade física e mental. Cabe considerar, ainda, que estas colunas são redigidas, em sua maioria, como respostas a cartas de leitores. Depreende-se aí um jogo entre singularidade (carta de um leitor determinado) e generalização (coluna como resposta, simultaneamente, a este e todos os leitores da coluna).

No caso das colunas de consultório psicanalítico, busquei verificar a maneira como um certo modo de utilização do discurso psicanalítico, mediado pelo jornalístico, vinha constituindo pragmaticamente um sentido de saúde mental que se encontra vinculado a um sentido de sujeito marcado pelo idealismo e pelo psicologismo: um sujeito onipotente, totalmente consciente, auto-suficiente, controlador e responsável por suas vontades, atos e palavras.

A hipótese formulada para a pesquisa apontava para a possibilidade de serem colocados em circulação sentidos previamente estabelecidos e socialmente instituídos, de forma a domesticar o circuito explicitado acima: quem pode ocupar o lugar de leitor-missivista de um jornal determinado, os 'temas' que podem sair do âmbito privado para o âmbito público, quem está autorizado a falar sobre esses temas e fornecer direções de sentido

---

[60] Trata-se do projeto *Os sentidos da saúde: o discurso das colunas de consultório nos jornais cariocas,* desenvolvido com apoio do CNPq. Pode-se ler mais sobre a pesquisa em Mariani 2003 e 2006.

sobre o que seria um bem-estar psíquico nos dias de hoje. São parâmetros que ratificam uma forma de ser, um subjetivismo vinculado a um individualismo, ou seja, reforçam a forma histórica[61] de existência das práticas subjetivas do capitalismo do sujeito pragmático.

Considerado em uma individualidade bio-psico-social, submisso ao império da razão e da consciência, a esse leitor-missivista só resta assujeitar-se aos processos normativizadores de individualização promovidos pelo Estado, institucionalizados juridicamente e pedagogicamente difundidos pela mídia como lugar de circulação de sentidos logicamente estabilizados.

Desse leitor-missivista se lê uma queixa, uma pergunta. A esse leitor-missivista se dá uma resposta, uma solução. Assim sendo, as respostas dadas pelos 'consultores' às cartas recebidas, em vez de remeterem os missivistas para suas queixas, servem como reforço desse subjetivismo, pois partem da evidência desse leitor-missivista como um indivíduo bio-psico-socialmente identificável, dono de suas vontades e capaz de dizer tudo o que pensa, sente etc. Os atos descritos por esse leitor são tomados como a fonte do que estaria causando sua dúvida ou sofrimento. Em uma palavra, o leitor-missivista é naturalmente tomado como uma "unidade de consciência" (Pêcheux, 1988 [1975], p. 184) já dada, não se questiona que "sendo 'sempre-já' sujeito, ele 'sempre-já se esqueceu das determinações que o constituem como tal" (Pêcheux, 1988 [1975], p. 170).

Se os leitores que escrevem são anônimos (valendo-se de pseudônimos na assinatura da carta), os colunistas são sujeitos que, ocupando um lugar de psicanalista (ou conselheiro sentimental), têm seus nomes divulgados, inclusive, em outros espaços do jornal, pois emitem opiniões sobre eventos, novelas, têm seus livros resenhados etc. Falam de um lugar de autoridade, de especialistas – são doutores, seus títulos aparecem junto com seus nomes – estabelecido com o auxílio do próprio jornal e, dessa forma, a eles é atribuído uma competência e um poder de dizer a verdade. Os colunistas são, inclusive, objeto de reportagens, são entrevistados.

---

[61] De acordo com Pêcheux, a expressão forma-sujeito, introduzida por Althusser, designa exatamente essa "forma de existência histórica de qualquer indivíduo, agente das práticas sociais" (Pêcheux, 1988 [1975], p. 183).

A leitura das cartas apontava para um eixo temático majoritariamente comum: questões amorosas insatisfeitas e opções sexuais igualmente insatisfeitas, gerando dilemas morais e impasses sobre atitudes a serem tomadas. Foi interessante observar o quanto as cartas se pareciam entre si, constituindo um conjunto de imagens do "eu" bastante assemelhadas em termos de insucessos amorosos, fracassos sexuais, casamentos ou namoros infelizes.

Essas cartas estabelecem um elo comunicativo na acepção mais tradicional. Da parte do leitor-missivista há, em termos pragmáticos, uma intenção: ele quer ser compreendido, precisa/pede conselhos, quer escrever com clareza e espera, ou supõe, ter alcançado uma transparência na linguagem utilizada.[62] Essa uniformização temática funciona de modo a apagar as diferenças subjetivas, produzindo uma homogeneização das singularidades. Aos olhos dos leitores, missivistas ou não, a vida fica reduzida a casamentos infelizes, adolescências traumáticas, culpas, dúvidas sobre características anatômicas ou opções sexuais frustradas. No lugar de diferenças subjetivas, o que se encontra é um conjunto de relatos individualizados, girando em torno de uma mesma temática e produzindo um efeito de naturalização sobre o tipo de problema emocional que se tem na contemporaneidade. Dito de outra forma, depreendem-se nas cartas (e, bem entendido, nas respostas produzidas) traços de uma representação social cuja homogeneidade afeta a sociedade como um todo.

As respostas dos colunistas acabam indo na direção de reforçar para os missivistas uma individualização que não é outra senão a submissão a construtos modelizados socialmente. Na resposta dada, o traço subjetivo fica submetido ao social a partir do momento em que se produz um fechamento em torno de um sentido unificante. Muitas vezes, na tentativa de solucionar e de dar respostas, a singularidade do sujeito acaba sendo inscrita na universalidade de um quadro clínico idealizado, o qual (se) mostra (com) afirmações genéricas, reforço do senso comum. Conselhos, em resumo, como resposta a pedidos (como

---

[62] Não se desconsidera, aqui, a edição das cartas feita pelo jornal: ao jornal interessa uma carta 'clara', compreensível', em uma palavra, 'digerível'. Seja como for, interessa ao analista de discurso construir um dispositivo analítico de forma a compreender o gesto de interpretação ali colocado. Mesmo que esse gesto resulte de um amálgama (leitor-missivista + editor), interessa observar o lançamento de algo privado para a ordem do público, com suas interdições, exclusões e inserções.

é o caso: "Peço que diga algo que me ajude" ou "Por favor, ajude-me a ver o que deveria fazer"). Assim a coluna de consultório, apesar de sua especificidade, se insere na escrita jornalística institucionalizada e ritualizada, ou seja, lugar onde se organizam sentidos sobre o mundo e sobre o sujeito.

A partir da leitura das cartas e das respostas dadas pelos colunistas, os demais leitores do jornal, missivistas ou não, imaginarizam identificações ("se eu estivesse onde você/ele/x se encontra, eu veria e pensaria o que você/ele/x vê e pensa" (Pêcheux, 1998 [1975], p. 188)) que apagam as descontinuidades, o heterogêneo subjetivo e produzem uma ilusão de consenso tanto no que se refere à questão relatada (todos temos o mesmo tipo de problemas) quanto ao tipo de solução proposta pelo colunista-psicanalista (todos podemos resolver da mesma forma). O individual, dessa forma, serve como modelo para a construção de uma subjetividade coletiva, além de funcionar como suporte para a normatização moral das relações sociais. Em suma, na análise dessas colunas foi possível depreender que a coisa-a-saber, essa psicanálise popularizada, ao alcance de todos, constituía um pequeno manual com explicações simples de auto-ajuda, contendo palavras *prêt-à-porter* para facilitar a vida do sujeito pragmático.

As coisas-a-saber e os efeitos da ideologia

Recentemente, ministrando aula de Análise do Discurso para alunos de jornalismo do curso de Comunicação Social, pude perceber o quanto é necessário, ainda, bater na tecla da ilusão da transparência da linguagem e discutir os efeitos da ideologia nesse sujeito pragmático e na produção de sentidos. No ensino universitário, ainda tem relevância chamar a atenção para esse sujeito pragmático e para a presença de espaços semanticamente estabilizados em suas disjunções lógicas. Em uma aula específica, para começar a discutir o conceito de ideologia e o de opacidade da linguagem, levei um *corpus* discursivo constituído por um conjunto de enunciados relativos a violências praticadas por adolescentes na cidade do Rio de Janeiro[63]. Esses enunciados, recortados de matérias publicadas nos jornais *O*

---

[63] Agradeço a Maria Claudia Gonçalves Maia por ter autorizado a utilização de seus exemplos em aula e nesse texto. Para ler a análise feita pela autora, veja-se MAIA, Maria Claudia G. nas referências bibliográficas.

Globo e *Jornal do Brasil*, durante um mesmo período de tempo, eram formulados de dois modos distintos, como se pode ler abaixo:

1. PM prende dois **jovens, moradores de Copacabana**, que **tentavam** arrombar caixa eletrônico *(O Globo,* 25/04/02. Título: **Ladrões de classe média**);

2. Justiça manda deter **adolescentes de classe média** que foram reconhecidos por vítimas de briga no Leblon *(O Globo,* 31/05/02. Título: Polícia procura **jovens** acusados de agressão);

3. **Ministério Público se diz** favorável à libertação provisória dos menores *(O Globo,* **19/06/02**. **Título:** Jovens de classe média **acusados de agressão** alegam **ter sido atacados**);

4. **Menino** usa álcool para **atacar** funcionário de abrigo em Bangu *(O Globo,* 04/07/02. Título: **Menor infrator** de 14 anos foge após **botar fogo** em diretor de internato);

5. **Grupos** de facções rivais, recolhidos nas ruas, **destroem** mesas e cadeiras. Guarda tenta apartar e é ferido *(O Globo,* 02/08/02. Título: **Menores** brigam, quebram centro e fogem);

6. **Jovens infratores** usam progressão de medida socioeducativa como oportunidade para **escapar** (*Jornal do Brasil,* 04/08/02. **Menores** fogem e voltam ao crime).

Uma análise deste pequeno número de enunciados, retirados de um exemplário maior, mostra como a compreensão do universo dos adolescentes e da violência urbana nos dois jornais está organizada em dois conjuntos distintos, devidamente catalogados em função das denominações utilizadas: dizer "jovens" (moradores de Copacabana, de classe média, adolescentes, que fazem alegações em sua defesa e podem ser libertados provisoriamente) ou "menores" (infratores, participantes de grupos e facções, que atacam, botam fogo em pessoas, destroem coisas, ferem, são fugitivos e voltam ao crime), nesse discurso jornalístico, é significar o social de modo dicotômico e polarizado. Produz-se uma gestão do cotidiano para o leitor, uma gestão que distribui papéis e destinos sociais apenas pela utilização de "jovens" ou "menores" combinada com outros recursos gramaticais igualmente diferenciados, tais como seleção de verbos modalizadores ou não, tempo e modos verbais etc, que contribuem para a formulação de juízos de valor.

A turma de jornalismo tinha como tarefa ler e discutir em grupos o conjunto com todos os enunciados. Durante a discussão nos grupos e, posteriormente, na turma como um todo, os alunos surpreenderam-se ao depreender a regularidade na produção desses sentidos no funcionamento discursivo dos dois jornais. Surpreenderam-se ainda mais ao compreender que esses gestos de interpretação (a presença de "jovens" em oposição a "menores") não tinham a ver necessariamente com uma intencionalidade manifesta de jornalistas específicos ou de certo jornal. Os gestos de interpretação, expliquei, resultavam da inscrição do sujeito-jornalista em determinadas posições discursivas identificadas a formações discursivas específicas, e estas determinam o que pode e deve ser dito numa dada conjuntura histórica. A ideologia funciona aí, na produção de um efeito de obviedade resultante do encontro entre língua e história, de um encontro que cristaliza determinados sentidos em detrimento de outros.

Ao longo da discussão, uma aluna, perplexa, perguntou: "Mas quer dizer que nem o jornalista, nem o editor perceberam? Não foi de propósito?"

Não é fácil explicar o quanto essa suposição de intencionalidade já resulta de construções sócio-históricas nas quais o curso da linguagem foi lentamente naturalizando esse sujeito pragmático sempre impregnado de suas vontades, responsabilidades e escolhas. Escolhas que supostamente incluem manipulações lingüísticas sempre conscientes. Explicar para os alunos que a ideologia afeta a todos indistintamente e explicar também a importância do trabalho teórico e analítico de desnaturalizar os sentidos, implica fazê-los refletir sobre o movimento das filiações históricas dos processos discursivos de substituições, paráfrases e sinonímias, bem como fazê-los compreender que os processos discursivos não caminham acumulativamente em linha reta, e sim em uma pluralidade de filiações compostas por diferentes significações que se articulam por contradição, adesão, silenciamento etc. Os processos de filiações históricas abrem espaço para a organização de memórias (em termos discursivos) e para a construção de laços sociais através de redes de significantes. Assim vão sendo constituídos sócio-historicamente domínios de pensamentos, ou seja, "pontos de estabilização que produzem o sujeito, *com*, simultaneamente, aquilo que lhe é dado ver, compreender, fazer, temer, esperar etc. É por essa via que todo sujeito se 'reconhece' a si mesmo (em si mesmo e em outros sujeitos)..." (Pêcheux, 1988

[1975], p. 161). Se é viável afirmar que o discurso jornalístico produz consenso intersubjetivo, tal afirmação se sustenta a partir da afirmação de Pêcheux citada acima. Nesse sentido, é possível supor que a dicotomia "jovens" X "menores" foi provavelmente partilhada sem maiores estranhamentos por leitores e jornalistas.

Mas, objetou a aluna, "se a ideologia afeta a todos, não há nada a fazer? Ficamos eternamente presos nessa rede de sentidos já colocados em circulação?"

Essas perguntas permitem pensar em vários eixos de discussão até certo ponto interligados em autores como Bourdieu, Foucault, Althusser: violência simbólica, violência repressiva, interpelação ideológica, processos de individualização-normatização. Mas, dentre as respostas possíveis para essa pergunta, sobretudo aquelas que se afastam de um sociologismo, que enfatizam a reprodução engendrada pelos aparelhos de poder, duas considerações podem ser formuladas do ponto de vista da discursividade: uma que retoma o projeto teórico da Análise do Discurso, considerando o funcionamento do inconsciente e da ideologia na constituição do sujeito (e coloca em questão o já mencionado sujeito pragmático); outra que situa o trabalho do analista de discurso relativamente à ética. Ambas são fundamentais para a compreensão dos alcances e limites do discurso jornalístico.

"A revolta é contemporânea à linguagem"[64]

A análise do discurso, tal como foi teorizada por M. Pêcheux e reterritorializada por E. Orlandi no Brasil, integra em sua formalização epistemológica os seguintes campos do saber: uma teoria das formações sociais e suas transformações, uma teoria não subjetivista da enunciação, uma teoria do discurso. Esses três campos, segundo Pêcheux, são atravessados por uma teoria do sujeito de base lacaniana.

Quando se lê análise do discurso, percebe-se de imediato uma crítica à evidência da "existência espontânea do sujeito", ou seja, o sujeito "como único, insubstituível e idêntico a si mesmo (...) participante do teatro da

---

[64] Formulação de M. Pêcheux em *Semântica e discurso* (1980 [1975]).

consciência" que se marca por um "eu vejo, eu penso, eu falo, eu sou" (Pêcheux, 1988 [1975], p. 153-154). Critica-se, portanto, a evidência do sujeito do humanismo, aquele concebido como portador onipotente de uma consciência e de uma autonomia que se manifestam em intenções, vontades e escolhas; um sujeito portador de uma unidade na forma de uma identidade própria, estável. Apaga-se o fato de que falar do sujeito é falar de processos histórico-ideológicos que fundam essa evidência. Ao criticar essa visada filosófica do sujeito do humanismo, a análise do discurso coloca em questão a forma-sujeito produzida pelo sujeito-de-direito do capitalismo.

Do ponto de vista discursivo, o sujeito é constituído pelo esquecimento daquilo que o determina, ou seja, esquece, não se dá conta de sua constituição por um processo do significante na interpelação ideológica e na identificação simbólica. Em outras palavras, o sujeito não é origem do dizer e nem controla tudo o que diz. Como afirma Pêcheux: "o indivíduo é interpelado em sujeito de seu discurso como 'sempre-já' sendo sujeito, isto é, a modalidade discursiva sob cujo domínio ele é produzido como causa de si, com seu mundo, seus objetos e seus sujeitos, mantendo a evidência de seus sentidos" (Pêcheux, 1988 [1975], p. 264). Há marcas de subjetividade inscritas no dizer, marcas que assinalam, simultaneamente, traços do registro inconsciente e do assujeitamento ideológico. Em termos discursivos, essas marcas representam os pontos de identificação simbólica do sujeito à formação discursiva de onde enuncia. O sujeito, no entanto, não se percebe nesse dizer, não se percebe constituído, preso a essa rede de significantes que o constitui. Por caminhos diferenciados, a psicanálise lacaniana e o materialismo histórico althusseriano apontam para isso, para o fato de que estamos submetidos ao campo da linguagem e às evidências que nele se constituem: a evidência de que somos sempre-já sujeitos e a evidência da transparência e literalidade dos sentidos.

Para a Análise do Discurso, portanto, falar do sujeito é falar de efeito de linguagem: o indivíduo humano, um ser de linguagem que foi falado antes de falar e, ao falar, o faz retomando, redizendo, deslocando os ditos que o constituem. Mas esse processo fundante do sujeito, uma espécie de gênese do ego, produz no próprio sujeito tentativas de ajustamento, tentativas de completar algo que lhe parece sempre inacabado frente ao enigma da sua existência.

É um processo psíquico que o torna alienado daquilo que o determina, repete-se sem que ele se dê conta, e, ao mesmo tempo, é sujeito a falhas. Falhas que fraturam as certezas sobre ele mesmo e fraturam, também, a evidência dos sentidos, apontando, para o sujeito, a presença de uma divisão inscrita no simbólico. Citando Lacan – "só há causa daquilo que falha" –, Pêcheux dirá que a categoria de sujeito da análise do discurso deve considerar essa causa [do que falha], na medida em que ela se "manifesta" incessantemente e sob mil formas (o lapso, o ato falho etc.) no próprio sujeito, pois os traços inconscientes do significante não são jamais "apagados" ou "esquecidos".

Grande parte do projeto teórico da AD foi e ainda é o de trabalhar conceitualmente o fato de que inconsciente e ideologia encontram-se materialmente ligados na ordem da língua. Pêcheux irá particularizar essa relação dizendo que "a ordem do inconsciente não coincide com a da ideologia, o recalque não se identifica nem com o assujeitamento nem com a repressão, mas isso não significa que a ideologia deva ser pensada sem referência ao registro inconsciente" (Pêcheux, 1988 [1975], p. 301). Aí se encontra o cerne da interpelação ideológica enquanto submissão aos rituais ideológicos e à imposição dos aparelhos de Estado: não há interpelação ideológica que não seja sujeita a falhas. Os rituais de assujeitamento ideológico falham na medida em que as práticas discursivas que os constituem são formadas por redes de significantes e essas redes, se cristalizam determinados sentidos, encontram-se, ao mesmo tempo, sujeitas a deslizes. "Não há ritual sem falhas, enfraquecimento e brechas, 'uma palavra por outra' é a definição da metáfora, mas é também o ponto em que o ritual se estilhaça no lapso..." (Pêcheux, 1988 [1975], p. 301). Embora esteja enunciando prioritariamente a partir de uma formação discursiva, o sujeito também se coloca em outras posições, sendo atravessado por outros sentidos, deixando-se afetar, muitas vezes, pelos efeitos metafóricos. A tensão entre a paráfrase e a polissemia é constante e os deslizamentos de sentidos são inevitáveis.

Em termos da psicanálise, o que se tem é uma anterioridade do significante produzindo a inscrição do sujeito no campo da linguagem, em outras palavras, o que se tem é uma dependência do sujeito ao significante. Diz Lacan: "O mundo humano, o mundo que conhecemos, no qual vivemos, no meio do qual nos orientamos, e sem o qual não podemos absolutamente nos orientar, não implica somente a existência das significações, mas a ordem do significante" (Lacan, 1985, p. 216).

E essa ordem dos significantes tem uma autonomia e leis próprias (Lacan, 1985, p. 225), leis de funcionamento que podem ser depreendidas quando separamos radicalmente, à maneira de Lacan, em sua releitura do signo saussureano, o significante do significado. Para melhor compreender esse funcionamento, podemos pensar no exemplo dado por Saussure. Dada uma imagem acústica como "Eu aprendo", podem-se depreender duas significações possíveis apenas se se leva em consideração o descolamento entre significante e significado: 'eu aprendo' e 'eu a prendo'.

O significante, em si, não tem significação. O que irá delimitar os possíveis sentidos é a sua relação – opositiva, diferencial, negativa – com signos lingüísticos circunscritos na cadeia falada. Do ponto de vista de Lacan, revendo as teses saussurianas, o que importa na cadeia da fala é um correr superposto de dois fluxos: o fluxo dos significantes e o fluxo dos significados.

> ... o significante, por sua natureza, sempre se antecipa ao sentido, desdobrando como que adiante dele sua dimensão. (...) Donde se pode dizer que é na cadeia do significante que o sentido insiste, mas que nenhum dos elementos da cadeia consiste na significação de que ele é capaz nesse momento. Impõe-se, portanto, a noção de um deslizamento incessante do significado sob o significante... (Lacan, 1985, p. 505-506.)

Lacan chama de *ponto-de-estofo* esse momento em que um significante se associa ao significado: uma espécie de enlaçamento, de colchete, de amarração. E esse movimento de colchete se dá por efeito retroativo: "Um signo faz sentido retroativamente na medida em que a significação de uma mensagem só advém ao final de sua própria articulação significante" (Lacan, 1985, p. 256). O significante, portanto, é um elemento-guia e impõe uma articulação, uma ordem, uma sintaxe. E para se perceber isso é necessário, segundo Lacan, a "dissolução do vínculo da significação intencional com o aparelho do significante (...) e a dissolução do vínculo interno do significante" (Lacan, 1985, p. 256).

Como foi mencionado, encontra-se materialmente constituído na linguagem o vínculo do sujeito à formação discursiva que o domina, vínculo esse concebido por Pêcheux como "identificação simbólica", ou seja, identificação a determinados significantes na linguagem, significantes constitutivos do sujeito do discurso (o *eu*) como efeito. Na identificação simbólica estão inscritas, portanto, as representações verbais (termo de Pêcheux), ou seja, o resultado do efeito do assujeitamento ideológico a uma dada formação discursiva. As representações verbais vinculam-se entre si em função dos processos de reformulação parafrástica inerentes às formações discursivas. E, como efeito de haver sentido, essas representações verbais produzem uma consistência imaginária para o sujeito, ou seja, ficam impregnadas do que seriam evidências de sentidos cristalizados que aparecem para o sujeito como únicos, óbvios, enfim, aqueles que constituem sua identidade psicossocial.

Esse é o processo que constitui o chamado "teatro da consciência" e que funciona reforçando o "vínculo entre o "sujeito de direito" (aquele que entra em relação contratual com outros sujeitos de direito; seus iguais) e o sujeito ideológico (aquele que diz ao falar de si mesmo: "Sou eu!") (Pêcheux, 1988, p. 154).

Considerando a questão da subjetividade em sua constituição pela ideologia, ou seja, considerando o sujeito em sua interpelação ideológica, Orlandi dirá que "não é pelo conteúdo que a ideologia afeta o sujeito, é na estrutura mesma pela qual o sujeito (e o sentido) funciona". Visando compreender de que modo a ideologia "leva ao equívoco da impressão idealista da origem em si mesmo do sujeito", a autora apresenta o que chama de "um duplo movimento da subjetividade" (Orlandi, 2002, p. 70-71).

Em um primeiro momento (e não se trata aqui de uma cronologia), e entendendo que o processo significante que afeta o sujeito não é a-histórico, encontra-se justamente a interpelação do indivíduo em sujeito pela ideologia. A interpelação produz assujeitamento e isso ocorre em qualquer época histórica, em quaisquer que sejam as condições de produção, pois resulta da inscrição do sujeito no simbólico e, ao mesmo tempo, produz como resultado que esse sujeito, afetado pelo simbólico, expresse a sua subjetividade na ilusão de autonomia e de ser origem do seu dizer. "A forma-sujeito, que resulta dessa interpelação pela ideologia, é uma forma-sujeito histórica, com sua materialidade"[65] (Orlandi, 2002, p.72).

---

[65] Que corresponde ao que Orlandi chama de I^1.

Em um segundo momento (que não corresponde necessariamente, deve-se ressaltar, a uma temporalidade expressa em dias ou anos), ocorre um "estabelecimento (e transformação) das formas de individua(liza)ção do sujeito em relação ao Estado." Em outras palavras, ocorre uma individualização histórica da forma-sujeito em função da inserção do sujeito nas relações sociais regidas pelas instituições que são reguladas pelo Estado. Do indivíduo interpelado em sujeito (I^1) resulta o sujeito em "sua forma individualizada concreta (I^2)", ou seja, aquela visível e a partir da qual é possível adaptar o sujeito ao social. Como afirma a autora, "no caso do capitalismo, que é o caso presente, é a forma de um indivíduo livre de coerções e responsável, que deve assim responder, como sujeito jurídico (sujeito de direitos e deveres), diante do Estado e de outros homens"(Orlandi, 2002, p. 72).

Ora, interessa destacar aqui é o papel da mídia (escrita ou falada) como instituição regulada pelo Estado, mas também reguladora do Estado. Nessa relação com o Estado, a mídia é uma instituição que abrange a sociedade letrada e urbana, agendando para os sujeitos leitores o que ler, fazer, comer, pensar, agir, criticar etc. Está em jogo nos modos de organização dessa agenda uma padronização, uma homogeneização histórica do sujeito.

Se para a psicanálise importa trabalhar com esse estado de mobilidade constante dos significantes, para assim compreender como o sujeito está estruturado na linguagem, para a Análise do Discurso é interessante trazer o modo como S. Zizek apresenta a questão associando-a ao ideológico: "O ponto de estofo é [sim] o ponto através do qual o sujeito é costurado ao significante e, ao mesmo tempo, é o ponto que interpela o indivíduo como sujeito, dirigindo-se a ele através de um certo significante-mestre. (...) numa palavra, é o ponto de subjetivação da cadeia significante" (Zizek, 1992, p. 100).

Em outras palavras, o que mais importa para a Análise do Discurso nesse processo da linguagem é o efeito que ele produz em termos da constituição de evidências, de naturalização dos sentidos para o sujeito: a evidência de que somos sempre-já sujeitos e a evidência dos sentidos ancorada em uma idéia de transparência da linguagem.

Em termos discursivos, o sujeito é uma posição material lingüístico-histórica produzida em meio ao jogo de contradições e tensões socioideológicas. O que é ponto incontornável de análise são as posições discursivas ocupadas pelo sujeito para ser sujeito do que diz em condições histórico-ideológicas determinadas. Um dizer inscrito na estrutura do sujeito e na ideologia, isto é, um dizer com o qual o sujeito se identifica sem ter absoluto domínio do processo que o leva a ter tal identificação.

Discursivamente, podemos pensar, então, em termos de um ponto-de-estofo histórico-ideológico: alguns sentidos são fixados historicamente. O analista de discurso se pergunta: quais os sentidos que são fixados, costurados na cadeia significante (detendo o deslizar incessante) em um determinado momento histórico, em uma determinada formação social? Por que são esses e não outros? Como isso ocorre? E os outros sentidos? Aqueles que não se encontram submetidos ao efeito de naturalização? Os sentidos dominantes e os demais, aqueles que não foram fixados, não são imunes à memória constitutiva dessa mesma formação social, uma memória não estabilizada, com pontos de falha, de recalque, por mais que essa memória seja administrada e domesticada pelas instâncias jurídico-políticas de poder. Lembro aqui, em termos da AD, que as palavras não possuem um sentido estabilizado, fixo. Os sentidos mudam conforme a posição daqueles que o enunciam.

O analista de discurso não põe no divã o sujeito, isso cabe à psicanálise fazer. Sabendo que os sentidos só existem em relação, no deslizamento dos significantes sobre os significados, sabendo que não se encontram presos às palavras, o que o analista do discurso faz é interrogar, criticar, questionar a historicidade constitutiva da produção de evidências nos processos de constituição dos sentidos. Em outras palavras: questionar o processo histórico-discursivo que naturaliza, torna óbvio que UM determinado sentido só pode ser aquele. Há que se compreender, então, como matéria de pesquisa no âmbito do discurso jornalístico, qual a relação, em uma dada formação social, da Imprensa na constituição da subjetividade e na produção das evidências dos sentidos.

"Uma questão de ética e política: uma questão de responsabilidade"[66]

A outra resposta para a questão da aluna de jornalismo coloca em jogo a posição do analista do discurso e seu trabalho. A posição de trabalho do

---

[66] Pêcheux, 1990 [1988], p. 57.

analista do discurso vê com ceticismo modelos que apresentem a possibilidade de calcular ou prever os trajetos dos processos discursivos. É uma posição de trabalho que "supõe somente que, através das descrições regulares de montagens discursivas, se possam detectar momentos de interpretações enquanto atos que surgem como tomadas de posição, reconhecidas como tais, isto é, como efeitos de identificação assumidos e não negados" (Pêcheux, 1990 [1988], p. 56).

A dicotomia "jovens" X "menores" mencionada anteriormente, por exemplo, traz à tona efeitos de identificação presentes na constituição do discurso jornalístico. Depreende-se na dicotomia um gesto de interpretação que ao mesmo tempo parte de um prejulgamento social e impõe uma divisão dos sentidos aos leitores. Leitores esses que, possivelmente, compartilham o mesmo gesto de interpretação jornalístico sobre o social.

Se, para a Análise do Discurso, considera-se que tanto os processos de produção de sentidos quanto a própria análise desses processos são regulados por sua inserção na história, pode-se afirmar, então, que em sua própria constituição a questão ética já se coloca. E já se coloca porque o trabalho de compreensão dos gestos de interpretação presentes na constituição de qualquer texto é um trabalho político e, necessariamente, constrói uma ética, pois trabalha com as contradições, com as tensões, enfim, com as diferenças de sentidos. Ou, em outras palavras, trabalha com a contradição entre os processos de administração e institucionalização dos sentidos e com as falhas no ritual da institucionalização desses mesmos sentidos. Não é, portanto, uma questão exterior à Análise do Discurso, ou seja, a ética não se apresenta como algum tipo de cobrança social ou política feita ao trabalho do analista do discurso. Ao contrário, a questão ética se coloca internamente na própria constituição do campo de trabalho do analista[67].

Trazer a Análise do Discurso como lugar de sustentação para uma discussão sobre a ética na pesquisa em linguagem é fundamental, na medida em que se trata de uma disciplina crítica aos exageros interpretativos realizados por leituras totalmente subjetivas ou por leituras a-históricas. Em outras palavras, a Análise do Discurso nem realiza uma leitura subjetiva –

---

[67] Uma reflexão mais extensa está em Mariani, 2004.

ou seja, aquela na qual o leitor busca conteúdos e projeta no texto categorias de análise que não passam por nenhum tipo de filtro crítico – nem pratica leituras des-historicizadas, nas quais se reduz o texto a uma rede de nexos coesivos e argumentativos. Afinal, como diz Pêcheux (1990 [1988], p. 57), "em face das interpretações sem margens nas quais o intérprete se coloca como um ponto absoluto, sem outro nem real, trata-se aí de uma questão de ética e política: uma questão de responsabilidade".

Quando falamos nessa participação do discurso jornalístico na construção de evidências de sentidos, é importante trazer um outro aspecto. O discurso jornalístico, em sua diversidade e em sua heterogeneidade interna, permite ao analista fazer a leitura de um elemento importantíssimo, qual seja, a presentificação, a materialização do político. Político aqui entendido como divisão dos sentidos socialmente produzidos, sentidos em conflito histórico, em confronto na sociedade tomada em sua historicidade discursiva. Quando pensamos no político como sendo um processo histórico-discursivo incessante de produção dessas diferenças de sentidos, e quando compreendemos que esse processo se inscreve no discurso jornalístico, podemos trazer e tratar de modo bastante forte a questão da constituição da sociedade em sua forma histórica nos jornais e pelos jornais.

E podemos fazer mais, ou seja, ao lermos nos jornais a constituição histórica da sociedade, podemos tematizar os saberes que circulam e formam domínios de pensamento de uma época. Quais os saberes dominantes? Quais sentidos são silenciados? Há transformação e deslocamento de sentidos de uma área do saber para outra? É por aí nossa compreensão do discurso jornalístico ter como característica atuar na institucionalização social de determinados sentidos. E com isso estamos afirmando, em decorrência, que o discurso jornalístico contribui na constituição do imaginário social e na cristalização da memória do passado, bem como na construção da memória do futuro. Ou seja, nos jornais se reassegura a continuidade do presente ao se produzirem explicações, ao se estabelecerem causas e conseqüências, enfim, como já foi dito anteriormente, ao se 'desambiguizar' e ordenar a heterogeneidade do cotidiano. Pêcheux (1988 [1975]), ao analisar uma frase extraída do jornal *Le Monde*, nos fala da capacidade de *mise-en-scène* e do efeito poético que produz o assistir à cena descrita. Na prática discursiva dos jornais, as evocações e os pré-dados constituem a modalidade do 'como se', produzindo meios de identificação do sujeito-leitor com a matéria. Tudo se passa 'como se' o leitor estivesse compartilhando a cena, ou melhor, 'como se' houvesse um acordo prévio com relação aos sentidos produzidos. Na prática discursiva jornalística, o alcance do 'como se' está diretamente relacionado ao modo como os sentidos vão sendo textualizados. Vale dizer, no entanto, que o que é dito nos jornais depende fortemente das possibilidades enunciativas específicas de cada formação social em cada conjuntura histórica. A posição de trabalho do analista do discurso é a de compreender como os enunciados se constituíram, como eles singularizam acontecimentos, como os gestos de interpretação na sua materialidade discursiva produzem o efeito de literalidade, como se espelhassem a exterioridade.

Enfim, nunca é demais repetir que o discurso jornalístico desempenha um papel importante na produção/circulação de consensos de sentido. Isto perpassa os jornais como um todo e organiza uma direção para os gestos de interpretação. Cabe ao analista de discurso desmontar as filiações, as redes e os trajetos dos processos discursivos ali constituídos. Assim, em uma dada análise, busca-se compreender o modo de produção de sentidos resultante das posições discursivas de sujeito constituídas na materialidade textual. Não se considera um conteúdo ou um significado existente *a priori,* nem uma intencionalidade manifesta do sujeito ao dizer o que disse. Como nos lembra Pêcheux, "ninguém pode estar seguro de saber do que fala"(*apud* Orlandi, 2002, p. 49). Por isso, o que interessa é verificar como foram produzidos os sentidos e que efeitos daí decorrem. Não se pode esquecer, aqui, que para a Análise do Discurso, sentido é *relação a,* ou seja, resulta de filiações históricas a interpretações muitas vezes esquecidas, mas que nem por isso deixam de produzir efeitos na memória. Em função desse posicionamento crítico internalizado nos procedimentos de análise discursiva, entende-se que um dizer sempre pode ter mais de um sentido e que tais sentidos, para serem compreendidos, precisam ser analisados em função de sua inserção em uma memória histórica e ideológica.

Em termos éticos, retomando o que já afirmei em outros textos (Mariani, 2004), não cabe ao analista de discurso avaliar se uma determinada matéria jornalística está certa ou errada, se uma reportagem específica é adequada ou inadequada, se os direitos e deveres estão ou não sendo cumpridos conforme a moral social vigente ou passada, se o jornalista foi tendencioso ou não. O analista de discurso não julga a veracidade ou a falsidade, não tem necessidade se posicionar politicamente em termos partidários, nem de se propor a desvelar possíveis entrelinhas capciosas. Em outras palavras, se para a Análise do Discurso "o sentido sempre pode ser outro", tal afirmação o remete para o caráter relacional e material dos sentidos, para a sua relação com as condições históricas em que foi produzido, para a historicidade que o constitui. Frente a um *corpus* de discurso jornalístico, um analista de discurso se perguntará sempre por outros modos de dizer possíveis naquela matéria, que paráfrases de fato foram produzidas e quais poderiam vir a ser. Contudo ele sabe que por mais que um sentido possa ser outro, ele nunca será qualquer outro sentido. Seu limite é produzido na historicidade que os constitui.

Ao contrário, e dizendo junto com Pêcheux, para a Análise do Discurso "é suficiente colocar suas próprias problemáticas e procedimentos: a questão crucial é *construir interpretações* sem jamais neutralizá-las nem no "não-importa-o-quê" de um discurso sobre o discurso, nem em um espaço lógico estabilizado com pretensão universal" (Pêcheux, 1990 [1983], p. 52). Para fazer análise do discurso jornalístico, para ocupar uma posição analítica sobre os processos discursivos de produção de sentidos, é necessário que o próprio analista se reconheça em seu assujeitamento ideológico e em sua divisão inconsciente. É imprescindível, portanto, que o analista não perca de vista o paradoxo que constitui seu trabalho: ele também é afetado pelo inconsciente e pela ideologia. E é aí que reside, no meu entender, o caráter ético que constitui a posição de trabalho do analista do discurso frente ao discurso jornalístico ou frente a qualquer outro discurso: ao tentar compreender os processos de produção de sentidos, ao investigar os gestos de interpretação e ao considerar o sujeito dividido, o analista do discurso está sempre retornando ao seu próprio papel no trabalho de interpretação. E esse é um papel ético e de responsabilidade.

Referências bibliográficas

FOUCAULT, Michel. *O que é um autor?* Lisboa:Vega Passagens, 1992.

LACAN, Jacques. *Escritos*. Rio de Janeiro: Jorge Zahar, 1998.

MAIA, Maria Claudia G. A produção do discurso jornalístico sobre o 'adolescente em conflito com a lei': jovem ou menor? *Cadernos de Letras da UFF*. Niterói, n. 28, p. 51-60, 2003.

MARIANI, Bethania. Sentidos de subjetividade: imprensa e psicanálise. *Polifonia.* Cuiabá, v. 12, n.12, p. 21-45, 2006.

_____. Ética, discurso e análise do discurso. *Rua.* Campinas, n.10, p. 9-22, 2004.

_____. Subjetividade e imaginário lingüístico. *Linguagem em (dis)curso:* subjetividade. Tubarão, v.3, número especial, p. 55-72, 2003.

_____. *O PCB e a imprensa:* os comunistas no imaginário dos jornais 1922-1989. Rio de Janeiro: Revan; Campinas: Ed. da Unicamp, 1998.

ORLANDI, Eni P. *Interpretação.* Petrópolis: Vozes, 1996.

_____. *Língua e conhecimento lingüístico.* Campinas: Pontes, 2002.

PÊCHEUX, Michel. *O discurso:* estrutura ou acontecimento. Campinas: Pontes, 1990 [1988].

_____. *Semântica e discurso*: uma crítica à afirmação do óbvio. Campinas: editora da Unicamp, 1988 [1975].

ZIZEK, Slavoj. *Eles não sabem o que fazem*: o sublime objeto da ideologia. Rio de Janeiro: Jorge Zahar, 1992.

Memória e narrativa jornalística

Ana Paula Goulart Ribeiro*
Danielle Ramos Brasiliense**

Na madrugada de 23 de julho de 1993, um grupo de homens encapuzados dispararam suas armas em crianças e adolescentes que dormiam nas mediações da igreja da Candelária, no centro do Rio, matando sete deles. No dia seguinte, o fato foi manchete nos principais veículos de comunicação jornalísticos do país. Praticamente todos descreveram o crime como uma

---

* Formada em Jornalismo pela Universidade Federal Fluminense, tendo também cursado História na mesma instituição. Fez Mestrado e Doutorado em Comunicação e Cultura na Universidade Federal do Rio de Janeiro. É professora adjunta na Escola de Comunicação da UFRJ, onde coordena o curso de Jornalismo. Faz parte do corpo docente do Programa de Pós-graduação em Comunicação e é editora da revista *ECO-PÓS*. Foi responsável pela redação do livro *Jornal Nacional: a notícia faz história* (Jorge Zahar) e é autora do livro *Imprensa e história no Rio de Janeiro dos anos 50* (E-papers). (apgoulart@terra.com.br)

** Doutoranda do Programa de Pós-graduação da Escola de Comunicação da Universidade Federal do Rio de Janeiro e mestre pelo Programa de Pós-graduação em Comunicação da Universidade Federal Fluminense. É especialista em Internet, Interface e Multimídia pela UFF e em História do Brasil pela Universidade do Estado do Rio de Janeiro. É professora do curso de Jornalismo da Universidade Salgado de Oliveira e profissional em webdesign e design gráfico. (dabrasiliense@globo.com) "chacina", assassinato coletivo e premeditado. O acontecimento teve repercussão internacional imediata e acabou se tornando um exemplo histórico de violência e desrespeito aos direitos humanos.[68]

Já se passou mais de uma década desses acontecimentos, mas – como um fato exemplar – a *Chacina da Candelária* foi, desde o seu acontecimento, citada e relembrada em diferentes ocasiões pela imprensa. A proposta deste trabalho é, a partir da análise da cobertura desse caso no jornal *O Globo*[69], discutir os conceitos de memória e narrativa. O objetivo é perceber de que forma esse episódio foi construído e reconstruído ao longo do tempo pelos textos desse periódico e como esses textos se articulam com o processo de constituição de um certo senso comum sobre o fato e sobre um conjunto de sentidos a ele associados.

Gostaríamos de problematizar a maneira pela qual o jornal traduziu as contradições da realidade para seus leitores, observando, principalmente, como gerenciou os conceitos da vida cotidiana em suas narrativas. Nesse caso, nos pareceu importante tentar perceber de que maneira o senso comum foi sendo reproduzido, reordenado e dado como realidade. Em última instância, nosso objetivo foi perceber – levando em consideração a polifonia constitutiva das narrativas – as diversas formas de mediação do discurso jornalístico na construção das representações e da memória social.

Sobre memória e acontecimento jornalístico

A memória, pensada a partir da perspectiva clássica de Maurice Halbwachs (1990), é um instrumento de reconfiguração do passado, um trabalho de enquadramento do que aconteceu a partir das demandas do presente. Apesar de termos a impressão de que a lembrança é uma linear repetição do passado, mudanças são constantemente geradas por contextos

---

[68] O tema deste artigo foi objeto da dissertação de Mestrado de Danielle Ramos Brasiliense, defendida no Programa de Pós-graduação em Comunicação da UFF em dezembro de 2006.

[69] Não se pretendeu fazer um estudo das especificidades narrativas de *O Globo*. Esse jornal é considerado, aqui, apenas como um exemplar da prática jornalística. Na impossibilidade de analisar vários periódicos, ele foi escolhido por ser um dos diários de maior circulação do Rio de Janeiro e do país.

sociais diversos, que associam e selecionam o passado para preencher o presente de sentido e configurar o futuro.

Na medida em que a memória vai sendo ativada, remetendo àquilo que já aconteceu, o passado torna-se flexível e o presente um fluxo de mudanças constantes. O senso comum, no entanto, costuma pensar o tempo como linear e o passado como fixo e imutável. Afinal, o que já aconteceu – enquanto realidade factual – não pode ser mudado. Mas os acontecimentos jamais são pura factualidade, e mesmo o fato não pode ser entendido a partir de uma perspectiva ingênua, como se tivesse uma realidade autônoma e prévia a sua configuração discursiva e mnemônica.

Além disso, há um outro aspecto importante a considerar. Michael Pollak (1992) distingue dois tipos de memória, aquela relacionada a "acontecimentos vividos pessoalmente" e outra ligada a fatos "vividos pela coletividade". Este segundo tipo de memória não remete necessariamente a fatos presenciados diretamente pelos sujeitos, apesar de fazerem igualmente parte das suas experiências. A maioria das pessoas que lembra da chacina da Candelária, por exemplo, viveu o episódio apenas através do relato de terceiros, seja daqueles que testemunharam o fato, seja dos meios de comunicação. A chacina é, portanto, para a maioria, um acontecimento vivido indiretamente, mas é também, ao mesmo tempo, parte constitutiva das suas lembranças[70].

De uma forma ou de outra, Pollak afirma que a memória é sempre conflituosa, porque seletiva, resultado de enquadramentos, esquecimentos e silêncios. As memórias são construções sociais e não objetos naturais, fatos que possam ser tratados fora da linguagem que as formulam e as dinamizam. No caso da memória individual, o trabalho de enquadramento está relacionado a manipulações conscientes e inconscientes dos afetos, dos desejos, dos medos, das inibições. No caso da memória coletiva, esse trabalho tem a ver com as lutas e as negociações de grupos sociais em torno dos sentidos dos fatos e dos sujeitos neles envolvidos.

---

[70] Nessa mesma direção, David Lowental (1989), no seu célebre trabalho *Past is a foreign country*, sublinha o fato de que reconhecemos o passado como um âmbito temporal distinto do presente ao tomarmos conhecimento não apenas das nossas ações e pensamentos anteriores, mas também das ações de outros, seja pelo testemunho direto ou de terceiros. Nossas memórias se constituem também da história sobre pessoas e acontecimentos que, muitas vezes, não nos dizem respeito diretamente.

Mas a grande questão é saber: a quem cabe ser guardião da memória de uma coletividade? Quem detém autoridade para realizar o trabalho de seleção e enquadramento do passado de um grupo? Isto nos leva a refletir sobre o papel dos meios de comunicação, sobretudo os jornalísticos, nos processos de semantização do real no mundo contemporâneo.

É interessante pensar que a maior parte dos chamados *fatos da atualidade*, aqueles que adquirem relevância social a ponto de se tornar *fatos jornalísticos*, são vividos por grande parte da população "por tabela". Raramente os leitores, ouvintes ou telespectadores podem verificar *in loco* a veracidade dos acontecimentos relatados. E, ainda que se critiquem os meios de comunicação e que se coloque em xeque a sua objetividade na cobertura dos fatos, os discursos jornalísticos são investidos de credibilidade e inegável poder simbólico. Parte-se sempre do pressuposto de que o que se lê, se ouve ou se vê é o que efetivamente aconteceu.

Os meios de comunicação são, na contemporaneidade, os grandes mediadores entre os sujeitos e o mundo. É fundamentalmente através dos relatos jornalísticos que tomamos conhecimento de guerras, conflitos, calamidades, dramas urbanos e uma infinidade de outras situações. A história do nosso tempo – como dizia o slogan publicitário do jornal *O Globo* – é aquela vivida através dos meios de comunicação (Ribeiro, 2003).

Os veículos de massa fornecem aquilo que Muniz Sodré já chamou de "gramática ontológica do fato social". As torres gêmeas do World Trade Center em Nova York foram derrubadas; não há dúvida. Mas, para o cidadão comum – seja ele leitor ou telespectador –, aquele dado de realidade não existe fora do discurso da mídia. Foi ela que construiu e reconstrói continuamente (através de suas imagens, palavras e sons) a realidade social desse acontecimento, fornecendo aos sujeitos categorias de percepção, inteligibilidade e interpretação.

Os meios de comunicação não são os únicos, mas são hoje um dos principais atores na realização do trabalho de enquadramento dos acontecimentos do presente e também do passado das coletividades. É através deles que se realiza a operação da memória sobre os acontecimentos e as interpretações que se quer salvaguardar. O controle da memória social parte de "testemunhas autorizadas", e o jornalista, mediador entre o fato e o leitor, interfere neste processo não só enquadrando os fatos, mas reconstruindo valores e identidades sociais.

Um aspecto importante que gostaríamos de sublinhar é que, ao contrário do se costuma afirmar, o jornalismo faz não só do presente, mas também do passado, as referências fundamentais da sua experiência testemunhal do mundo. É na reconstrução do fato da atualidade, sempre fugaz, e também nos seus rituais de rememorações subseqüentes, que o jornalismo dá uma dimensão memorável à experiência humana e sentido a si mesmo como sujeito social/institucional.

A Candelária e os sentidos memoráveis do presente

Voltemos, agora, para 1993, quando ocorreu a *chacina da Candelária*. As matérias jornalísticas sobre as mortes dos meninos, na semana do seu acontecimento, mostraram o caso como um fato de violência cruel e chocante, sobretudo porque envolvia crianças. As narrativas lembraram que se tratava de "infratores", mas não tentaram o contrário, a maioria dos textos tendeu a apresentá-los como vítimas. Nas primeiras matérias, foram apresentados depoimentos de sobreviventes que acusavam policiais militares de terem matado por vingança. Especulou-se também que os crimes teriam ocorrido a mando de comerciantes locais, incomodados com a presença dos menores. O tom predominante era de perplexidade e de denúncia.

É importante sublinhar que o acontecimento se deu em um local com fortes representações na cidade do Rio de Janeiro. A Candelária é a igreja-símbolo do catolicismo carioca, impregnada de sentidos prévios ligados à história religiosa da cidade e do país. Mas, em relação à Candelária, existem diversos outros enquadramentos de memória possíveis a partir não só da sua imagem como catedral e monumento histórico, mas também como palco de episódios importantes da vida política e social brasileira. Foi lá, por exemplo, que ocorreu a missa de sétimo dia do estudante Edson Luiz, assassinado numa manifestação em 1968, assim como o comício pelas Diretas Já!, em 1984, entre diversas outras manifestações políticas. Estes episódios fazem parte da história da igreja, constantemente lembrados nas narrativas jornalísticas.

A igreja da Candelária, construída no século XVIII, pode ser considerada um lugar de memória, não apenas por ser um patrimônio arquitetônico ou um cartão-postal da cidade, como também por ter sido investida por uma "vontade de lembrar". Nas últimas décadas, a igreja se tornou – pela ação de um conjunto de sujeitos – um verdadeiro monumento: marco histórico e jornalístico da repressão política, das reivindicações democráticas, da questão da violência urbana e dos direitos humanos.

Além disso, é interessante perceber que os sentidos atribuídos pela imprensa para a *chacina da Candelária* também estavam relacionados a outros fatos ocorridos na mesma época. Nesse sentido, não se pode esquecer que o crime ocorreu nove meses depois de um outro acontecimento, o "massacre do Carandiru", que, pelas questões da violência e dos direitos humanos, costuma lhe ser associado. Da mesma maneira que ambos os fatos seriam associados a um outro, ocorrido apenas um mês após o da Candelária, a "chacina de Vigário Geral". Os três fatos, acontecidos entre 1992 e 1993, voltaram os olhos do mundo para o Brasil, chamando a atenção para a falta de segurança, despreparo policial e abuso de poder. Apesar de as vítimas transitarem todas no espaço do que se costuma chamar de "marginalidade", o tom de denúncia ganhou lugar nas narrativas da imprensa sobre esses fatos.

As narrativas da imprensa e os trabalhos da memória

Desde quando ocorreu a chacina da Candelária, *O Globo* relembrou o episódio em diversos momentos, às vezes de forma explícita, às vezes implicitamente. Depois de passada a intensa cobertura sobre o acontecimento, a primeira matéria contendo referência à Candelária apareceu em abril do ano seguinte. O assunto central do texto, no entanto, não tinha uma relação direta com os acontecimentos de 1993 e a chacina não foi nominalmente citada. A notícia dizia respeito ao "vandalismo" provocado pelos menores que viviam na região da igreja.

O título destaca: "Menores quebram vitral da Candelária" (*O Globo*, 6/04/1994). A reportagem denuncia o ato de rebeldia de três menores que, ao serem expulsos de dentro da igreja por um dos seus administradores, apedrejam os vidros que representavam Nossa Senhora da Candelária. O *lead* da matéria confirma o enquadramento do título: "Um vitral importado, produzido no século XIX, foi a mais recente vítima de vandalismo na Igreja da Candelária. Três menores de rua que estavam brigando dentro da igreja foram expulsos pelo administrador Raul Andreoli, e protestaram apedrejando os vidros da Candelária na manhã de ontem".

No fim do texto, o repórter reproduz o depoimento dos menores, que, detidos na Divisão de Proteção à Criança e ao Adolescente, disseram só ter reagido à ação do coordenador que os espancou com um pedaço de madeira. Mas o texto completa: "O administrador da igreja, no entanto, garantiu que se machucaram quando brigavam entre si". A matéria – pela forma que organiza e hierarquiza as declarações dos sujeitos envolvidos no acontecimento – legitima a fala da ordem, representada pelo administrador, em detrimento da fala dos menores/desordeiros.

O ponto que aqui mais nos interessa é que a matéria silencia sobre a morte dos outros menores ocorrida, naquele mesmo local, havia apenas nove meses. O apagamento da memória da chacina parece ter sido necessário para que a narrativa construísse a ação dos meninos como desordeira. Lembrar aquele fato implicaria atualizar uma dimensão – a de vitimização dos meninos – que ao texto não interessava.

Observa-se, pois, claramente o trabalho de memória operado pelo jornalismo na seleção das informações: o esquecimento da chacina em contraposição à lembrança da ação baderneira dos meninos de rua. Neste jogo de lembrar e esquecer, legitima-se a fala que opera a ordem. O ato dos meninos aparece como violento e como responsável pela destruição de vitrais e de peças raras, caras e, sobretudo, síntese da religiosidade. Observamos uma assimilação, no fluxo da memória, desses menores como tipificados sujeitos da desordem ou profanos no local sagrado.

Os aniversários do acontecimento

No dia 17 de julho de 1994, *O Globo* voltou a falar sobre a Candelária e os menores, desta vez, com referências explícitas à chacina do ano anterior. Duas reportagens foram publicadas na edição de maior tiragem do jornal, a de domingo. No sábado seguinte, a chacina estaria completando exatamente um ano. Esta matéria, que inaugura a cobertura do aniversário da chacina, tem por título: "Candelária, um símbolo do medo".

O ator social em foco é "B", um dos sobreviventes da chacina. De forma semelhante à matéria anterior, a memória do leitor é reativada a partir de narrativas estereotipadas com relação aos menores. "B", o "remanescente do grupo" de meninos assassinados, como diz o jornal, continua a acumular inimigos que desejam sua morte. "B" é um menor baderneiro que está "cada vez pior".

Novamente, há um trabalho de acomodação dos sentidos, que legitima a visão cristalizada do senso comum. Além disso, ao promover a rememoração a partir de uma data síntese – o primeiro ano do acontecimento – o jornal aciona uma série de aspectos do memorável, com uma certa pedagogia, cuja preocupação é transmitir, fazer conhecer e incitar (Barbosa, 1999). A mídia aciona a lembrança do acontecimento a partir do seu aniversário, tomando para si o papel de promotora da memória, num ato simbólico que reveste o passado de novos gestos e significados.

No mesmo exemplar do dia 17, uma outra matéria apresenta uma entrevista feita com a mãe de um dos sobreviventes: "Esperança na punição dos criminosos continua viva". O texto começa relatando a fé de D. Ana Maria em alcançar justiça pela morte do seu filho, com a punição dos assassinos. O *lead* fala sobre a memória da mãe: "A lembrança (...) está ao alcance dos seus olhos, na encardida parede do barraco onde vive, na vila São Pedro, em Inhaúma – o retrato do filho Anderson Tomé Pereira, o Caolho, com a camisa do flamengo."

Mesmo com o detalhe significativo do olhar de alguém que busca a ordem, e que estranha quando se depara com uma parede encardida, fora dos padrões do "bom gosto", a matéria reproduz as observações da preocupada mãe de Anderson, que considera um mistério ela nunca ter sido procurada pela polícia ou pela justiça para prestar depoimento sobre seu filho, que, como enfatiza o repórter, foi "assassinado num dos crimes de maior repercussão da história recente do Rio." E o texto continua: "Caolho esteve em casa no domingo, quatro dias antes da chacina, e poderia ter contado alguma coisa à mãe que ajudasse na apuração do crime. Mas ninguém se interessou em procurar Ana Maria."

O jornal tematiza sobre a voz silenciada da mãe do menor ou sobre o esquecimento da sua existência como testemunha. Neste sentido, constrói para si a imagem de investigador, de sujeito capaz de promover a mediação entre as pessoas envolvidas no acontecimento e o poder público, que é negligente e não atua como deveria. Ao revelar o esquecimento da polícia em relação a uma possível fonte de investigação, o jornal se legitima como aquele que desnuda o esquecido e que é capaz de provocar uma mudança social.

Em contraste ao relevo dado na semana anterior ao aniversário da chacina, apresentando a "comemoração" por antecipação, no dia em que o acontecimento fazia exato um ano – em 23 de julho de 1994 –, *O Globo* diminui significativamente o espaço dado ao assunto. Apenas uma matéria, que ocupou o espaço de uma coluna, lembrou o episódio: "Yvone comanda vigília na Candelária".

Segundo a narrativa do jornal, a artista plástica Yvone Bezerra de Mello – que desenvolvia um trabalho de assistência dirigido aos meninos que viviam nas imediações da Candelária – produziu uma manifestação junto às crianças, na madrugada, colocando velas e um cartaz no local do crime, para reavivar a memória da população carioca. Yvone costumava voluntariamente ajudar os menores com alimentação, roupas e outros objetos, e sabia exatamente quem era cada um dos menores assassinados.

Hierarquizando o assunto como menos importante, em comparação a outros temas que ocuparam espaços mais nobres na edição, novamente o jornal enquadrou a memória do acontecimento. Nesse momento em que a chacina da Candelária foi reativada, ficaram para trás muitas outras questões que poderiam completar o sentido do acontecimento, como o envolvimento dos policiais que ainda não haviam sido julgados ou as condições de refúgio em que se encontrava Wagner dos Santos, a principal testemunha dos assassinatos.

Quando a memória de um fato é minimizada, não é permitida uma organização mais completa dos sentidos do acontecimento. Pulverizada, passa a inaugurar um sentido mínimo que anula outras dimensões da realidade, que poderiam ser importantes para pensar o fato.

O mesmo quadro se repete nos anos seguintes. Nos aniversários de 1995 e 1996, *O Globo* referenciou o acontecimento através de pequenas notas. No dia 22 de julho de 1995, o jornal informou: "Dois anos depois, um crime ainda sem castigo". A matéria fez referência a uma manifestação promovida por Organizações Não-Governamentais, pedindo que o processo fosse acelerado na Justiça, uma vez que ainda não haviam sido julgados os acusados do crime. A manifestação aconteceu depois da celebração de uma missa na Candelária. Esta mesma lógica de lembrança – missa e manifestação – aconteceu um ano depois, quando a chacina completou três anos. Também neste dia, *O Globo* publicou apenas uma nota: "Missa lembra hoje morte de menores na Candelária".

O acontecimento pulverizado

Depois do aniversário de um ano da chacina, na edição de 26 de julho de 1994, *O Globo* publicou mais uma matéria em que se remetia ao massacre. Em um pequeno boxe informou: "Exposição em Brasília lembra Candelária". Era uma referência aos menores de Brasília que, através de apresentações artísticas, protestavam contra a chacina.

Após essa edição, o jornal só voltaria a lembrar o episódio em dezembro de 1994. O foco da matéria que recuperou o tema da Candelária foi o atentado contra Wagner dos Santos, que, após voltar do esconderijo na Bahia, onde esteve desde a chacina, ficou apenas dois dias sem segurança e foi surpreendido na Central do Brasil por homens que atiraram em sua direção. Na matéria, o menino não foi tratado como um menor de rua tipificado. Ao contrário, ele foi apresentado como uma vítima desprotegida. O tom do texto era de denúncia, sentido reforçado pelo boxe reservado a Yvone Bezerra de Mello. A artista plástica afirma que, mesmo depois da chacina, continuavam acontecendo atentados a menores e comenta que um outro menino havia sido assassinado na semana anterior.

Ao longo do ano de 1995, a chacina foi lembrada de forma pulverizada, sempre a partir de notícias envolvendo o sobrevivente Wagner dos Santos. O menino foi transformado numa espécie de ícone da tragédia ocorrida em 1993. As matérias enfatizaram que a proteção dada a Wagner pela Justiça era uma condição dos direitos humanos e do possível desvendamento do crime. Enquanto lembrou ao leitor a existência da testemunha, *O Globo* não o tratou como um menor qualquer. Ele foi reconhecido como uma peça fundamental para a punição dos assassinos e, conseqüentemente, para a solução do caso.

O jornal passou a ser uma espécie de guardião da memória da Candelária, ao manter vivo, aos olhos do público, o sobrevivente que era ameaçado de morte. É como se Wagner estivesse protegido na medida em que o jornal falasse dele, mantivesse viva a memória da chacina e cobrasse das autoridades uma atitude em relação aos assassinos. Temos, aqui, um caso de autoreferenciação jornalística. Na verdade, ao falar de Wagner, o periódico fala também de si mesmo, do papel que ele acredita ter na sociedade. Constrói, assim, a sua autoridade simbólica e legitima o seu lugar social.

O Globo continuou a dar notícias esparsas sobre o caso da Candelária até o mês de outubro, quando, finalmente, revelou: "Sobrevivente da Candelária reconhece envolvidos na chacina" (27/10/1995). Wagner reconheceu os assassinos por fotos, ficando provado, assim, que eram policiais.

A referência seguinte à chacina da Candelária ocorreu em 21 de abril de 1996. A matéria fala sobre uma nova geração de "meninos de rua", dominados pelas drogas e pela prática de furtos. Wagner dos Santos, depois de fazer sua parte, reconhecendo os criminosos, volta a ser caracterizado na narrativa de *O Globo* como um menor estereotipado, pobre, sem família e sem casa. Dessa forma, mais uma vez o jornal conjugou mudança e esquecimento na produção de seus trabalhos de memória, ao produzir uma memória social sobre a categoria "meninos de rua".

A fotografia que centralizou a reportagem dinamizou sentidos ambíguos. Parados em frente à igreja, com os braços estendidos, os meninos parecem apelar pela solução dos seus problemas, mas, ao mesmo tempo, também representam uma possível ameaça. A fotografia aciona a memória dos mortos da Candelária, ao colocar meninos vivos diante da igreja, ressignificando o acontecimento original e significando o fato presente.

Hierarquizações, acomodações, deslocamentos de sentido

A chacina seria novamente relembrada por *O Globo*, em 28 de abril do ano seguinte, através de uma série de três reportagens sobre violência contra crianças. A primeira ocupou uma página inteira do jornal, na Editoria Rio, e foi apresentada sob a rubrica "Infância abandonada". O assunto foi particularizado pelo título "Julgamento da chacina abre discussão sobre a violência contra menores", e os sentidos foram se delineando e se reforçando com o subtítulo "Os sobreviventes do descaso".

O texto introdutório da matéria prepara o leitor: "Quase três anos após a chacina da Candelária, o julgamento, amanhã, do soldado Marcus Vinícius Borges Emanuel – um dos acusados do assassinato de oito meninos de rua em julho de 1993 – reacende a discussão sobre a violência contra menores". O julgamento é, assim, o elemento que traz os menores, ainda moradores de rua, novamente para as páginas do jornal.

O texto explica o motivo da publicação da matéria e anuncia o menino "R" como o retrato do abandono. Como outros garotos, "há cinco anos zanzando pelas ruas da cidade, ele finge ter esquecido a tragédia em que oito amigos seus morreram". A matéria procura retratar a realidade dos menores que vivem na rua. Fala sobre a violência que começa em casa por falta de afeto e comenta a inexistência de estatísticas públicas sobre abusos sexuais cometidos contra crianças, o que muitas vezes as impelem a ficar na rua. E o texto denuncia: "Nos institutos de recuperação, os cursos técnicos não funcionam, os salários estão atrasados, há escassez de material e, por falta de professores, não há ensino regular."

O tom do texto é, mais uma vez, de denúncia, mas a referência à realidade dos menores é carregada de ambigüidades. Na seqüência, um dos menores – provavelmente vítima do tipo de violência anunciada anteriormente – é caracterizado como alguém que rouba ou pede dinheiro para comer. A narrativa impressiona pelo uso de termos explicitamente procedentes do senso comum, em um processo de acomodação e naturalização da ordem. A repórter descreve o "menino de rua":

> De cabelos cortados rente, com pequenas manchas ruivas – resultado de uma improvisada descoloração – R. de 13 anos sorri descaradamente. Dos cinco anos que bateu calçadas e praças das zonas Sul e Norte do Rio, ele não guardou muita coisa. De seu, leva de um lado para o outro uma sacola de plástico com duas camisetas sujas. Da Candelária, ele nem quer saber. Na noite da chacina, perdeu oito amigos e fugiu dos tiros em direção à Praça Quinze. Depois disso, fingiu que esqueceu da tragédia: – Qual é tia, sei de nada não – responde e sai correndo (*O Globo*, 28/04/96).

A evidência de um sorriso, que para a repórter é "descarado", reforça a entonação da matéria que atribui determinados sentidos à atitude de "R". O menino, apesar de roubar, continua pobre, carregando camisetas sujas em sacolas, como o sujeito ímpio da moral cristã. "Debochado", não quer falar do que aconteceu na Candelária, pois – apesar da pouca idade – desenvolveu nas ruas a esperteza pragmática de saber que às vezes é melhor silenciar, "fingir que esqueceu". A matéria continua evidenciando as acomodações memoráveis:

> Nas ruas, quem sabe se virar, vive um pouco mais. Para ganhar dinheiro vale tudo: pequenos furtos, pedir esmola, passar papel nos ônibus contando uma história triste ou mesmo esperar comida de alguma ONG.
> – Só aparecem com pão e leite. Tô fora, conta R. e emenda num grito:
> – A negona derrubou a comida!
> (...) "Negona é uma cachorrinha vira-lata preta, que divide um saquinho de ração com os meninos. Mas insiste em comer mais algumas bolinhas e recebe um passa-fora. Neguinha – a outra vira-lata – fica quieta. E já que o saquinho está aberto, a ração vira biscoito na boca dos meninos.

Frases como "ao meio dia começa a caça" (referente ao momento em que os menores vão procurar o que comer), assim como as referências às cadelas vira-latas completam ambiguamente o sentido da matéria. Reafirma-se a naturalização da idéia dos menores como provenientes de um mundo em que o humano e o animal se confundem. Os menores são apresentados como vítimas, mas ao mesmo tempo como sujeitos naturais da desordem. As narrativas, assim, legitimam e acomodam os preconceitos, promovendo o esquecimento acerca das causas sociais da infância nas ruas. "R" e "B" são apenas abreviações de sujeitos estigmatizados pelo jornal. Mesmo que a reportagem como um todo se comprometa a abordar de vários ângulos a questão da violência contra menores, os elementos que ocupam o lugar principal são claramente estigmatizadores.

Ao fim da página, encontram-se dois significativos anúncios, que denotam uma incrível separação de mundos – assunto sobre o qual o repórter não ousa tocar em sua matéria. Um anúncio diz: "Quem disse que o jornal não tem boas notícias? Top Fantasy Disney World, ou Flórida Especial". E, logo ao lado: "Ody convida você para uma odysseia na Disney". Para quem são esses anúncios? A boa notícia vem do mundo publicitário e é obtida pelo consumo. Cabe ao jornalismo o papel de porta-voz das misérias do cotidiano, enquadradas, no jogo da memória, a partir de hierarquias e valores mediados pelos grupos dominantes, e não dos sujeitos retratados na reportagem, no caso, os meninos de rua.

Depois disso, a chacina só voltou a ser lembrada pelo *O Globo* em 1996, quando um dos policiais identificados por Wagner dos Santos seria julgado. No dia 4 de maio, o jornal publicou: "Candelária: mais um policial militar confessa". O PM Alcântara foi o protagonista da matéria. A narrativa – apesar de não tratar o policial como sujeito da ordem, e sim como uma pessoa que cometeu um crime –, de certa maneira, perdoou Alcântara, ao falar sobre o seu arrependimento e conversão à igreja Evangélica.

Um boxe, intitulado "Corpo-a-corpo", trouxe uma entrevista com Nelson Cunha. O texto começa lembrando que o ex-PM, réu confesso no caso da chacina da Candelária, também havia se tornado evangélico. Nas perguntas, o repórter enfatiza a questão da conversão e a contradição em relação à atitude do policial: "Você se converteu um ano depois da chacina. Por que não se entregou na época?"

A conversão dos policiais como atitude proveniente de um mundo ordenado, correto, faz o jornalista cobrar do policial a atitude imediata de confessar o crime. Mas o policial responde: "A conversão é gradativa. Você lê a Bíblia, se envolve em trabalho social com mendigos, meninos de rua, travestis. Só após isso e um remorso no coração é que se pode tomar uma decisão tão difícil. Apesar de Deus ter me perdoado da covardia e do medo, ele me cobrava a prisão dos inocentes."

Percebe-se, assim, que a matéria ameniza a atitude passada do policial, como se ele houvesse caído em tentação, tomando a atitude ímpia de matar as crianças, para, em seguida, se converter e se arrepender. A prisão é o desfecho exigido para a restauração da ordem.

Um esquecimento anunciado

O Globo publicou uma matéria no dia 23 de junho de 1996, comentando o esquecimento a que vinha sendo submetido o caso da Candelária: "Chacina já não atrai mais tanta atenção". O texto apareceu um mês antes da chacina completar três anos. Como mostramos, o jornal se referiu ao fato apenas com uma pequena nota no dia 23 de julho. Realmente, a chacina não demandava mais muita atenção, pelo menos do jornal. Celebrando o esquecimento como de âmbito público, *O Globo* se justifica publicamente por não mais acompanhar o caso, embora os problemas relacionados ao mesmo (menores na rua, violência policial, ausência de políticas efetivas, desigualdade social etc.) persistissem.

Mais duas pequenas matérias foram publicadas no fim do ano de 1996. Uma denunciava a morte de uma testemunha da chacina, chamada Fábio de Oliveira, sobre a qual nada tinha sido dito até aquele momento. E a outra era sobre a volta de Wagner dos Santos para a Suíça, depois dos julgamentos dos policiais, que duraram praticamente todo o ano de 1996.

Nos anos seguintes, em 1997 e 1998, nada se disse a respeito do caso Candelária. O silêncio, previamente anunciado, se concretizava explicitamente. O assunto só voltaria às páginas de *O Globo* em 1999, com a morte de Bilinha (João Fernando Caldeira da Silva), um dos sobreviventes da chacina de 1993. A matéria revelava outros crimes ocorridos antes: "Morte de menor de rua na Candelária é a quarta ocorrida em apenas um mês".

Já o ano de 2000 foi marcado pela morte de Sandro Nascimento, o protagonista do episódio do ônibus 174. Este novo acontecimento, de grande repercussão nas páginas do jornal, colocou novamente a chacina em evidência, já que Sandro – tal como Bilinha – era também ele um sobrevivente da chacina. Nas matérias predominou um tratamento ambíguo, que imprimiu um tom de perplexidade à história, tratada como uma tragédia inevitável.

Na continuidade memorável do jornal *O Globo*, antes dos dez anos da chacina, uma única matéria, publicada em 24 de julho de 2002, voltaria a mencionar os acontecimentos da Candelária. Uma cerimônia religiosa foi celebrada para lembrar os nove anos da chacina e a Prefeitura aproveitou para divulgar os dados referentes ao aumento dos menores nas ruas: "Prefeitura calcula que 800 crianças vivem nas ruas do Rio". O episódio retomou a história de "A matança dos inocentes", citada por Dom Eugênio Salles na missa de sétimo dia dos menores da Candelária, em 1993. O gesto do cardeal foi repetido pelo padre Jorge Antônio, que lembrou "quando Herodes mandou matar todas as crianças de até dois anos, porque, entre elas, estava Jesus Cristo – Há muitos Herodes na Sociedade – disse".

Em 28 de fevereiro de 2003, *O Globo* informou sobre a condenação, após quase dez anos da chacina, do ex-PM Marcos Vinícius Borges Emanuel a 300 anos de prisão em regime fechado. Mas, depois deste relato, o jornal reduziu, cada vez mais, as referências ao caso. Apenas uma pequena nota lembrou o aniversário do acontecimento:

Uma menina participa de um abraço simbólico à Praça Pio X, no Centro, durante um ato para lembrar os dez anos da chacina da Candelária, na qual morreram oito menores de rua. Silhuetas de corpos representando as vítimas foram preenchidas com pétalas de rosas. A programação teve ainda missa, apresentações de música, teatro, dança e capoeira (*O Globo*, 24/07/2003).

Nessas linhas, que lembram o acontecimento de 1993, há muitos silêncios. Os contextos sociais em que se encontram os menores são apagados. O exílio de Wagner dos Santos na Suíça não é comentado. A condenação do policial Marcos Vinícius sequer é mencionada.

Em 18 de dezembro de 2003, a ONG Viva Rio também completou dez anos. O aniversário fez *O Globo* lembrar mais uma vez a Candelária, já que seus integrantes promoveram um abraço simbólico à Igreja da Candelária. Vale notar que a matéria do aniversário da ONG ocupou mais espaço do que a dos dez anos da chacina propriamente dita. Nos anos seguintes, o aniversário da chacina não foi sequer lembrado.

Considerações finais

O Globo, em todos esses anos, construiu uma memória pulverizada da chacina da Candelária. A partir do momento em que o acontecimento não era mais novidade, ele apareceu em matérias secundárias do jornal e de forma cada vez mais espaçada. De qualquer maneira, percebemos que os sentidos do acontecimento foram sendo, ao longo dos anos, trabalhados pelas narrativas do jornal através de um esquema ordenador que destacou alguns aspectos e desprezou outros, naturalizando as questões numa espécie de representação do mundo da ordem.

A memória que foi construída pelo *O Globo*, entretanto, não pode ser entendida, de forma alguma, como homogênea e linear. Foi contraditória, plural e, sobretudo, dinâmica. Mas os sentidos sobre os fatos, ainda que múltiplos e diversos, foram se estabilizando no fluxo das narrativas e, nesse processo, representações sociais se construíram acerca dos acontecimentos e dos sujeitos neles envolvidos.

Referências bibliográficas

BARBOSA, Marialva. *Meios de Comunicação, memória e tempo*. A construção da redescoberta do Brasil. 1999. Texto final de pós-doutorado, CNRS-LAIOS, Paris.

BRASILIENSE, Danielle Ramos. Tessituras narrativas de O Globo e o acontecimento "Chacina da Candelária". 2006. Dissertação de Mestrado em Comunicação, Universidade Federal Fluminense, Niterói, 2006.

HALBWACHS, Maurice. *A memória coletiva*. São Paulo: Vértice, 1990.

LOWENTHAL, David. *Past is a foreign country*. Nova Iorque: Cambridge University Press, 1989.

POLLAK, Michael. Memória e identidade social. In: *Estudos Históricos*, v.5, n.10. Rio de Janeiro, 1992.

RIBEIRO, Ana Paula Goulart. A mídia e o lugar da história. In HERSCHMANN, M.; PEREIRA, C. A. (orgs.). *Mídia, memória e celebridades*. Rio de Janeiro: E-Papers, 2003.

Discurso ocidentalista como arma de guerra: a construção de alteridades na mídia[71]

*Branca Falabella Fabrício**
*Luiz Paulo da Moita Lopes***

Devemos recuar das fronteiras imaginárias que separam as pessoas umas das outras e reexaminar as etiquetas, reconsiderar os limitados discursos disponíveis, resolver dividir nossos destinos como as culturas têm em geral feito, apesar dos credos e gritos belicosos.

Edward W. Said, 2003, p. 138

---

[71] Parte da pesquisa relatada aqui foi, inicialmente, publicada em MOITA LOPES, Luiz Paulo e FABRÍCIO, Branca Falabella. Discurso como arma de guerra: um posicionamento ocidentalista na construção da alteridade. *DELTA*. São Paulo, v. 21, número especial, p. 239-279, 2005.

* Doutora em Estudos da Linguagem pela PUC-Rio e professora adjunta do Programa Interdisciplinar de Lingüística Aplicada da UFRJ. Fez parte de sua pesquisa de Doutorado na Univ. de Lancaster, Grã-Bretanha. Seu trabalho abrange a construção de práticas discursivas, interacionais e identitárias em contextos institucionais (escola, mídia, trabalho, família etc.) com foco em processos de implementação de mudanças nesses contextos e no impacto identitário deles decorrentes. Tal pesquisa está publicada em revistas científicas e capítulos de livros no Brasil e no exterior. (brancaff@globo.com)

** Professor titular da UFRJ, onde atua no Programa Interdisciplinar de Lingüística Aplicada, e pesquisador do CNPq. É PhD em Lingüística Aplicada pela Universidade de Londres. Publicou os seguintes livros: *Oficina de Lingüística Aplicada*, 1996; *Identidades Fragmentadas*, 2002; *Discursos de Identidades*, 2003; *Identidades. Recortes Multi e Interdisciplinares*, 2003 (em colaboração), *Por uma Lingüística Aplicada Indisciplinar*, 2006; e *Performances*, 2007 (em colaboração). Tem artigos publicados em revistas e em livros no Brasil e no exterior. (luizpaulo@letras.ufrj.br)

Ações bélicas na contemporaneidade

Durante a guerra recente contra o Iraque, e mesmo antes de seu início, jornais de todo o mundo deram espaço a uma profusão de artigos opinativos acerca da ofensiva bélica. Num movimento que envolve necessariamente a manifestação de toda sorte de julgamentos, feitos de forma explícita ou indireta, um batalhão de intelectuais, políticos e jornalistas fez soar suas vozes nos meios de comunicação de massa. Entre eles, Nelson Ascher. Um de seus textos (foram vários) nos chamou a atenção, em razão de sua curiosa forma argumentativa em prol da reeducação do Islã. A relevância para a contemporaneidade da questão tematizada no texto e o modo veemente como o escritor se posiciona justificam nosso interesse em analisá-lo. Com base na analítica foucaultiana do poder e na abordagem da Análise Crítica do Discurso, este trabalho responde aos seguintes objetivos: 1) contribuir para a criação de inteligibilidade sobre uma dentre as inúmeras ações guerreiras contemporâneas – os conflitos entre israelenses e palestinos, os atentados de 11 de setembro de 2001 e de março de 2002, as guerras entre traficantes nas cidades da América Latina; e 2) analisar o papel da mídia na promoção de enfrentamentos bélicos, bem como em sua justificação e construção como valor perante o Direito Internacional.

Condições que constituem o presente: a historicidade de nossos discursos

O pensamento de Michel Foucault convida-nos a compreender o processo histórico de gestação dos vários discursos que contribuem para a nossa construção no presente. Sua análise das relações de poder e de seu caráter produtor de realidades interessa-nos particularmente. Adotando um viés historicista radical, o intelectual francês entende que os discursos são produzidos em contextos históricos específicos, ao mesmo tempo que produzem fenômenos sociais. Assim, para entender o mundo social, faz-se necessário explorar o território das atividades linguageiras que o produzem. Podemos interrogar-nos, então: quais significados produzidos na cultura sustentam a atuação guerreira verificada na atualidade? Foucault pode auxiliar-nos na formulação de uma resposta possível.

Na parte de sua obra dedicada à "analítica do poder", o pensador problematiza, de forma não-linear, os modos de exercício do poder, suas tecnologias, sua extensão, sua mecânica de funcionamento e seus efeitos. Operando o deslocamento de uma noção repressiva e negativa de poder para uma abordagem produtiva do mesmo – um poder estimulador de discursos e práticas –, Foucault cunha o conceito de biopoder, argumentando que a vida em si tornou-se objeto de poder. O exercício do poder no mundo moderno é necessariamente o exercício de um biopoder, isto é, um poder cujos tentáculos abrangem a gestão da vida em geral (o bios), nos pólos individual e coletivo. Em relação ao indivíduo, o poder se exerce por meio da vigilância, da prevenção e do tratamento de comportamentos desviantes, pervertidos ou potencialmente perigosos, procedimentos típicos da sociedade disciplinar (Foucault, 1977[1975], 1979). Em relação à sociedade, o poder assume uma feição mais totalizante, cumprindo um papel político de gestão das populações e de maximização da vida do corpo social (programas de saúde, planejamento e instauração de práticas sanitaristas, políticas de natalidade etc.).

Em outro momento de sua genealogia do poder, o pensador se debruça sobre a investigação das relações entre guerra e poder, sendo levado a refletir sobre a constituição, no Ocidente, de uma associação política inusitada entre a morte e a vida: a manutenção da morte como fenômeno possível e desejável no interior de uma política da vida. Para explicar o aparente paradoxo – o exercício da função da morte em um sistema político centrado no biopoder –, Foucault atrela a noção de racismo ao mecanismo fundamental de poder dos Estados Modernos. A lógica subjacente a esse movimento pode ser assim resumida: se fazer viver passa a ser a função principal do Estado, cabe a ele decidir o que deve viver e o que deve morrer. O racismo, que tem por função qualificar, hierarquizar e discriminar os grupos humanos em bons/maus ou superiores/inferiores, aparece como condição indispensável de aceitabilidade do exercício do direito de eliminação da vida:

> A morte do outro não é simplesmente a minha vida, na medida em que seria a minha vingança pessoal. A morte do outro, a morte da raça ruim, da raça inferior (ou do degenerado, ou do anormal), é o que vai deixar a vida em geral mais sadia; mais sadia e mais pura (Foucault, 2000, p. 305).

Esse tipo de reflexão nos leva à compreensão da construção, no século XIX, do vínculo entre racismo biológico, evolucionismo darwinista, direito de aniquilação do outro e biopoder. O racismo moderno, compreendido como técnica de poder, permite-nos entender movimentos de genocídio colonizador (como o nazismo, por exemplo), cuja ação inclui não só a destruição do adversário político, como também a destruição da raça adversa e a regeneração e purificação da própria raça. Forja-se, assim, um discurso preservacionista, garantindo a uma raça "verdadeira" o direito de eliminação de "subprodutos". Tal lógica legitima a violência, o recurso à força armada e a destruição do outro em uma tentativa iluminista de salvá-la. Por essa ótica, a "globalização da guerra" pode contemplar o direito à eliminação da vida em países que façam parte do "Eixo do mal", em nome da difusão dos valores democráticos do Ocidente no mundo árabe.

Em momento subseqüente de seu percurso genealógico, Foucault promove uma reelaboração do conceito de biopoder, substituindo a temática da guerra pelo princípio da conservação da espécie e do bem-estar da sociedade. O pensador descreve a gestação de uma filosofia de risco social que engendra um discurso de racionalidade do governo cujas preocupações centrais tornam-se o ideal de segurança, a prevenção/o cálculo de riscos e a defesa da sociedade.

As noções de risco e segurança vêm ganhando vulto na contemporaneidade. Segundo Robert Castel (1991), estamos vivendo no Ocidente uma transição da noção de perigo para a noção de risco. Políticas sistemáticas e discursos sobre a necessidade de prevenção proliferam. Incitados pelo desenvolvimento de modernas e grandiosas tecnologias, os novos sistemas preventivos prometem racionalizar o sonho de controle absoluto do acaso e do acidental, graças à capacidade de se anteciparem ao risco. Esse arsenal preventivo configuraria uma era pós-disciplinar, na qual o biopoder se exerce através da fabricação de discursos imaginários sobre o perigo iminente – o terrorismo internacional, por exemplo – e da formulação de meios eficazes de capturá-lo antes de sua atuação.

Alguns pensadores contemporâneos atualizaram o pensamento de Foucault, examinando a emergência de novas formas de poder na atualidade. Hardt e Negri (2000), por exemplo, desenvolvem a noção de "império", conceito que exprime a nova forma de poder a atravessar os Estados-nações tradicionais, inclusive os Estados Unidos. Trata-se de uma espécie de lógica jurídico-discursiva que passa a regular as trocas econômicas e culturais em redes transfronteiriças, constituindo-se como governo do mundo. É uma espécie de nova soberania e supremacia desterritorializada, envolvendo "não apenas a dimensão econômica ou apenas a dimensão social da sociedade, mas também o próprio bios social" (Hardt e Negri, 2000, p. 44) e desfazendo qualquer imagem linear ou totalitária de poder. Segundo os autores, a concepção de biopoder descreve aspectos centrais do conceito de Império, responsáveis pela construção da própria vida social, na qual o econômico, o político e o cultural cada vez mais se sobrepõem e se completam. Visto por esse ângulo, o biopoder recusa a distinção entre um dentro e um fora, um interior e um exterior, exercendo-se sem fronteiras e desconhecendo sua exterioridade, na tentativa de englobar tudo e todos; nada fica de fora.

A expansão progressiva de fronteiras, acompanhada pelo processo de incorporação das diferenças, não significa um recrudescimento de posturas racistas. Pelo contrário, segundo os autores, progride na sociedade contemporâneo-imperial uma forma pós-moderna de racismo, revestida por outras formas e estratégias. O chamado racismo cultural, ou ainda racismo da diferença (Lins, 1997), substitui a antiga base do determinismo biológico como fator diferenciador entre as raças por uma visão aparentemente "anti-racista", que insiste nas forças sociais e culturais como fatores diferenciadores entre as raças. Na teoria racista imperial, o determinismo biológico é substituído por um determinismo cultural, que utiliza a cultura para cumprir o papel que a biologia anteriormente desempenhou.

Julgamos que o breve histórico sobre o desenvolvimento, a transformação e a atualização da noção de poder em Foucault nos oferece algumas pistas para nos entendermos como efeitos do biopoder, um poder produtor de discursos quanto ao "outro". Possibilita-nos abordar, ainda, o movimento de bipolarização do mundo em Oriente (i.e., mundo não-europeu) e Ocidente – dinâmica constituidora de identidades alteritárias.

A construção do Ocidente: narrativas alteritárias imaginárias

Talvez a força mais eloqüente de expressão do que chamamos acima de racismo diferencialista e segregacionista seja o processo de ocidentalização do mundo, que tem início com a descoberta da América. Esse evento marca também, para muitos, o início da modernidade (Venn, 2000) ou até mesmo o início da globalização, processo relacionado ao colonialismo e ao capitalismo. Levar a Europa para o mundo constitui o primeiro momento de criar a alteridade do outro para o europeu, o que é, ao mesmo tempo, o início da definição do que é europeu ou do que é Ocidente. É assim que Said (1978, p.13) indica como "o Oriente ajudou a definir a Europa (ou o Ocidente) como sua imagem, idéia, personalidade e experiência de contraste". Construir o outro na diferença foi (e é ainda) principalmente um modo de se construir a si próprio. Não é sem motivo que Venn (2000) intitula seu livro *Ocidentalismo. Modernidade e Subjetividade*, deixando implícita a idéia de que ocidentalizar o mundo é um projeto da modernidade, que envolve a legitimação e a destruição de certas subjetividades.

No referido trabalho, a modernidade é equiparada à ocidentalização do mundo, que se confunde com a expansão da Europa pelas colônias. Nas palavras de Venn (2000:8), o ocidentalismo é "o tornar-se Ocidente da Europa" ou "o tornar-se moderno do mundo". Desse modo, "a modernidade ocidentalizada gradualmente se estabelece como privilegiada, se não hegemônica, associada a uma ambição universalizante e totalizadora" (Venn, 2000:19). Tal processo é caracterizado pelo colonialismo e pelo imperialismo que marcam o discurso hegemônico da modernidade e a violência altamente desumana, em todos os níveis, típica da conquista de novos mundos. Transação indissociável das práticas discursivas, engendra saberes, forja verdades sobre o outro e funciona ativamente na produção de subjetividades estigmatizadas.

Ao tomar contato com o novo mundo, o que se constrói, então, na modernidade são narrativas sobre o europeu e, concomitantemente, narrativas alteritárias imaginárias sobre o que não é europeu; ou sobre a deficiência, a inferioridade, a inutilidade e a demonização do não-europeu, "caracterizando todo o processo colonizador como uma inevitável predisposição para a incomensurabilidade" (Louzada Fonseca, 2002, p. 144). Tal incomensurabilidade é um modo de decretar a fraqueza do outro e ao mesmo tempo a superioridade do europeu, do seu olhar e de suas identidades.

No processo de ocidentalizar o mundo, esteve sempre presente a idéia de que a ocidentalização foi realizada em benefício daquele a quem as benesses da Europa eram levadas. A construção do ocidentalismo envolve a idéia de que os europeus sabem o que é bom para os outros e têm que reeducá-los e mantê-los sob tutela, o que mostra claramente o processo político-discursivo envolvido no engessamento de uma outridade inferior.

Nos tempos atuais, a freqüente polarização na mídia entre os ocidentais e os oriental-árabes poderia ser compreendida como modo contemporâneo de estereotipar e 'racializar' a diferença, reduzindo-a a dois grupos estanques por meio de discursos que os estigmatizam e criam um mundo bipolar: os certos, que agem ao lado da verdade científica, da racionalidade e do Deus correto (cristão), em oposição aos errados, que se pautam pela falta de objetividade científica, pela irracionalidade e por crenças fundamentalistas (os muçulmanos). É a construção desse tipo de perspectiva que passamos agora a focalizar em artigo opinativo, gênero de discurso muito freqüente na mídia.

A mídia e a construção discursiva da diferença

Lingüistas que se debruçam sobre o discurso da mídia, como Norman Fairclough (1995; 1998) e Teun A. van Dijk (1998), observam que os meios de comunicação de massa contemporâneos vêm se tornando mais autoconscientes a respeito da linguagem que utilizam, empregando-a, cada vez mais, de forma calculada e estratégica – o que leva ao incremento de intervenções planejadas "para modelar elementos lingüísticos e semióticos das práticas sociais de acordo com objetivos econômicos, organizacionais e políticos" (Chouliaraki e Fairclough, 1999, p. vii). Além disso, a retórica da mídia faz uso abusivo de generalizações, estereótipos e pressuposições naturalizadas. Como aponta Said (1981), ao debruçar-se sobre a construção do "outro-inimigo" oriental, o mundo islâmico vem sendo foco, há algum tempo, de intenso interesse da mídia ocidental, cuja linguagem e abordagem têm se caracterizado por estereótipos exagerados e hostilidade beligerante. Imagens e discursos generalizantes retratam a cultura árabe e muçulmana de forma monolítica, igualando-a ao extremismo, ao terrorismo, à histeria religiosa e à ameaça a uma "ordem" ocidental. Tal postura incita a formação de grupos de especialistas sobre o Islã que produzem discursos extravagantes e pontificadores, contribuindo não só para o acirramento da polaridade Oriente–Ocidente, como também para a postergação da possibilidade de qualquer diálogo intercultural, para além, portanto, de fundamentalismos de qualquer espécie.

Esse é um dos aspectos que costumam levar alguns analistas do discurso, como os acima referidos, a identificar os textos midiáticos com um tipo de construção ideológica, na medida em que contribuem para a reprodução e cristalização de relações sociais de dominação – embora também possam operar, em princípio, para a transformação. Segundo os autores, o trabalho ideológico na direção da reprodução/cristalização é geralmente feito de forma implícita, encontrando-se embutido na linguagem compartilhada por repórteres, articulistas e sua audiência, cuja coerência discursiva apóia-se no senso comum e em assunções tomadas como verdadeiras. Entretanto, a noção de ideologia com a qual nos identificamos considera que todo discurso é ideológico, na medida em que sempre reflete crenças e visões de mundo, pois não há um lugar privilegiado, fora da atividade lingüística, para a análise das práticas sociais e a constituição de discursos a respeito delas. Assim, qualquer explicação, interpretação, teorização ou articulação nunca é objetiva, pois só pode ser realizada com base em um território discursivo, malha de sentidos à qual nos encontramos, inextricavelmente, entrelaçados. Se entendidos por esse ângulo, identidade e diferença são fabricações de nossa linguagem, tendo que ser nomeadas por meio de certo posicionamento discursivo.

Esse ato de designação não é neutro nem inocente, estando ligado a vetores de força que situam assimetricamente os diferentes grupos sociais. É por essa razão que identidade e diferença se encontram em estreita conexão com relações de poder, pois os processos de diferenciação (pelos quais identidade e diferença são produzidos) apresentam marcas de inclusão/exclusão, de marcação de territórios entre "nós" e "eles", de classificação, hierarquização e normalização. Criamos padrões de correção, atribuímos valores e elegemos, arbitrariamente, identidades específicas como parâmetros de normalidade e positividade segundo os quais outras identidades são definidas como desviantes, negativas ou problemáticas (Moita Lopes, 2002).

Os artigos de opinião, eventos comunicativos eminentemente avaliativos que expressam atitudes e juízos morais do escritor em relação a determinado tópico, constituem um campo fértil para a análise do trabalho ideológico do discurso. Eles são comuns na imprensa escrita, especialmente quando temas polêmicos ganham evidência e vulto social, incitando um posicionamento. A abordagem desse gênero discursivo demanda uma reflexão crítica a respeito das práticas e contextos discursivos de sua produção, circulação e interpretação – postura analítica proposta por aqueles filiados à Análise Crítica do Discurso, ACD (cf. Bell e Garret, 1998). Tal postura se faz extremamente necessária na contemporaneidade e, sobretudo, no evento em tela, já que o discurso da mídia, devido à sua capacidade de difusão e circulação globais, é central na dinâmica "dizer–fazer".

Embora a ACD não focalize propriamente o processo de construção identitária, reconhecemos sua relevância para uma compreensão mais ampla do mundo social, devido à sua proposta de vinculação indissociável entre textos, sociedade, cultura e subjetividade, ligação que deve ser interrogada dialeticamente – já que os textos são construídos socioculturalmente ao mesmo tempo que constituem a sociedade e a cultura (Fairclough, 1995; 1998). Em razão dessa ótica, encorajamo-nos a utilizar as ferramentas analíticas da ACD para a compreensão da produção de identidade e diferença no discurso da mídia.

Fairclough (1995; 1998) entende a relação entre o discurso e o mundo sociocultural como dinâmica, podendo ter um caráter transformador ou reprodutor das práticas sociais. Para entender os movimentos de mudança ou de estabilidade no discurso da mídia, sobretudo na mídia escrita – nosso foco de interesse –, o autor sugere uma análise do discurso de caráter multifuncional, envolvendo a alternância entre dois focos complementares: eventos comunicativos e ordem do discurso. Por um lado, o analista se preocupa com as particularidades de um evento comunicativo específico – por exemplo, um "artigo de opinião" –, analisando-o em sua dupla dimensão de prática discursiva (processo de produção, circulação e interpretação) e de prática social (ligando-o ao contexto sociocultural local e global). O foco geralmente volta-se ao aspecto intertextual dos processos de produção e interpretação de textos, que estabelecem constante diálogo com uma rede de textos disponíveis culturalmente. Por outro lado, o analista também se preocupa com a estrutura geral do conjunto de redes e práticas e de convenções discursivas e interacionais associadas a determinados campos do saber (i.e., com a ordem do discurso).

Cabe lembrar que qualquer ordem do discurso pode ser caracterizada em termos de inclusão, articulação e exclusão (Fairclough, 2000, p. 172), o que suscita perguntas cruciais, tais como quem pode fazer o que, para quem, quando, como e onde, que dão conta da situacionalidade do discurso como ação social. Por exemplo, a ordem do discurso da mídia é estruturada por um conjunto de diferentes práticas (geração de informações, redação da notícia, editoração, entre outros) e discursos específicos (discurso político e discurso econômico, por exemplo) que estabelecem normas de produção e de "inter-ação" (relações criadas entre escritor, leitor e atores sociais que figuram no texto, por exemplo). Tais regras, portanto, atribuem aos indivíduos identidades e posicionamentos discursivos específicos.

Essa perspectiva dual (eventos comunicativos e ordem do discurso) possibilita a observação de processos simultâneos presentes em qualquer texto: 1) caracterização da experiência e recontextualização das práticas sociais de acordo com certa ótica; e 2) construção de relações sociais identitárias entre escritor e leitor (Fairclough, 1995, p. 58). Possibilita ainda a investigação da configuração de gêneros e discursos, e as mudanças e relações estabelecidas não só dentro da ordem do discurso da mídia, mas também com ordens do discurso adjacentes. Julgamos que a essa perspectiva podemos acrescentar o referencial analítico proposto por van Dijk (1998) para análise dos eventos comunicativos "editorial" e "artigo opinativo". Segundo o autor, opiniões nem sempre são construídas, em sua totalidade, de forma direta, através de títulos, imagens, escolhas lexicais e afirmações explicitamente avaliativas. Muito freqüentemente, a postura valorativa do escritor é manifestada por uma série de outros recursos indiretos, como, por exemplo, a forma geral de argumentação, o emprego de determinadas estruturas sintáticas, a construção da estrutura semântica de coerência local e geral do texto, o recurso a pressuposições, a realização de certos atos de atribuição, a colocação em evidência ou o apagamento de fatos específicos e o estabelecimento de elos causais, entre outros. É a relação complexa entre esses recursos nos níveis lexical, sintático, semântico e intersentencial que atua na construção de uma ótica ideológica para o texto.

Com base nesse universo conceitual, voltamo-nos, a seguir, para a análise do texto "É hora de educar o mundo islâmico", do jornalista brasileiro Nelson Ascher, publicado na *Folha de S. Paulo*, em 29 de dezembro de 2002, com vistas à observação de quais discursos sobre a diferença nele circulam.

"É hora de reeducar o mundo islâmico"

Devido à extensão do artigo, focalizaremos apenas alguns momentos-chave do texto. Iniciamos nossas observações abordando o posicionamento do escritor, i.e., como ele se localiza na interação que quer encetar com os leitores de sua matéria, ao longo do processo de (re)construção de determinada versão da prática social em tela: "O mundo islâmico e a guerra".

Focalizando a prática discursiva pelo lado da produção do texto, é preciso situar o escritor que se enuncia por seu nome, Nelson Ascher, e como colunista da *Folha de S. Paulo* em Paris, ou seja, um autor localizado em espaço distante daquele onde o jornal é publicado e que, em princípio, será lido no Brasil. O escritor estava, portanto, dentro do espaço sociocultural onde o provável ataque contra o Iraque era cotidianamente discutido na mídia, uma vez que a França foi um dos países mais contenciosos em relação à necessidade ou não da guerra (o texto foi publicado em 29 de dezembro de 2002, quando a ameaça de guerra era iminente).

O articulista se situa, portanto, em posicionamento privilegiado dentro do cenário em que está localizado – Paris –, tendo o olhar pelo lado de dentro da questão, i.e., um olhar êmico, como participante de um dos contextos onde a ação guerreira se desenrolava; em nenhum momento, porém, se reporta a como essa guerra ou a situação política e econômica do mundo poderia afetar o Brasil, onde estão seus leitores.

Cabe ressaltar que era uma fase-momento em que se configurava grande ameaça de invasão do Iraque por parte da coalizão coordenada por Estados Unidos e Grã-Bretanha, contra a qual boa parte dos países que têm assento na Organização das Nações Unidas se posicionou. A Alemanha e a França, por exemplo, gerenciavam os interesses contrários à guerra. Tal situação mostra que o evento comunicativo em foco se desenrolava em momento de grande tensão internacional, no qual se discutia a ameaça que tal guerra representava para a economia do mundo todo, como também para a sobrevivência da humanidade, em vista do tipo de armas que poderiam ser supostamente usadas (armas químicas, armas de destruição em massa etc.). O que estava em jogo era, na verdade, como os blocos poderosos, EUA e Mercado Comum Europeu (especificamente, Grã-Bretanha, Alemanha, Espanha e França) se colocavam diante da nova ordem do Império (Hardt e Negri, 2000), da qual participam ativamente. É por tal razão que somos levados a interpretar o texto de Nelson Ascher como expressão de uma postura avaliativa frente ao dilema: "A guerra contra o Iraque é a solução para o terrorismo internacional que o episódio de 11 de setembro de 2001 sintetiza?". É nosso juízo que a guerra é abordada pelo jornalista como solução para os problemas globais contemporâneos, reificando o discurso imaginário sobre o perigo iminente que vivemos diante da "ameaça" representada pelo mundo islâmico. Entretanto, tal movimento não se manifesta de forma totalmente explícita, e é a análise da dimensão textual, desenvolvida a seguir, que nos permite sustentar essa percepção.

A abertura do artigo, a partir de seu título – "É preciso reeducar o mundo islâmico" – já sugere oposição entre dois mundos: o mundo islâmico e um outro. O título, como a unidade proposicional mais importante na organização semântica do texto, anuncia a posição de superioridade de alguém (o autor) que sabe o que é melhor para o outro. Situa, assim, a premência da ação de ensinar os seguidores do Islã, apresentados como fora de uma ordem preferida pelo autor, a qual precisa ser mudada. A utilização do item lexical "reeducar" já aponta para essa direção. Ela também ecoa o discurso americano de que é preciso reformar o mundo árabe para alinhá-lo aos valores ocidentais, idéia presente nas palavras da assessora de Segurança Nacional de George W. Bush, Condoleezza Rice, para justificar o plano americano de intervir no sistema iraquiano de Educação depois de sua ocupação: "Grandes potências podem influenciar milhões de vidas e mudar a história. E os valores de grandes potências importam" (cf. *Folha de S. Paulo*, 13 de abril de 2003, p. A-30)

É assim que entendemos que o colunista começa a utilizar o discurso como arma de guerra. Isso é feito por meio da construção da identidade alteritária (os mulçumanos) com base em uma ótica ocidentalista. Para lembrar as palavras de Fairclough (cf. seção 4), o autor caracteriza ou recontextualiza a prática social tematizada dentro de uma ótica ocidentalista, construindo uma posição de outridade mal-educada e atrasada para os mulçumanos de modo a justificar a guerra, reificando imagens do mundo islâmico, já incorporadas ao senso comum, de irracionalidade, ignorância e fanatismo.

No primeiro parágrafo, o trecho em questão é construído para explicitar quem são as "vítimas majoritariamente cristãs" de uma série de atentados perpetrados em várias partes do mundo e de outros contra a população civil de Israel. Percebe-se, contudo, que há uma generalização em relação ao que é descrito como cristão (uma categorização de natureza religiosa) para dar conta de populações civis de países majoritariamente ocidentais ("um consulado americano"; "engenheiros navais franceses"; "turistas alemães"; "reféns de um teatro em Moscou"; "petroleiro francês").

O ano de 2002 foi um ano de terrorismo intensivo e violência mundo afora: cerca de 200 turistas mortos na explosão de uma discoteca em Bali e outras tantas vítimas, majoritariamente cristãs, linchadas na Nigéria; ataques no Paquistão a um consulado americano, a engenheiros navais franceses, a organizações e templos cristãos; alvos cristãos atacados nas Filipinas e uma sinagoga bombardeada na Tunísia, vitimando turistas alemães; a destruição de um hotel e o lançamento de mísseis terra-ar portáteis contra um jato comercial israelense no Quênia; vários atentados contra a Índia; a tomada de reféns num teatro em Moscou por rebeldes tchetchenos; o ataque a um petroleiro francês perto da costa do Iêmen. O maior número de atentados, porém, ocorreu contra a população civil de Israel e, embora 90% deles tenham sido evitados, os bem-sucedidos resultaram em centenas de mortos e milhares de feridos e mutilados.

Qual o objetivo de caracterizar cidadãos de países específicos como grupo religioso? O que levaria o autor a incluir todos esses grupos como cristãos ou como pertencentes ao mundo judaico-cristão? Além disso, outras escolhas lexicais situam os atores sociais, majoritariamente cristãos, no campo semântico da vitimização: "linchadas", "bombardeadas", "vitimadas", "ataque", "atentado", "tomada de reféns", "feridos" e "mutilados", entre outros. Tal sistema de nomeação automaticamente sugere a existência de algozes e perpetradores. Quem são eles?

A resposta surge quando prosseguimos a leitura. Então nos deparamos com a enunciação dos vitimizadores dos cristãos: "essas ações [...] foram todas perpetradas por muçulmanos". Eis, então, o motivo pelo qual é "preciso reeducar o mundo islâmico" e também a razão da inclusão de tantos grupos nacionais diferentes como cristãos. Trata-se da construção de uma guerra religiosa em que o mundo judaico-cristão está sendo massacrado pelos muçulmanos. O que é surpreendente, antes de mais nada, é que o autor arrola como cristãos países ocidentais onde coexistem grande questionamento sobre crenças religiosas e proliferação de seitas/grupos religiosos, nem sempre cristãos. O mesmo processo de inclusão é identificado na utilização do item lexical "mulçumanos". Quem são os muçulmanos? A que serve essa estratégia de generalização que opõe o mundo judaico-cristão ao mundo muçulmano? Já se esboça aqui a argumentação de que a guerra contra o Iraque poderá dar um fim ao terrorismo internacional.

Nos dois primeiros parágrafos, portanto, o autor constitui a polarização central à qual seus argumentos vão estar vinculados: os mulçumanos ("eles") e o mundo judaico-cristão, "nós" – grupo no qual o escritor se inclui. Essa visão bipolar dos acontecimentos, como vimos, é sempre simplista e limitadora de horizontes. Eventos diversos são apresentados como a mesma coisa. O apagamento de matizes e a articulação de uma explicação causal para os conflitos mencionados, o "fanatismo religioso", são apenas algumas das armadilhas reducionistas causadas pela construção de oposições binárias simplificadoras.

Um segundo aspecto sinalizador do ponto de vista do jornalista na abertura do artigo é que os fatos colhidos de várias fontes midiáticas são utilizados como ilustração do "terrorismo intensivo e da violência mundo afora" e agrupados segundo um critério comum: foram realizados por "fanáticos religiosos" contra "civis indefesos" e "alvos-moles"; são, portanto, covardes. A bipolarização, ressignificada aqui em termos de "os maus contra os bons" – que faz reverberar as palavras do presidente americano para justificar a guerra: "Esta é uma luta do Bem contra o Mal", amplamente divulgada na mídia internacional –, representa outra armadilha. Temos clareza de que a construção de uma perspectiva é sempre um processo inevitável de seleção. Entretanto, nos chama a atenção o movimento de tornar relevante certos fatos ao mesmo tempo que se dá o apagamento da história recente. Circunstâncias tais como os conflitos entre israelenses e palestinos, causando mortes de ambos os lados, a ocupação militar da Palestina por Israel desde a Guerra dos Seis Dias e o longo período de apoio financeiro americano (incluindo armamentos pesados) a líderes do mundo islâmico (Saddam Hussein e Osama Bin Laden) e à guerra Irã-Iraque são varridas do nosso campo de visão.

Causa espécie, também, a afirmação de que desde "11 de setembro de 2001 vigora um estado de guerra no planeta". E a guerra Irã–Iraque, a guerra do Golfo, as guerras patrocinadas pelo narcotráfico na América Latina, a atuação de milícias americanas, os conflitos em vários países africanos e os choques permanentes entre israelenses e palestinos, para citar somente os mais recentes? Não configuram igualmente um panorama bélico? A não-menção a essas questões indica o pertencimento do autor ao Ocidente (EUA ou Europa Ocidental), mundo construído no texto como superior, já que nenhum ataque de envergadura nele ocorre devido à "boa prevenção" levada a efeito por EUA e Europa. Tal afirmação, além de delinear a inferioridade do "outro", o constrói como perigo iminente e sem fronteira, pronto a assolar todo o globo, encontrando-se em perfeita sintonia com a filosofia do risco e com a doutrina de ação preventiva, lema do neoconservadorismo americano. Os processos discursivos principais aqui, recorrentes também ao longo do texto, giram em torno da inclusão e da exclusão na articulação de uma lógica ocidentalista e da construção da diferença como desumana, inferior e bélica.

No desenvolvimento do texto, a partir do 7º parágrafo, o jornalista vai deixando cada vez mais claro do lado de quem se alinha e de que forma utiliza o discurso como arma de guerra. Na perspectiva de Nelson Ascher, os americanos e europeus não se vêem como "cruzadistas". Isso leva então ao confronto de "duas visões de mundo: de um lado, uma pré-moderna, religiosamente enraizada; de outro, uma que é pós-iluminista e, no que diz respeito à política, pós-religiosa". O mundo judaico-cristão é parte do segundo estágio, mais avançado e desenvolvido, cabendo, portanto, a ele implementar a "missão" didática. Assim, uma lógica ocidentalista com tons iluministas é empregada para dar suporte à necessidade de reeducar o Islã, reverberando uma noção pedagógica fincada na Modernidade, cujo objetivo consiste em formar cidadãos para ingressar na moderna democracia representativa. Ao recorrer a esse tipo de discurso, o escritor não só estigmatiza o mundo islâmico como também justifica a necessidade de reeducação e modernização à luz de um projeto iluminista de levar ao mundo os valores de humanidade, de progresso, de racionalidade científica e de democracia.

Surpreende, portanto, que o jornalista se veja operando em uma ótica pós-iluminista que, na verdade, não corresponde aos discursos que faz valer em seu texto. Ao contrário do que diz, o autor está partindo de pressupostos expansionistas e agindo, discursivamente, dentro de uma ótica difusiva e, portanto, modernista, que se pauta na existência de uma verdade única que apaga os meandros discursivo-culturais nos quais os "regimes de verdades" (Foucault, 1979) são construídos. Além disso, o posicionamento racista aqui implicado pode ser relacionado às técnicas de poder dos Estados Modernos problematizadas por Foucault, que justificam a lógica "fazer morrer para fazer viver melhor". Não estamos afirmando que o articulista se dê conta dos desdobramentos de seu discurso, mas estamos assinalando que o projeto de reeducar pode dar respaldo, como deu, à intervenção militar, com grandes perdas humanas, "efeitos colaterais", como meio de tornar mais educada a ordem mundial.

O texto tem continuidade calcando-se, recorrentemente, na lógica do "nós" e do "eles" e da construção de alteridades fixadas em uma perspectiva ocidentalista.

> Se bem que nenhum dos ataques acima tenha se aproximado da gravidade do megaatentado inaugural, é este que lhes dá sentido, garantindo que sejam tomados, não como ocorrências isoladas, mas sim como ações de uma mesma conflagração cuja origem se encontra na crise generalizada do mundo islâmico e, de modo muito mais agudo, no seu núcleo, os países árabes. É nessas nações mal-formadas, pessimamente administradas, em franca regressão socioeconômica e nas quais o insucesso de um nacionalismo equivocado abriu as comportas do fundamentalismo religioso, que elites autoritárias e corruptas associaram-se primeiro a uma intelectualidade oportunista e, agora, a um clero sequioso de poder e sangue para, inventando uma sequência paranóica de inimigos externos, dirigir contra estes a ira de suas populações frustradas.

Observamos aqui a mesma visão congelada do mundo islâmico como irracional e povoado por "nações malformadas", em franca decadência econômica, "pessimamente administradas" e detentoras de um "nacionalismo equivocado". O "fundamentalismo religioso", que inventa "uma seqüência paranóica de inimigos externos", seria um traço definidor de todo o mundo muçulmano. A reificação de estereótipos e a insistência no viés dicotômico, forjando inevitavelmente uma visão excessivamente unificada e homogênea de grupamentos humanos, é continuamente repetida. Constatamos, assim, como certas percepções e conceitos ganham estabilidade no mundo social.

Nos parágrafos que se seguem, a descrição do mundo mulçumano é refinada. O Islã continua a ser caracterizado como exemplar do fundamentalismo religioso, ao utilizar "uma retórica bélica que, entre povos mais experientes, causa pasmo antes que horror", e "se assemelha ao Japão militarista". Tal descrição parece justificar a invasão do Iraque pelo governo dos EUA e surpreende por ignorar uma série de discursos que circulavam na mídia sobre o mesmo fundamentalismo cívico-religioso norte-americano, como, por exemplo, o aforismo do "Deus está conosco" – repetido à exaustão pelo presidente Bush –, a luta do Bem contra o Mal, as operações militares batizadas de "choque e pavor", o otimismo messiânico dos neoconservadores americanos em face da democracia militarizada e sua exaltação quase religiosa aos valores estadunidenses, e o grande movimento xenófobo desenvolvido nos Estados Unidos, mobilizando grande parte de cidadãos. A que propósitos se dirige esse discurso que apaga posições fundamentalistas do lado ocidental? É a construção de um mundo pós-religioso, já aludida acima no texto, que pode ser entendida como parte da ocidentalização na contemporaneidade. O autor ilustra, com o exemplo histórico da reeducação do Japão no pós-guerra – caso típico de ocidentalização –, como esse país reeducado pôde "retornar à comunidade das nações". E é isso "ao que tudo indica [...] [o] que se prepara para o Iraque". Alinha-se, assim, o articulista com a retórica neoconservadora americana explicitada nas palavras do inspirador de sua política externa, Robert Kagan; ao explicar, já em pleno desenvolvimento da guerra, o ataque ao Iraque, ele diz: "Os EUA são uma superpotência benévola" (cf. *Folha de S. Paulo*, 23 de março de 2003, p. A-24).

Nos próximos parágrafos, tem prosseguimento a construção de uma justificativa para a invasão do Iraque, que se baseia na mesma estratégia de dar voz a somente um dos lados. É digno de nota que toda a argumentação aqui se dirige a explicar como o Iraque procura "a hegemonia político-militar no Oriente Médio", com "um regime que acumula um arsenal de armas não convencionais", o que é "uma boa desculpa para implementar um projeto mais ambicioso, que implica impor reformas profundas a todos países vizinhos". A explicação do jornalista acusa o mundo árabe de funcionar em uma lógica que, na verdade, é peculiar ao Império. Parece, assim, ignorar o propalado discurso sobre a construção do Império, problematizado tanto no mundo acadêmico (cf. Hardt e Negri, 2000) quanto no mundo globalizado de nossos dias por meio de diferentes jornais e revistas (como exemplo, cf. as seções do jornal *Folha de S. Paulo* dedicadas à cobertura da guerra, batizada de "Ataque do Império").

Ao elaborar a parte final do texto, o autor utiliza uma série de argumentos para mostrar que, se o ataque de 11 de setembro tinha como objetivo expulsar os Estados Unidos do mundo islâmico, como queria Osama Bin Laden, isso não acontecerá.

> Se uma das metas declaradas dos planejadores da destruição do World Trade Center era a de expulsar os americanos das terras islâmicas, o que conseguiram até o momento foi a maior concentração de seu poderio militar no coração mesmo do mundo árabe.

Retornando à temática do terrorismo global, o jornalista mostra que toma discursos construídos pela imprensa americana como valor de verdade. Grande parte da mídia internacional apontou a falta de evidências sobre várias das suspeitas levantadas neste último parágrafo: a ligação entre a Al Qaeda e Saddam Hussein, a existência de armas de destruição em massa no Iraque (agora já amplamente contestada, mediante provas contrárias) e a culpabilidade de Osama Bin Laden na destruição das Torres Gêmeas são alguns exemplos de acusações não esclarecidas sobre as quais não há provas irrefutáveis.

Da mesma forma, é ignorada a ampla discussão sobre o fato de o desenvolvimento da doutrina de segurança geoestratégica americana ter se dado muito anteriormente ao ataque de 11 de setembro. Esse apenas teria criado um clima favorável para que a doutrina, antes criticada, encontrasse ampla aceitação e fosse ressignificada em termos de "guerra ao terrorismo internacional".

Ao passar ao largo de todo esse questionamento e apresentar, num estilo laudatório e assertivo, como incontestes "fatos" que até agora parecem ter sido construídos como estratégia de convencimento da opinião pública mundial, o texto de Nelson Ascher pode ser interpretado como justificativa da guerra contra o Iraque e aceitação acrítica da doutrina americana de "combate ao terror". O colunista parece até mesmo saudar o plano de ataque ao Iraque como "reparação" pelo 11 de setembro. Essa percepção se apóia na alusão a Osama Bin Laden ao final do artigo, dentro da proposição afirmativa "uma coisa é líquida e segura: as coisas não correrão de acordo com os planos originais de Osama Bin Laden". O emprego dos adjetivos "líquida" e "segura", bem como a utilização dos tempos presente ("uma coisa é") e futuro do indicativo ("não correrão"), imprimem à proposição contornos de ameaça, além de insinuarem uma justificativa para o emprego de meios militares, se necessário for. É por isso que somos levados a interpretar a força ilocucionária do artigo como posicionamento favorável do jornalista à ação bélica *preventiva* e *autodefensiva*, em sintonia com a retórica da "Doutrina Bush" – nomeação utilizada por muitos daqueles que se manifestaram criticamente na mídia a respeito do panorama belicoso.

Levando em conta o conjunto de redes de práticas e convenções discursivas e interacionais associadas à ordem do discurso da mídia, constatamos que Nelson Ascher as articula de forma tradicional em seu artigo de opinião, recorrendo às polarizações, às dicotomias, a uma série de pressuposições, a toda sorte de estereótipos e ao apagamento de vozes dissidentes, recursos comumente utilizados como forma de argumentação em artigos opinativos. O tipo de interação assimétrica que ele propõe aos seus leitores, sua estratégia de ação não-problematizadora, e a construção de identidades/alteridades engessadas e estigmatizadas, em conjunto, constroem para a sociedade uma perspectiva fundamentalista.

Conclusão

A narrativa multivocal e polifônica por nós articulada auxiliou-nos a mapear discursos disponíveis na cultura. A partir delas, observamos o entrelaçamento de poder, saber, conhecimento e subjetividade, em estado de provocação mútua, ao reconstruirmos um mosaico de crenças, valores e atitudes presentes no texto do jornalista Nelson Ascher.

Ao longo do percurso proposto, sublinhamos a construção de um posicionamento ocidentalista e a fabricação de uma ótica fundamentalista travestida por um discurso libertador e emancipador. Vimos que tal encadeamento de idéias associa diferentes discursos que, embora não sejam uniformes, trabalham com a noção de risco diante do menos desenvolvido, fornecendo um caminho compartilhado para o discurso bélico no qual a eliminação do perigo é necessária para a democracia. Tal lógica engendra uma ideologia sintonizada com o credo ocidentalista dominante e com uma face do projeto neoliberal que nele se insere, de que o mais moderno, o mais desenvolvido e o mais novo são melhores para todos e devem ser levados ao mundo pelos que se encontram em estágio mais avançado e iluminado da humanidade.

Tal situação nos faz concordar com Venn (2000) que os textos fundamentalistas de hoje se expandiram para os meios de comunicação de massa e para a tecnologia militar. Podem ser entendidos, portanto, como reutilizações modernas de discursos tradicionais e religiosos, que preservam suas dimensões míticas, embora sejam condicionados pela experiência da contemporaneidade. Podem, também, ser interpretados como parte dos projetos contemporâneos de ocidentalizar o mundo, na lógica do Império, que não deixa nada de fora e tudo inclui para "educar".

Nesse sentido, o texto jornalístico em questão pode ser considerado parte integrante das redes de informação em uma sociedade que faz com que aceitemos idéias e discursos sem necessidade de coação e atualizemos, na prática, atitudes e valores sem que reflitamos sobre eles. Incorporamos, assim, sentidos sobre a satanização do outro sem grande noção de suas implicações para o funcionamento da sociedade. Constatações dessa natureza, fruto de uma leitura possível de uma complexa rede sociodiscursiva, não querem dizer que na mídia não haja discursos que atuem na direção contrária, o que indica que a ordem do discurso da mídia é um sistema aberto. As vozes de vários outros jornalistas que fizemos figurar ao longo de nosso texto apontam nessa direção, sinalizando que a construção de outros mundos é possível. Outros poderes, outros saberes, outros conhecimentos e outras subjetividades aguardam a nossa invenção.

Todo discurso é uma ferramenta – de guerra ou de paz. Cabe a nós saber manejá-la no exercício de construção de novas coletividades políticas, nas quais coexistam múltiplas formas de vida que se reconheçam reciprocamente na sua diferença e na sua qualidade de membros de uma cultura política comum. O paradoxo implicado nessa proposição nos desafia. Que sejamos criativos!

Referências bibliográficas

BELL, Alan; GARRETT, Peter (Orgs.). *Approaches to media discourse*. Oxford: Blackwell, 1998.

CASTEL, Robert. From dangerousness to risk. In: BURCHELL, G.; GORDON, G.; MILLER, P. (Orgs.). *The Foucault effect*: studies in governamentality. Londres: Harvester Wheastsheaf, 1991. p. 281-298.

CHOULIARAKI, Lilie; FAIRCLOUGH, Norman. *Discourse in late modernity*: rethinking Critical Discourse Analysis. Edinburgh: Edinburgh University Press, 1999.

FAIRCLOUGH, Norman. Dialogue in the public sphere. In: SARANGI, S.; COULTHARD, M. (Orgs.) *Discourse and social life*. Londres: Longman, 2000.

_____. Political discourse in the media: an analytical framework. In: BELL, A.; GARRETT, P. (Orgs.). *Approaches to media discourse*. Oxford: Blackwell, 1998.

_____. *Media discourse*. Oxford: Oxford University Press, 1995.

FOUCAULT, Michel. Aula de 17 de março de 1976. In: _____. *Em defesa da sociedade* curso no Collège de France. São Paulo: Martins Fontes, 2000.

_____. *Microfísica do poder*. Rio de Janeiro: Graal, 1979.

_____. *Vigiar e punir*: história da violência nas prisões. Rio de Janeiro: Vozes, 1977 [1975].

HARDT, Michael; NEGRI, Antonio. *Império*. Rio de Janeiro: Record, 2001.

LINS, Daniel. Como dizer o indizível? In: _____ (Org.). *Cultura e subjetividade*: saberes nômades. Campinas: Papirus Editora, 1997. p. 69-114.

LOUZADA FONSECA, Pedro Carlos. 2002. Identidades bestiárias na colônia: monstruosidade, gênero e ordem política na cronística portuguesa sobre o Brasil dos séculos XVI e XVII. In: MOITA LOPES, L. P.; BASTOS, L. C.(Orgs). *Identidades*: recortes multi e interdisciplinares. Campinas: Mercado de Letras, 2002. p. 135-147.

SAID, E. W. Islã e Ocidente são bandeiras inadequadas. In: _____. Said, E. W. *Cultura e política*. São Paulo: Boitempo Editoral, 2003. p. 136-139.

_____. *Covering Islam*: how the media and the experts determine how we see the rest of the world. Nova York: Vintage, 1981.

_____. Orientalismo. *O oriente como invenção do ocidente*. São Paulo: Companhia das Letras, 1978[1996].

VAN DIJK, Teun A. Opinions and ideologies in the press. In: BELL, A.; GARRETT, P. (Orgs.). *Approaches to media discourse*. Oxford: Blackwell, 1998.

VENN, Couze. *Occidentalism*: modernity and subjectivity. Londres: Sage, 2000.

O papel da imprensa na construção de espaços democráticos no Brasil: o caso das cotas no acesso ao ensino superior público

*Anna Elizabeth Balocco**

1 – Introdução

Numa série de matérias publicadas no jornal *O Globo* em 2007, foram levantadas questões a respeito das relações entre imprensa e ideologia. Para os articulistas responsáveis pelas matérias, a imprensa não é investida de valores ideológicos: mesmo no chamado 'jornalismo de opinião', lugar em que se expressam posições pessoais sobre acontecimentos ou temas controvertidos da atualidade, os jornalistas procuram ser isentos e fornecer aos seus leitores uma pluralidade de perspectivas em relação àqueles acontecimentos e temas.

É inegável e inquestionável o empenho dos profissionais da imprensa com os critérios de isenção e imparcialidade nos seus relatos e análises. No entanto, os jornalistas desempenham suas funções no interior de uma estrutura mais ampla: aquela que é na verdade uma das mais importantes insti-

---

* Professora adjunta de Língua Inglesa na Universidade do Estado do Rio de Janeiro e docente no curso de Mestrado em Lingüística do Programa de Pós-graduação em Letras da mesma instituição. Doutora em Lingüística pela Universidade Federal do Rio de Janeiro, é autora de capítulos de livros e inúmeros artigos publicados em revistas especializadas no Brasil e no exterior. Sua pesquisa envolve a Análise Crítica do Discurso, com foco na temática da identidade e da produção de subjetividades na mídia. (annabalocco@terra.com.br)

tuições sociais da vida contemporânea. A imprensa não é separada da vida social, e sim é uma parte dela, sendo, portanto, afetada pelas relações de poder constitutivas da formação social em que se insere. É neste sentido que Raymond Williams (1989, p. 22) argumenta que é possível compreender-se a natureza das relações sociais na contemporaneidade através de uma análise das interações sociais mediadas pela imprensa.

Foi com este espírito que se decidiu investigar a natureza da discussão sobre a política de cotas na imprensa, ou o acesso diferenciado à universidade pública brasileira através do chamado 'sistema de cotas'. Observa-se, no debate sobre as cotas, uma verdadeira disputa pelos modos de simbolização da sociedade brasileira, enquanto constituída por diferentes segmentos sociais com acesso diferenciado a bens públicos, como saúde, moradia e educação (aquilo que, neste capítulo, será chamado de 'o espaço democrático brasileiro'). Há textos que representam discursivamente o espaço democrático brasileiro como um espaço disputado por brancos e negros, no que diz respeito à educação superior pública, enquanto outros representam este mesmo espaço como sendo disputado por estudantes provenientes da escola pública e outros provenientes da escola particular, para dar apenas dois exemplos.

Conclui-se que estamos lidando com imaginários democráticos diferentes no debate público sobre as cotas. O que as matérias publicadas fazem, no seu modo de funcionamento simbólico, não é *descrever* uma realidade positiva claramente estabelecida na sociedade brasileira: de um lado, grupos sociais bem demarcados e excluídos da esfera pública; de outro, grupos também bem definidos ou delimitados, com acesso a bens públicos. Pelo contrário, o que os textos fazem é *construir* discursivamente estes espaços democráticos, nomeando os segmentos sociais que seriam candidatos legítimos a uma política de redistribuição de bens sociais. E como o fazem de forma distinta, estamos lidando com um espaço discursivo descontínuo, marcado pela disputa, ou por sentidos em confronto.

Para cumprir seu objetivo, este capítulo está organizado da seguinte forma: primeiro, apresentam-se os critérios usados na constituição de um *corpus* de matérias jornalísticas sobre o sistema de cotas, seguidos por uma descrição das categorias analíticas adotadas no exame dos textos. As seções seguintes voltam-se para a análise propriamente dita e para algumas considerações sobre a forma como tem se conduzido o debate público sobre o sistema de cotas na imprensa.

2 – Metodologia

Esta seção, de natureza mais técnica, fornece ao leitor elementos para avaliar a forma como foi conduzida esta pesquisa. Na constituição do *corpus*, adotamos critério de Gouveia (1997, p. 114), usado quando o tema é um assunto de natureza controvertida: para o autor, nestes casos costuma-se compilar matérias publicadas num período de 45 dias seguidos. Foi, portanto, necessário definir critérios para a seleção de um marco inicial, a partir do qual as matérias jornalísticas seriam compiladas. Inicialmente, cogitou-se o início de março, mês seguinte à data original prevista para a matrícula dos aprovados[72] no Vestibular Uerj 2003, visto que a polêmica sobre o sistema de cotas ganhou evidência em função de liminares ou ações impetradas contra a Uerj. Cogitou-se ainda tomar como marco delimitador para o período de coleta das matérias o dia 27 de fevereiro de 2003, noticiado na grande imprensa como a data em que se realizou um seminário promovido pela Secretaria de Estado e Tecnologia do Estado do Rio de Janeiro para discussão do sistema de cotas. Entende-se que as notícias sobre as ações impetradas contra a Uerj e o Seminário deram mais visibilidade pública à polêmica sobre o sistema de cotas. No entanto, durante a compilação, observou-se que o debate público sobre as cotas se travava, de forma acirrada, antes do seminário promovido pela Secti. Ampliou-se, portanto, o período de coleta de matérias para todo o mês de fevereiro: foram assim compiladas matérias publicadas de 1 de fevereiro de 2003 a 13 de abril de 2003.

Outro critério na delimitação do *corpus*, aplicado após esta compilação inicial, diz respeito aos gêneros textuais: foram selecionados apenas os artigos opinativos e as cartas de leitores, tendo sido desprezadas as notícias. Embora as notícias também contribuam para a formação de sentidos (não sendo encaradas como mero registro dos acontecimentos), privilegiou-se aquilo que poderia ser entendido como o espaço "opinativo" no jornal: nos dois gêneros textuais, expressa-se uma opinião sobre o sistema de cotas (nos dois casos ainda, são matérias assinadas).

Tendo sido definidos os critérios que norteariam a constituição do *corpus*, procedeu-se à seleção dos jornais nos quais circularam matérias sobre o

---

[72] A matrícula dos aprovados no Vestibular seria de 11 a 13 de fevereiro, mas foi adiada em função das ações impetradas contra a universidade.

sistema de cotas. Embora nesta ocasião as matérias sobre o sistema de cotas fizessem referência às universidades públicas cariocas, julgou-se oportuno verificar o impacto da medida na imprensa paulista, tendo em vista os objetivos da pesquisa, voltados para o debate público mais amplo sobre esta política de ação afirmativa. Com este objetivo em mente, foram selecionados o jornal carioca *O Globo* e o jornal paulista *A Folha de S. Paulo*, que têm perfis semelhantes, a julgar pelos dados fornecidos pelos próprios jornais: ambos têm circulação nacional e dirigem-se à classe média alta, letrada, cujos filhos têm acesso à universidade pública.

O *corpus* constituído segundo os critérios mencionados é descrito a seguir, num quadro que organiza sua distribuição no tempo e identifica os textos por jornal[73] e por gênero:

QUADRO 1:
IDENTIFICAÇÃO DOS TEXTOS QUE COMPÕEM O *CORPUS* DE PESQUISA

JORNAL	MÊS	DIA	GÊNERO	TÍTULO E IDENTIFICAÇÃO
Folha SP	Fevereiro	11	Ed. Opinião	Cotas e nada mais (FSPo-1)
Folha SP	Fevereiro	21	Ed. Opinião	Cotas em questão (FSPo-2)
Folha SP	Fevereiro	17	Carta do Leitor	Cotas (FSPc-1) / *Folhateen*
O Globo	Fevereiro	21	Carta do Leitor	Sem título (OGc-1)
O Globo	Fevereiro	24	Carta do Leitor	Cotas coloridas (OGc-2)
O Globo	Fevereiro	24	Carta do Leitor	Sem título (OGc-3)
O Globo	Fevereiro	26	Carta do Leitor	Sem título (OGc-4)
O Globo	Fevereiro	28	Art. Opinião	Racismo e papel da universidade (OGo-1)
O Globo	Fevereiro	28	Art. Opinião	Dever inadiável (OGo-2)
Folha SP	Março	07	Art. Opinião	O papel estratégico das cotas (FSPo-3)
Folha SP	Março	09	Art. Opinião	Universidade vira sonho da casa própria (FSPo-4)
Folha SP	Março	10	Carta do Leitor	Mais cotas (FSPc-2) / *Painel do Leitor*
O Globo	Março	12	Art. Opinião	Quem tem medo dos negros? (OGo-3)
O Globo	Março	12	Art. Opinião	Ação afirmativa, sim; cota, não (OGo-4)
O Globo	Março	21	Art. Opinião	Introduzindo o racismo (OGo-5)
O Globo	Março	22	Art. Opinião	Mau exemplo (OGo-6)
O Globo	Abril	01	Carta do Leitor	Sem título / *Megazine* (OGc-5)
O Globo	Abril	01	Carta do Leitor	Sem título / *Megazine* (OGc-6)

---

[73] O procedimento para a identificação dos textos é marcar as iniciais do jornal em questão, seguidas de letra referente ao gênero ("o" para textos opinativos e "c" para cartas do leitor), seguida de indicação numérica, que ordena os textos em função de sua data de publicação. Em alguns casos, sentiu-se necessidade ainda de se indicar a Seção em que o texto é publicado (exemplo, *Folhateen* ou *Megazine*).

Dados os objetivos da pesquisa, resolveu-se por quadro teórico de Theo van Leeuwen (1996) para o estudo da "representação dos atores sociais no discurso". Neste quadro teórico, volta-se a atenção para a forma como são feitas referências, num determinado texto ou num conjunto de textos, aos participantes de determinado processo social. Do ponto de vista empírico, são vários os atores sociais envolvidos num determinado processo social, mas do ponto de vista discursivo, apenas alguns destes atores estarão representados no texto. Interessa, portanto, analisar que atores sociais são efetivamente representados e a forma como são representados.

3 - A análise

Foram observadas várias descontinuidades nos textos constantes do *corpus* desta pesquisa. Há descontinuidades na representação discursiva dos atores envolvidos no sistema de cotas: em alguns textos, a figuração do debate se atém às instâncias discursivas diretamente envolvidas no diálogo sobre as cotas (o Poder Executivo, os defensores das cotas, os legisladores, a Justiça, a elite), enquanto em outros são mobilizadas instâncias discursivas ligadas ao quadro de referência cultural e histórico em que se desenvolve o debate sobre as cotas (o inconsciente do país, a representação do problema racial em romances, a tradição intelectual que se aproximou do problema racial e da desigualdade). Os exemplos a seguir ilustram as descontinuidades na figuração do processo de intervenção sobre o acesso à universidade pública:

> Exemplo 1: Ao aplicar o sistema de cotas no vestibular, a universidade está cumprindo duas leis *aprovadas por unanimidade pela Assembléia Legislativa e sancionadas pelo então governador Anthony Garotinho* (OGc-4; itálico acrescentado).

> Exemplo 2: O peso das desigualdades sociais legadas pelo regime de escravidão permanece como *um problema a ser solucionado no inconsciente do país*. Ainda que geneticistas e antropólogos tenham provas irrefutáveis daquilo que, na prática, podemos facilmente concluir – por baixo da pele, seja parda, negra ou branca, somos todos iguais –, as oportunidades sociais ainda refletem uma desproporção exagerada em relação à distribuição racial da população brasileira (FSPo-3; itálico acrescentado).

Destaca-se, de um breve exame dos trechos em discussão, a figuração particular dos atores sociais colocados em cena: se no exemplo 1 figuram os atores diretamente envolvidos na criação e implantação do sistema de cotas, no exemplo 2 colocam-se em discurso vozes mais abstratas que constituem o debate público sobre a questão das desigualdades sociais do país. O que varia, portanto, de texto para texto, é a figuração do debate, ou a representação discursiva dos atores envolvidos no debate público.

Há descontinuidades na forma como se representa discursivamente o 'Estado' como ator social no processo de intervenção no acesso ao ensino superior público. Seguem alguns exemplos:

> Exemplo 3: Ação afirmativa é um instrumento legítimo *do Estado democrático* que visa a promover maior igualdade de oportunidade para os grupos discriminados (OGc-1).

> Exemplo 4: Nas condições brasileiras, o princípio das cotas é uma ferramenta forte [= *do Estado*] para ampliar direitos, fortalecer a cidadania e o edifício democrático nacional (OGo-3).

> Exemplo 5: Além disso, não querem [= os adeptos das cotas] concordar que o mero fato de *o Estado* chegar a obrigar certos cidadãos a se classificar racialmente já em si consolida e celebra divisões raciais (OGo-5).

Nos três primeiros exemplos, o 'Estado' é representado através de uma prática discursiva que cria cadeias de associação com valores ditos democráticos (igualdade de oportunidade, cidadania, direitos sociais). Já no último exemplo (5), constrói-se o referente 'Estado' como aparelho burocrático, que estimula a apatia política dos cidadãos ('obrigando-os' a se declararem negros ou brancos).

Há descontinuidades, ainda, na forma como se representa discursivamente o espaço democrático na presente formação social brasileira: em alguns textos, a figuração do espaço democrático é a de um campo social dividido entre um grupo indiferenciado de pessoas ('nós') e um grupo social com demandas específicas ('eles'= os negros). Em outros, este espaço é representado discursivamente como um grupo homogêneo, em que predomina 'a mistura e confusão racial' (Exemplo 9 a seguir). Há outros ainda que figurativizam o espaço democrático como um espaço disputado por grupos constituídos como alianças temporárias (em torno de uma demanda específica) e por grupos caracterizados por serem alianças cristalizadas ('a elite'). A seguir, alguns exemplos da forma como se representa discursivamente o espaço democrático brasileiro:

> Exemplo 6: Bastaram algumas liminares, concedidas pela Justiça do Rio de Janeiro, para a mídia brasileira voltar a ser inundada com as opiniões *dos críticos da adoção de cotas para negros e pardos nas universidades públicas* (OGo-3).

> Exemplo 7: Afinal as forças em movimento são plurais, *os interesses dos segmentos dominantes estão cristalizados há séculos*, o próprio Estado brasileiro não tem sido um exemplo brilhante no exercício de suas prerrogativas no sentido de ampliar a participação da cidadania (OGo-3).

> Exemplo 8: Entretanto, os defensores da tese não podem se deixar intimidar e devem se mobilizar para impedir o seu engavetamento, tão ao gosto *das elites, que se eriçam quando vêem no horizonte social e histórico a possibilidade de ascensão dos milhões de brasileiros que ficaram à margem no processo de conquista da modernidade contemporânea* (OGo-3).

> Exemplo 9: O sistema de cotas veio para mudar radicalmente a maneira pela qual devemos imaginar o Rio de Janeiro – não mais a cidade maravilhosa *da mistura e da confusão racial*, mas como um lugar cartesianamente dividido entre negros e pardos de um lado, e os "outros" de outro. É isso mesmo que querem os defensores das cotas? Alguns sim, porque pensam que a cidade já é dividida nessas linhas, mas *muitos outros reconhecem os perigos da racialização* (OGo-5).

Dos exemplos apresentados, observa-se que há desde formulações mais gerais, como 'os críticos da adoção de cotas', até formulações mais específicas, como 'as elites' ou 'os segmentos dominantes'. No caso de 'os críticos da adoção de cotas', faz-se uso de uma estratégia de "assimilação/ coletivização" (representação de atores sociais, não de forma individualizada, mas em grupos) em que se destaca o caráter temporário da associação entre os atores sociais. Não havendo algum traço positivo na caracterização deste grupo, o mesmo adquire uma natureza transitória, resultante de uma aliança que existe apenas em relação a uma atividade específica (neste caso, a aliança em torno do posicionamento contra as cotas).

Já no caso de 'as elites' ou 'os segmentos dominantes', a estratégia de representação discursiva de indivíduos organizados em grupos é distinta da apresentada no parágrafo anterior, visto que o grupo é identificado por meio do traço positivo "classe social". Aqui, faz-se uso de uma estratégia de "identificação/classificação", que se contrapõe à "assimilação/coletivização": enquanto a expressão 'os críticos das cotas' constrói uma aliança temporária e instável entre os opositores da cota, 'as elites' e 'os segmentos dominantes' reconhecem uma divisão na formação social brasileira, de natureza estável.

Para finalizar, registre-se uma representação discursiva de grupos sociais aparentemente organizados em favor das cotas, também de caráter temporário:

Exemplo 7 (repetido e expandido): A implantação de uma idéia como a das cotas – nova no Brasil, embora já testada em vários países do mundo, com resultados diferenciados – não seguirá certamente um caminho retilíneo, sem erros. Afinal *as forças em movimento são plurais,* os interesses dos segmentos dominantes estão cristalizados há séculos, o próprio Estado brasileiro não tem sido um exemplo brilhante no exercício de suas prerrogativas no sentido de ampliar a participação da cidadania (OGo-3).

Neste exemplo, a formação social brasileira é não somente caracterizada como constituída de grupos sociais estabilizados ('segmentos dominantes cristalizados há séculos'), mas constituída também por grupos sociais representados discursivamente como mais voláteis ('forças sociais *em movimento*'), expressão que poderia ser entendida como fazendo referência indireta a movimentos organizados da sociedade civil.

Continuando com o exame das descontinuidades nos textos da amostra, há a articulação de diferentes formações discursivas, com valores distintos em função da forma como são reunidas no texto. Em alguns casos, figuram exclusivamente valores ligados a uma formação discursiva democrática (direitos coletivos, cidadania, igualdade de oportunidades); em outros, são trazidas para a mesma página uma formação discursiva liberal (valores universais; liberdades individuais) e outra de feição democrática. Por outro lado, registrem-se também as diferentes ordens do discurso articuladas nos diferentes textos, com predominância da ordem do discurso jurídico.

Para finalizar, há descontinuidades na forma como são representadas discursivamente as identidades coletivas nos textos: há matérias em que se articulam os termos 'negros' ou 'negros e pardos' (ou ainda 'afrodescendentes') a uma cadeia de significações associada a uma herança histórica de exclusão. Já em outros textos, busca-se justamente desarticular esta associação e apresentar 'os negros' (ou pelo menos 'alguns negros') como titulares de direitos sociais consignados na Constituição Brasileira, ou 'sujeitos de direitos' (neste capítulo entendidos como indivíduos com acesso à educação privada de qualidade, portanto com acesso automático ou garantido à universidade pública). Em textos com a mesma orientação argumentativa, busca-se desarticular, através do termo 'brancos pobres', a associação entre 'brancos' e o conceito de 'sujeito de direitos'. Nem todos os brancos, segundo alguns articulistas, têm acesso à educação de qualidade (à educação privada), portanto nem todos têm acesso automático à universidade pública – nem todos são 'sujeitos de direitos'.

A seguir, um exemplo apenas para ilustrar uma prática discursiva em que se sobrepõe a questão das desigualdades sociais à questão dos direitos coletivos:

> Exemplo 10: Os defensores das cotas para negros e pardos nas universidades sempre justificaram as suas posições alegando que esse contingente da população é o mais desassistido e desprovido de recursos, não tendo condições de competir em pé de igualdade com os brancos.
>
> Por isso, achei bastante interessante um dado que consta da reportagem "Só 36,6% entram na Uerj fora das cotas" (Cotidiano, 15/2). A reportagem mostrou que *19,7% do total de negros e pardos aprovados não estudaram em escolas públicas*. Pelo jeito, a situação da população negra – mesmo longe de ser equiparada à da população branca – não é tão catastrófica como querem fazer crer os defensores das cotas.
>
> Esse fato vem mostrar que esse sistema, apesar de imbuído de boas intenções, comete injustiças, seja do lado dos *brancos pobres* – que não podem se beneficiar das cotas –, seja do lado de *negros que têm condições de pagar uma escola particular* e não deveriam ter o privilégio da reserva de vagas.
>
> Ricardo Greber Arini, São Paulo, SP (FSPc-1; itálico acrescentado)

O espaço democrático, neste texto, é representado discursivamente como disputado por estudantes provenientes da escola pública e aqueles oriundos da escola particular. Superpõe-se a esta representação discursiva de identidades coletivas com base no traço funcionalização na dimensão privado vs. particular ("estudantes de escola pública / particular"), o traço classe social ("brancos pobres"; "negros que têm condições de pagar uma escola particular"). Nos termos desta pesquisa (adiantando discussão adiante sobre a problemática universal vs. particular na cena contemporânea), o lugar vazio do "universal" no espaço democrático, na formação social brasileira hoje, no que diz respeito à educação superior, é representado discursivamente, neste texto, como preenchido por um 'sujeito de direitos' marcado pelos traços de classe social (classes mais favorecidas), e funcionalização na dimensão público vs privado (estudante de escola particular). O traço de etnia é sugerido como secundário à dimensão de funcionalização/ proveniência de escola particular e ao traço 'classe social'[74].

Do ponto de vista da linha teórica que informa a análise dos textos publicados na imprensa sobre o sistema de cotas, observa-se que o grupo ou segmento social não é aqui considerado um referente "natural", como na sociologia funcionalista, e sim uma categoria sociodiscursiva: os grupos sociais se constituem, não por seus traços homogêneos e transparentes, mas através de suas demandas. Este é um argumento de Ernesto Laclau, um sociólogo argentino radicado na Inglaterra, no livro *On populist reason* (2005), trazido para a reflexão sobre o sistema de cotas.

Do ponto de vista discursivo, há uma dimensão performativa nos gestos de nomeação constantes dos textos publicados nos jornais: conferir a determinados grupos sociais a identidade discursiva de candidatos legítimos à política de cotas significa instituí-los, no plano empírico, como sujeitos políticos, no contexto desta discussão entendidos como sujeitos que apresentam demandas legítimas. O que o debate público faz é produzir, retroativamente, uma identidade discursiva para certos segmentos sociais. E 're-

---

[74] A carta deste leitor é respaldada por uma posição muito pronunciada no meio acadêmico hoje, representada pelo pensamento, por exemplo, de Demétrio Magnoli (USP), que em artigo recente no jornal *O Globo*, de 08 de fevereiro de 2007, argumenta que "a pobreza não tem cor".

troativamente' quer dizer a partir do debate, ou durante o debate – estes grupos sociais não tinham uma identidade discursiva antes do debate. Assim, por exemplo, a nomeação dos 'estudantes da escola pública' como candidatos legítimos à política de cotas confere a um grupo de indivíduos, no contexto deste debate público, uma identidade discursiva, instituindo este grupo como sujeitos políticos, que questionam a "universalidade" da categoria de sujeito de direitos no Brasil hoje.

A luta pela fixação parcial de um sentido para o conceito de 'sujeito cotista' (ou sujeito com uma demanda legítima a uma política de inclusão social) se dá mediante o estabelecimento de um conjunto de oposições simbólicas (brancos vs. negros; ricos vs. pobres; estudantes da escola particular vs. estudantes da escola pública; para dar apenas alguns exemplos). O conceito de 'sujeito cotista' nunca vai alcançar a sua 'universalidade', pois este é um lugar impossível: quando se estabelece uma oposição simbólica, incluem-se alguns elementos, mas, no mesmo gesto, outros são excluídos. Um ponto fundamental aqui, sobre o qual o leitor bem informado já deve estar se indagando, diz respeito à forma como a representação simbólica é sedimentada em práticas e em instituições: a nomeação não é uma operação puramente verbal ou simbólica, e sim uma operação localizada em práticas sociais que podem, ou não, se consolidar institucionalmente.

Por exemplo, não basta um determinado grupo social (filhos de policiais civis e militares, vamos dizer) apresentar-se à sociedade como candidato legítimo à política de cotas. Não basta o gesto de nomeação: é preciso que este gesto tenha um investimento afetivo – o que na dimensão política significa que esta demanda particular seja politicamente saliente na sociedade brasileira hoje (Laclau, 2005, p. 63). Uma oposição simbólica que é especialmente saliente no Brasil hoje é a que faz referência ao sistema de ensino particular *versus* sistema de ensino público. A colocação em discurso da identidade coletiva 'estudantes da escola pública', no contexto do debate sobre as cotas, revela que esta oposição não é uma oposição simples, e sim uma oposição sobredeterminada por circunstâncias concretas, em função do próprio passado da escola pública. Há uma história concreta de como a escola pública foi "abandonada" pela classe média e todo um imaginário sobre a situação de carência nas escolas públicas.

É esta sobredeterminação, ou investimento diferencial, que leva o termo 'estudante de escola pública' a deixar de ser apenas uma categorização funcional (um traço de proveniência) para se transformar num índice de carência ou exclusão social. De forma que falar em escola pública no Brasil hoje é falar em sujeitos políticos, ou sujeitos com demandas legítimas.

Essas descontinuidades são a matéria da qual se ocupam os analistas críticos do discurso, que tomam como questão central em suas pesquisas o tema da mudança na sociedade e no discurso. É a existência de tais descontinuidades, dos limites fluidos entre as práticas discursivas distintas que se manifestam nos textos constantes do *corpus* desta pesquisa, que garante que os sentidos que se busca fixar sobre o sistema de cotas são vulneráveis e passíveis de deslocamentos.

4 – De volta ao papel da imprensa na construção de espaços democráticos

Os discursos da mídia jornalística sobre as políticas de ação afirmativa no âmbito da educação superior têm se caracterizado pela heterogeneidade de seus enunciados, que buscam fixar parcialmente o sentido daquelas políticas públicas. Poder-se-ia argumentar que a heterogeneidade dos enunciados sobre o sistema de cotas "espelha" as diferentes tendências no seio da sociedade em relação ao acesso diferenciado à universidade pública brasileira através da política de cotas. Contra a ilusão de que o jornalismo de opinião dá ao leitor uma "amostra" de posições diferenciadas em relação a assuntos polêmicos ou de interesse geral, apresentou-se, neste capítulo, argumento segundo o qual o papel da imprensa vai muito além de meramente "espelhar" tendências: a imprensa é constitutiva dos debates, ou leva estes debates a terem determinada forma em função das características de seu modo de funcionamento na sociedade.

Um ponto de apoio a esta proposição, retirado do *corpus* de análise, está representado pelo fato de que não se observam no debate, no período de coleta das matérias, posições apresentadas por representantes do Movimento Negro, o que parece indicar uma distribuição desigual de privilégios no que diz respeito ao acesso ao debate público. Por outro lado ainda, embora os argumentos a favor ou contra as cotas não variem em função da posição social do articulista (ou do leitor)[75], não há representação discursiva do Movimento Negro nas matérias em discussão. Tanto no *corpus* de cartas quanto no de textos opinativos, os "alvos" do sistema de cotas são apresentados no papel de "Beneficiários" daquele sistema. Seguem apenas alguns exemplos:

> Exemplo 11: Ação afirmativa é um instrumento legítimo do Estado democrático que visa a promover maior igualdade de oportunidade *para os grupos discriminados* (OGc-1).
>
> Exemplo 12: Grande confusão semântica entrava o debate sobre políticas voltadas *para minorias sociais* (OGo-4).
>
> Exemplo 13: Bastaram algumas liminares, concedidas pela Justiça do Rio de Janeiro, para a mídia brasileira voltar a ser inundada com as opiniões dos críticos da adoção de cotas *para negros e pardos nas universidades públicas* (OGo-3).

Não se registra qualquer sentido de agenciamento para estes atores sociais, embora haja dados empíricos que revelam a mobilização de organizações negras e de outros setores da sociedade civil que lutam contra o racismo e as desigualdades sociais (Heringer, 2004). Esta parece ser uma constatação trivial, mas é preciso não negligenciar o fato de que não há congruência entre os papéis que os atores sociais desempenham em processos sociais e a sua representação discursiva em textos.

Assim, é preciso rejeitar a falsa concepção de jornalismo como a notícia *após* o fato, ou a análise *após* o acontecimento. O que estas falsas idéias promovem é a noção de uma separação entre a realidade e as instituições que produzem notícia/cultura/informação: primeiro, a realidade; em seguida, há a comunicação sobre a realidade (Williams, 1989, p. 21). A imprensa está imersa na vida social: embora ela não seja responsável por desencadear o processo social de intervenção no acesso à universidade pública brasileira, ela está diretamente implicada nele, à medida que se engaja no debate público, criando e fazendo circular sentidos sobre o sistema de cotas, além

---

[75] Por exemplo, há posições antagônicas no debate (uma a favor e outra contra as cotas) apresentadas por dois professores universitários, ambos pesquisadores renomados.

de conferir ao debate um determinado formato em função das vozes "autorizadas" a falar sobre o tema. Há uma influência recíproca, ou uma circularidade, entre debate e processo social.

Do ponto de vista dos gêneros "artigo de opinião" e "carta do leitor", entende-se que os mesmos servem como suporte para o funcionamento discursivo do jornal: embora apresentem-se como espaços demarcados, que fogem ao ritual jornalístico (cujo suposto objetivo é informar imparcialmente e de forma objetiva), os gêneros "artigo de opinião" e "carta do leitor" reforçam a ilusão da natureza "subjetiva" das opiniões, contrastadas com os "fatos" das outras seções (Mariani, 2005, p. 8). Sendo assim, sustentam a ilusão da "referencialidade" da matéria jornalística, com seus critérios de objetividade, neutralidade, imparcialidade e veracidade das informações.

A visão crítica do funcionamento discursivo da imprensa não impede o reconhecimento do seu papel na construção de espaços democráticos: basta um olhar retrospectivo sobre a formação social brasileira recente para que se reconheça o papel da imprensa na consolidação das instituições democráticas, ou na construção de novas representações identitárias para as mulheres (Ferreira, 2006), para darmos apenas dois exemplos. Um exemplo, retirado do *corpus* desta pesquisa, fundamenta a proposição de que, embora seja afetada pelas relações de poder constitutivas da formação social em que se insere, a imprensa não é uma instância discursiva que contribui para o "assujeitamento total das massas"[76], como argumentam vários especialistas. O fragmento a seguir é retirado de um texto em que se aproxima a "demanda popular por vagas nas universidades" ao "sonho da casa própria":

Exemplo 14

Universidade vira sonho da casa própria

(...)

Uma das novas tendências brasileiras é *a demanda popular*, mesmo nas camadas mais pobres, por vaga nas universidades, especialmente

---

[76] Uma posição, vale dizer, que seria incompatível com a linha teórica que informa este trabalho, apoiada numa concepção de discurso em duas dimensões: como local de inscrição de sentidos historicamente constituídos e como local de produção de sentidos.

as públicas, livres das pesadas mensalidades. *Emparelha-se*, para centenas de milhares de jovens de escolas públicas, *ao sonho da casa própria*. Mas, pela falta de recursos, essas instituições têm cada vez menos condições de abrir novas vagas e garantir a qualidade de ensino.

Como o Brasil convive simultaneamente com diferentes décadas (ou mesmo séculos), enfrentam-se, lado a lado, a fome mais primitiva, africana, o trabalho escravo e infantil, além da pressão dos milhões de estudantes de escolas públicas atrás de um diploma de faculdade, exigidos por uma sociedade com forte impacto tecnológico.

(...)

Quando existem sonhos populares, existe o risco de demagogia. A idéia de cota universitária para os mais pobres, como ocorreu no Rio de Janeiro, é até justificável. Mas começou improvisadamente, gerando ainda maiores resistências. Não se montou um programa de recuperação dos alunos que, graças às cotas, exibem falhas em sua formação.

O caminho mais consistente é abrir mais vagas nas universidades públicas, em especial em cursos noturnos; mas elas não conseguem, muitas vezes, como demonstra a desolação do ministro Cristovam, nem manter seus professores.

*

Pelo jeito, estamos repetindo o que já aconteceu com a escola pública, por muito tempo, onde se ensinava a elite. Quando os mais pobres quiseram entrar em maior quantidade, não havia mais dinheiro – os mais ricos passaram a estudar nas escolas particulares. O que está em jogo no *sonho da universidade* é, em poucas palavras, o *novo limite da marginalidade*.

(FSPo-4; itálico acrescentado)

Vale a pena deter-se sobre a forma como se apresenta codificada léxico-gramaticalmente, no texto, a expressão "o sonho da casa própria". No corpo do texto ("[a demanda popular] emparelha-se *ao sonho da casa própria*"), a expressão tem valor genérico (Dubois, 2004, p. 302), ou seja, é predicada, não em relação a uma pessoa especificamente ou a um determinado momento ("o sonho *dele* se realizou" ou "eu tive um sonho *ontem*"), e sim em relação a um conjunto indiscriminado de pessoas e sem ancoragem temporal ("o sonho [de vários brasileiros] da casa própria"). Este traço positivo de genericidade atribuído à expressão advém da cadeia de significações que o termo adquiriu numa formação discursiva específica, ou no interior de uma cadeia de sentidos sociais relativamente estabilizados na época do "milagre brasileiro", quando a classe média reivindicou, com sucesso, acesso a bens de consumo e à casa própria.

A partir dali, uma demanda específica, de um grupo social específico, cristalizou-se como uma posição discursiva privilegiada, que fixou parcialmente o sentido do 'sujeito de direitos' no Brasil, na sua particularidade histórica: "Todo brasileiro tem direito à casa própria". "O sonho da casa própria" pode, a partir desta ótica, ser visto como um elemento particular que preenche o lugar vazio do "universal" no espaço democrático: algo a que "todos" têm direito. Dando continuidade à análise do texto como prática discursiva, ao reunir, numa mesma página, duas formações discursivas distintas, construindo uma equivalência entre as demandas populares no presente e as demandas da classe média no passado, o texto força, por assim dizer, a ampliação do escopo daquele sujeito de direitos, na direção de uma generalização do seu referente (não mais a classe média apenas, mas as classes populares como sujeitos de direitos, no que diz respeito à educação superior).

O debate público sobre o sistema de cotas na imprensa, sob este prisma, atualiza a questão das relações entre o universal e o particular, uma das questões mais candentes, diga-se de passagem, no cenário político e intelectual hoje (seja na filosofia, na ciência política, na antropologia, nos estudos literários, dentre várias outras áreas do saber). No debate propriamente, a oposição toma corpo e forma como a questão das relações entre direitos universais (o direito de todo brasileiro à educação superior pública de qualidade) e direitos coletivos (o direito dos negros, por exemplo, a políticas públicas de reparação por uma herança histórica de exclusão). Os direitos coletivos surgiram no Brasil na década de 1980, como resultado da participação das organizações indígenas nas discussões que levaram o Brasil a reescrever sua Constituição, no período de transição democrática (Souza Filho, 2001)[77]. Há, no bojo deste e de outros movimentos semelhantes, um

---

[77] Trata-se da chamada 'Constituição cidadã' de 1988.

ataque ao humanismo universalista que preconiza a figura do 'sujeito de direitos universal' para regular as relações entre os indivíduos nas sociedades democráticas.

Parte do argumento que informa este ataque está representado pela idéia de que não há direitos 'naturais' ou anteriores à sociedade: os direitos individuais não podem ser definidos de forma isolada, e sim no contexto de relações sociais de determinada natureza, numa formação social dada. No Brasil, por exemplo, esta proposição se traduziria no exame das relações entre o enunciado "todo brasileiro tem direito à educação superior pública de qualidade" e as práticas sociais localizadas, no tempo e na história, que efetivamente organizam o acesso de indivíduos à universidade pública[78].

Rejeita-se assim o conceito de 'universal', que é substituído por uma visão marcada pelos seguintes traços. Em primeiro lugar, há um sentimento crescente de que nem o universalismo nem o particularismo radical constituem respostas adequadas aos problemas colocados pela contemporaneidade. Se, por um lado, as categorias 'universais' não recobrem jamais a pluralidade de atores sociais na cena contemporânea, por outro os espaços democráticos não se constituem *apenas* pelo reconhecimento das diferenças ou das demandas de seus segmentos sociais: a lógica das diferenças ou da pluralidade de demandas sociais pode levar ao risco da fragmentação social. Desta perspectiva, a construção de espaços democráticos pressupõe algum nível de compartilhamento entre os segmentos sociais: há necessidade de um quadro de referência comum para os diferentes sujeitos, com suas demandas específicas.

Este quadro de referência comum seria justamente o que constitui o terreno da luta hegemônica: a lógica da luta hegemônica é a lógica dos processos através dos quais as demandas particulares de determinados segmentos sociais são negociadas e aceitas como atendendo ao interesse do conjunto da sociedade. É a lógica, não do Universal como lugar de uma totalidade, e sim do 'Universal contaminado pela particularidade', segun-

---

[78] Parafraseando Badiou (1995, p. 84), 'todo brasileiro' aqui não faz referência à totalidade dos segmentos sociais que constituem a nossa formação social hoje, mas a 'alguns' indivíduos apenas, com acesso privilegiado à universidade pública face à sua formação e preparo em escolas particulares.

do expressão de Laclau (2000, p. 51). No caso das cotas, a demanda dos 'negros e pardos' é uma demanda particular, mas, no contexto das relações assimétricas entre brancos e negros no Brasil hoje, ela apresenta-se dividida, desde o início do debate público, entre sua própria particularidade e uma dimensão mais abrangente, ou universal, que atenderia à construção de espaços verdadeiramente democráticos neste país. Para alguns, o sistema de cotas universaliza a demanda dos 'negros e pardos' ao transformá-la em portadora de um sentido que transcende a sua particularidade (um passo na direção da construção de uma universidade pública democrática). O quadro de referência comum para os diferentes sujeitos, numa formação social, constitui-se assim através das próprias práticas discursivas que buscam construir uma hegemonia, ou levar o corpo de uma particularidade a assumir uma função de representação universal (Laclau, 2000, p. 303).

Em segundo lugar, apresenta-se proposição segundo a qual há uma distância irredutível entre a realidade e os modos de sua simbolização – os processos simbólicos não se reduzem à descrição de dados positivos ou propriedades positivas de referentes "naturais". Pelo contrário, nas palavras de Zizek (2000, p. 93), um influente pensador iugoslavo e intérprete bem conhecido do pensamento lacaniano, os processos simbólicos "sempre implicam uma certa distância em relação à realidade positiva". Por exemplo, o conceito de 'sujeito cotista' não é um decalque da realidade, ou mera descrição da realidade, mas um significante vazio preenchido, em diferentes momentos, por conteúdos contingentes, ou particulares. E 'vazio' não quer dizer 'abstrato'; não significa um termo 'geral', que se aplica a várias coisas. 'Vazio' é usado para referência a uma totalidade inalcançável (Laclau, 2000, p. 63).

Esta é uma nova forma de se conceber o político – contra a ficção do conceito de 'sujeito de direitos' universal, apresenta-se o conceito de um universalismo irrepresentável, ou de um universalismo que faz referência a uma totalidade inalcançável. Mesmo num contexto localizado, como é aquele em que se dá a discussão sobre as cotas, no Brasil, o conceito 'sujeito cotista' não esgota a realidade, ou não contempla todos os segmentos sociais, pois, como argumenta Lacan, além do encontro sempre faltoso entre realidade e ordem simbólica, há sempre excedentes de sentido em relação à própria ordem simbólica (Zizek, 1991, p. 55). Uma pergunta muito simples que poderia ser aqui formulada torna esta questão dos excedentes de sentido muito clara: quantos estudantes universitários são filhos de trabalhadores rurais? Quantos são filhos de membros de populações indígenas? As categorias construídas pelo debate sobre as cotas hoje contemplam estes segmentos sociais?

Do ponto de vista de uma teoria social, segundo Laclau, "a idéia de uma sociedade transparente, totalmente emancipada, da qual foram eliminados todos os movimentos tropológicos [ou toda contradição], é uma idéia que pressupõe o fim da relação hegemônica (e o fim também de toda política democrática)". Uma outra forma de dizer isto é que a formação de espaços democráticos nunca é completa: não há um discurso democrático que contemple a população que representa.

E é justamente a compreensão da natureza precária e contingente do discurso democrático que garante que "o momento da universalidade" (segundo expressão de Gramsci) é um momento político – o momento em que uma demanda deixa de ser vista como uma demanda contingente, de determinado segmento social, e passa a ser vista como uma demanda necessária, do interesse do conjunto da sociedade.

O debate sobre as cotas, desta perspectiva, não deve ser entendido como um debate intelectual travado por atores sociais bem intencionados cujo objetivo é estabelecer o melhor sistema de sociedade, como argumentaria Habermas (1987), no quadro de uma formação discursiva liberal. Deve, isto sim, ser entendido como uma luta simbólica em torno de um sistema de distribuição de riqueza e recursos materiais, levada a cabo em espaços institucionais bem demarcados, por atores sociais posicionados em lugares de fala legitimados.

Referências bibliográficas

BADIOU, A. *Ética;* um ensaio sobre a consciência do mal. Rio de Janeiro: Relume-Dumará, 1995. [ed. original francesa 1993]

DUBOIS, J. et alii. *Dicionário de lingüística*. São Paulo: Cultrix, 1999. [Edição original francesa 1973]

FERREIRA. L. M.A. A escrita de si na imprensa: exemplos da fala feminina no século XIX. In: Mariani, B. (org.) *A escrita e os escritos;* reflexões em análise do discurso e psicanálise. São Carlos: Claraluz, 2006.

GOUVEIA, C.A.M. *O amansar das tropas*; linguagem, ideologia e mudança social na instituição militar. Lisboa, Tese de Doutorado, 1997. 484 páginas.

HABERMAS, J. *The theory of communicative action II;* lifeworld and style. Cambridge: Polity Press, 1987.

HERINGER, R. Ação afirmativa e promoção da igualdade racial no Brasil: o desafio da prática. In: Paiva, A.R. (org.) *Ação afirmativa na universidade;* reflexão sobre experiências concretas Brasil – Estados Unidos. RJ, Editora da PUC-RJ, 2004. p. 55-86.

LACLAU, Ernesto. *On populist reason.* Londres, Verso, 2005.

_____. Identity and hegemony: the role of universality in the constitution of political logics. In: BUTLER, J.; LACLAU, E.; ZIZEK, S. *Contingency, hegemony, universality;* contemporary dialogues on the left. London: Verso, 2000. p. 44-89.

MARIANI, B. Para que(m) serve a psicanálise na imprensa? Disponível URL: http://www.geocities.com/gt_ad/bethania.doc. Acesso em 25 Março, 2005.

SOUZA FILHO, C.F.M. Multiculturalismo e direitos coletivos. *CD-Rom Enciclopédia Digital Direitos Humanos II*, 2001.

VAN LEEUWEN, T. The representation of social actors. In: *Caldas-Coulthard, C.R. & Coulthard, M.* Texts and practices; *readings in Critical Discourse Analysis.* Londres: Routledge, 1996.

WILLIAMS, R. *Resources of hope;* culture, democracy, socialism. Londres: Verso, 1989.

ZIZEK, S. Class struggle or postmodernism? Yes, please! In: BUTLER, Judith; LACLAU, Ernesto; ZIZEK, Slavoj. *Contingency, hegemony, universality;* contemporary dialogues on the left. London: Verso, 2000. p. 90-135.

_____. *O mais sublime dos histéricos;* Hegel com Lacan. Rio de Janeiro: Zahar, 1991. [Ed. original francesa 1988]

Representatividade homossexual em tempos de ditadura: algumas reflexões sobre o jornal *Lampião da Esquina*[79]

*Almerindo Cardoso Simões Junior**

As concepções culturais de masculino e feminino como duas categorias complementares, mas que se excluem mutuamente, nas quais todos os seres humanos são classificados formam, dentro de cada cultura, um sistema de gênero, um sistema simbólico ou um sistema de significações que relaciona o sexo a conteúdos culturais de acordo com os valores e hierarquias sociais. Embora os significados possam variar de uma cultura para outra, qualquer sistema de sexo-gênero está sempre intimamente ligado a fatores políticos e econômicos em cada sociedade (Lauretis, 1994, p.211).

---

[79] Este trabalho constitui-se em uma reflexão que se origina em minha dissertação de Mestrado "...E havia um lampião na esquina" – Memórias, identidades e discursos homossexuais no Brasil do fim da ditadura (1978-1980), orientada pela Profª Drª Lucia M. A. Ferreira (Unirio) e pelo Prof. Dr. Mario Lugarinho (UFF), defendida em fevereiro de 2006 no PPGMS da Unirio.

* Licenciado em Letras pela Universidade Salgado de Oliveira e mestre em Memória Social pelo Programa de Pós-graduação em Memória Social da Universidade Federal do Estado do Rio de Janeiro. Dedica-se ao estudo das questões de gênero, em especial das representações do masculino no discurso midiático, área na qual tem artigos e textos publicados em periódicos especializados e livros. (acsimoesjr@uol.com.br)

Em fins de 1977, um grupo de jornalistas, intelectuais e artistas se reúne na casa do pintor Darcy Penteado em São Paulo. O ponto embrionário desse encontro teria sido a entrevista que João Antônio Mascarenhas, na época colunista do *Pasquim*, havia realizado com Winston Leyland, editor do *Gay Sunshine*, publicação americana dirigida a homossexuais. Não só Mascarenhas como outros jornalistas ficam tão empolgados com este encontro que decidem lançar uma publicação que tratasse "de forma séria o homo em seu contexto social" (MacRae, 1990). Surge assim, a idéia da "criação de um jornal feito por e com o ponto de vista de homossexuais, que discutisse os mais diversos temas e fosse vendido mensalmente nas bancas de todo o país" (Trevisan, 2002). Assim nascia o *Lampião*, cujo título pode ser melhor explanado na entrevista que Aguinaldo Silva, um dos editores do jornal, concede a *Isto é* de dezembro de 1977

O nome do jornal? Há uma lista imensa, mas o que me agrada é *Lampião*: primeiro, porque subverte de saída a coisa machista (um jornal de bicha com nome de cangaceiro?); segundo pela idéia de luz, caminho etc.; e terceiro, pelo fato de ter sido Lampião um personagem até hoje não suficientemente explicado (olha aí outro que não saiu das sombras) (*Isto é*. n.53, dez. 1977, p.14).

O jornal, em tamanho tablóide, era impresso em cores neutras. Trazia reportagens com personalidades não necessariamente homossexuais, contos, críticas literárias, de teatro ou cinema. Grande destaque era dado às cartas dos leitores, que se tornavam legítimos espaços de visibilidade para a comunidade. Pequenas notas contra os atos preconceituosos eram constantes, assim como ataques diretos a homófobos ou a quem agisse de modo politicamente incorreto em relação aos homossexuais. A *linguagem* "era comumente a mesma linguagem desmunhecada e desabusada do gueto homossexual" (Trevisan, 2002).

A entrevista com Aguinaldo Silva publicada na *Isto É* é extremamente rica em termos de explanação do tipo de consciência e mobilização – na comunidade homossexual e na sociedade como um todo – que se queria produzir com um jornal como *Lampião*:

Antes de tudo, é preciso resgatar o homossexual dos lugares que a 'normalidade' lhe destinou: os becos escuros, os banheiros públicos e as saunas. Sempre o enfoque é este: o homossexual é um ser que vive nas sombras, que prefere a noite, que encara a sua preferência sexual como uma espécie de maldição – seu sexo não é aquele que ele desejaria ter (...) Mas há, ao mesmo tempo, uma maioria de homossexuais que procura, navegando através da repressão, levar uma vida não 'normal', que não se pode levar uma vida normal numa sociedade semi-apodrecida como a nossa. Mas, pelo menos tentando viver exatamente como as outras pessoas – quer dizer, 'batalhando' pura e simplesmente pelo dia-a-dia.

É esse lugar que a tal conscientização homossexual pretende ocupar – é esse território que a nossa tropa de choque pretende tomar do machismo. Não se trata mais dessa coisa de assumir, de ter que 'ser aceito' (...) Eu me recuso a aceitar o que alguns querem me impor – que a minha preferência sexual possa interferir negativamente nesta minha atuação. Nesse sentido o homossexual que se coloca numa posição progressista acaba tendo que lutar em duas frentes – ao lado daqueles com quem se afina politicamente e, ao mesmo tempo, lutando pelo direito de se exprimir de acordo com a sua preferência sexual, ou seja, de não se reprimir em nome de uma luta que seria 'menos urgente' *(IstoÉ,* n. 53, dez. 1977, p. 14).

Assumir e orgulhar-se de sua homossexualidade, sair dos guetos, transitar como qualquer outro cidadão, ter livre arbítrio para escolher lugares de lazer e, acima de tudo, exprimir livremente sua sexualidade são temas constantes em *Lampião*. A análise das cartas dos leitores, constituintes da seção *cartas na mesa*, evidencia três momentos interessantes e bem nítidos na trajetória do jornal, acompanhando a própria formação e consolidação do movimento homossexual organizado no Brasil. Em especial, no primeiro ano de sua existência, a tônica do jornal é a afirmação de identidades homossexuais positivas (Simões Jr, 2005). Em 1979, o orgulho de assumir identidades homossexuais é associado a questões políticas que emergem no panorama brasileiro. As cartas do ano de 1980 privilegiam discursos ligados a movimentos de conscientização homossexual, procurando situar o lugar no panorama político. É importante mencionar que se trata da busca de um lugar de enunciação, já que o movimento homossexual não pactuava com a postura dos militares e, para a esquerda, as questões homossexuais eram consideradas parte de uma 'luta menor'. Nesse ano ocorre em São Paulo o I Encontro Nacional de Gays e Lésbicas e não se pode negar a importância do jornal como elemento articulador e divulgador deste evento. Rodrigues (2004, p. 285) argumenta, porém, que o mesmo interesse pelo ativismo político que impulsionou o surgimento do jornal foi um dos maiores responsáveis pelo seu fechamento:

> É interessante observar que o interesse pelo ativismo político que deu o pontapé inicial para a concretização do jornal vai ser uma das causas pelo [sic] fechamento do jornal. As lutas internas, editoriais, em torno de qual identidade seguir e a possibilidade de uma burocratização do movimento 'guei' acabaram por descaracterizar o jornal, levando a uma sensível diminuição nas vendas dos exemplares.

Em seus 37 números – veiculados de abril de 1978 a julho de 1981 – *Lampião* vem justamente lançar luz sobre brechas, reconstruindo novos sentidos da memória. Através de suas páginas, em pouco mais de três anos de circulação, constrói e descreve posturas identitárias de uma das parcelas mais excluídas da memória institucionalizada, significando o homossexual enquanto cidadão e ser político capaz de interferir no contexto político-social do país e de buscar novos parâmetros em relação a um discurso tão institucionalizado como o do sexo. Desta forma,

> o jornal *Lampião* foi eleito, nesse sentido, como espaço de memória, construção, reflexão e manutenção de um grupo durante um período extremamente conturbado e emocionante do ponto de vista histórico, mantendo-se fortemente arraigado não só nas lembranças dos que viveram tal época, mas no imaginário de todos aqueles que se dedicam a estudá-lo (Simões Jr., 2004, p.298).

Para melhor compreender a importância do discurso da comunidade homossexual em um jornal como o *Lampião* e como tal discurso (re)organiza relações de poder, nas seções subseqüentes nos apoiaremos nas noções de ordem do discurso, formação discursiva, memória oficial e silenciamento.

A relação memória, discurso, poder e os sentidos negados que lutam por emergir

Os estudos de Foucault postulam que a estreita relação entre discurso e poder afasta o primeiro da relação de transparência entre as palavras, colocando-o na posição de acontecimento, determinado a partir de uma emergência histórica, inserido em determinadas práticas discursivas (Silva, 2004). As palavras assumem assim materialidade, estabelecendo as condições para que se possa falar de certos objetos ou pessoas a partir de determinados lugares. Regidos pelo poder emanado das instituições, os enunciados circulam por diferentes regiões do dizer, assumindo sentidos de acordo com as diversas formações discursivas em que estão inseridos. Ao falar de formação discursiva, tomo como parâmetro a abordagem de Pêcheux (1988), que a concebe como aquilo que pode ser dito a partir de determinado lugar, de uma posição específica, de uma conjuntura dada. Os sentidos, embora sempre tenhamos a ilusão de que são inicialmente nossos, nascem de outrem e apontam para outras direções. O lugar ocupado pelo sujeito é o mais importante nesse jogo lingüístico: é este lugar que vai apontar os sentidos que serão produzidos e a memória que será produzida, sendo esse processo construído, desconstruído e reconstruído ininterruptamente.

Este mecanismo do discurso em determinar o que pode e deve ser dito em determinada situação engendra seus próprios meios para também excluir. Procedimentos como o da interdição discursiva determinarão o que se "pode" falar e a partir de que "lugar" (Foucault, 2003). A *ordem do discurso*, portanto, conforme concebida por Foucault, é própria a um período particular e possui uma função normativa e reguladora, colocando em funcionamento mecanismos de organização do real por meio da produção de saberes, de estratégias e de práticas vigentes em determinadas épocas (Revel, 2005).

Mariani (1998) entende que essas disputas discursivas ocorrem no campo das interpretações para acontecimentos presentes ou já ocorridos e têm, como resultado, a predominância de uma ou mais interpretações e um – por vezes aparente – esquecimento das demais. Essa interpretação que predomina é então reconhecida como memória oficial, enquanto a que faz parte do segundo caso constitui o esquecimento, que pode retornar com nova força a qualquer momento, dialogando ou confrontando a memória oficial. Esse sentido considerado *esquecido* funciona, inúmeras vezes, como resíduo dentro de um discurso hegemônico, pronto para retornar, trazendo à tona o diferente, aquilo que deveria ser deixado de lado, justamente por ser *estranho*. A autora está em concordância com Orlandi (2002, p. 10), que também propõe a existência de um duplo jogo de memória quando a relacionamos ao discurso.

> Saber como os discursos funcionam é colocar-se na encruzilhada de um duplo jogo da memória: o da memória institucional que estabiliza, cristaliza, e, ao mesmo tempo, o da memória constituída pelo esquecimento, que é o que torna possível a diferença, a ruptura, o outro.

Para que essa memória oficial ou institucional se estabilize, é necessário o esquecimento, mas, de forma paradoxal, o esquecimento produz deslocamento, o surgimento de novos sentidos, ou ainda o que, na ótica de Pêcheux (1988), se constitui em resistência em termos discursivos: a possibilidade de, ao se dizerem outras palavras no lugar daquelas prováveis ou previsíveis, deslocar sentidos já esperados, ressignificando rituais enunciativos, deslocando processos interpretativos já existentes.

Poderíamos então dizer que essa estabilização da memória institucional se dá pela repetição de um discurso que está a serviço do poder, ou, como afirma Achard (1999, p.16), "a regularização se apóia necessariamente sobre o reconhecimento do que é repetido. Esse reconhecimento é da ordem do formal, e constitui um outro jogo de força, este fundador".

O discurso jornalístico é tradicionalmente formador de sentidos, criador de memórias, ato inaugural – já que apresenta a possibilidade de romper com discursos anteriores e apontar outros, ou dizê-los de outra forma. O discurso jornalístico, segundo Mariani (2001) é, enquanto prática social, capaz de captar, transformar e divulgar acontecimentos, lendo o presente, organizando o futuro e legitimando o passado. A seleção dos acontecimentos que serão lembrados no futuro engendra e fixa sentidos para os mesmos, constituindo um modo possível de recordação destes fatos. Na visão de Mariani, portanto, analisar o discurso jornalístico é considerá-lo do ponto de vista do funcionamento imaginário de uma época: o discurso jornalístico tanto se comporta como uma prática social produtora de sentidos como também, direta ou indiretamente, veicula as várias vozes constitutivas daquele imaginário (p.33).

O jornal *Lampião*, portanto, passa a constituir lugar de memória, à medida que atua como acontecimento fundador, já que instaura uma nova ordem de sentidos para o discurso homossexual da época: uma ruptura com o modelo do discurso de gêneros dicotomicamente estabelecido. O que caracteriza um discurso como fundador, segundo Orlandi (2001, p.13), é "que ele cria uma nova tradição, ele re-significa o que veio antes e institui aí uma memória outra. É um momento de significação importante, diferenciado". Investido de uma "aura simbólica" (Nora, 1993) conferida pelos próprios leitores, *Lampião* desempenha um papel como que de objeto de um ritual, tornando-se, assim, elemento de reconhecimento da comunidade:

> Para mim vocês estão funcionando como registro, como memória do viadeiro nacional. A práxis é nossa, basta usarmos a memória para não cairmos nos mesmos buracos. Eduardo G. de Carvalho – Rio (*Lampião*, n. 15, ago.1979, p.18).

Convém, portanto, perceber que a importância do periódico como constituinte de memória da comunidade homossexual se dá pelo reconhecimento e pela inserção dos leitores no jornal. A própria abordagem das cartas, a linguagem descontraída e próxima, o uso de formas de tratamento informais, o fato de o próprio leitor se inserir no discurso através do pronome possessivo *nosso* fizeram com que o leitor se (re)conhecesse e se (re)encontrasse no jornal.

> Meus queridos: estou convivendo com vocês há 13 meses. Me acostumei a, todos os meses, abrir minha porta, pra vocês, sempre na primeira semana do mês, e a conversar com vocês através do que vocês escrevem. Essa carta é uma maneira de manter o nosso diálogo – eu também quero falar (...) José Ramalho da Costa – Recife (*Lampião*, n. 14, jul. 1979, p.19).

O *Lampião* tornou-se, então, um dos grandes representantes da imprensa marginal – ou imprensa nanica, termo usado pelos próprios leitores –, em especial no que se refere à temática homossexual. Sua postura influenciou e ainda é lembrada por diversas publicações e pesquisas que envolvem o tema, conseguindo também o reconhecimento entre artistas e intelectuais não homossexuais da época, além de transformar-se numa espécie de farol – prenúncio dos novos modelos identitários que veríamos retratados nos estudos de gênero, em especial nos estudos gays e lésbicos da atualidade.

Para melhor entendermos a associação entre memória e identidade(s) social(ais)[80], recorremos a Pollak (1992, p. 204-205). Segundo o sociólogo, a memória é elemento que constitui o sentimento de identidade, seja ela individual ou coletiva, na medida em que se torna um fator importante do sentimento de continuidade, de coerência de uma pessoa ou grupo no processo de sua própria (re)construção. Essa (re)construção passa pelo viés da negociação, da transformação em relação ao outro. Conforme menciona o autor,

> A construção da identidade é um fenômeno que se produz em referência aos outros, em referência aos critérios de aceitabilidade, de admissibilidade, de credibilidade, e que se faz por meio da negociação direta com os outros. Vale dizer que memória e identidade podem perfeitamente ser negociadas, e não são fenômenos que devam ser compreendidos como essências de uma pessoa ou de um grupo.
>
> (...)
>
> a memória e a identidade são valores disputados em conflitos sociais e intergrupais, e particularmente em conflitos que opõem grupos políticos diversos.

Posso ir, assim, mais adiante reconhecendo a noção de identidade(s) social(ais) como um dos fatores mais importantes na constituição do discurso, que, versando sobre determinado fato/acontecimento, constrói me-

---

[80] Uso em meu texto a forma plural – identidade(s) social(ais) – pois a reconheço enquanto elemento plural, já que assumimos várias facetas identitárias de acordo com as necessidades/contexto político, social, ideológico, dentre outros, pois as identidades são fragmentadas (Moita Lopes, 2002). Convém ressaltar que Michel Pollak trabalha com a noção de identidade social, no singular.

mória. O discurso é, portanto, elemento resultante do reconhecimento de si como indivíduo e grupo oriundos dos conflitos políticos que resultam em identidade(s) e memória. Embora realizados em nós, os sentidos discursivos apenas se representam como originados em nós. Eles, na verdade, são determinados pela maneira como nos inscrevemos na história e é assim que significam, não pela nossa vontade (Orlandi, 2002).

Em relação ao esquecimento discursivo, este pode ser da ordem da enunciação. Quando falamos, o fazemos de uma maneira e não de outra, e, ao longo do nosso dizer, formam-se famílias parafrásticas que indicam que o dizer sempre poderia ser outro. Quando o editorial de número zero de *Lampião* intitula-se *Saindo do gueto*, ao mesmo tempo quer dizer – *Não devemos nos esconder mais, não é mais tempo de vivermos na sombra. Mostremo-nos.* Ao que parece, no caso do jornal *Lampião*, um discurso antes interditado, esquecido e silenciado retorna com força, redirecionando os sentidos hegemônicos do presente/da época. Tais esquecimentos deixam bem à mostra a necessidade e a possibilidade que o discurso tem de se adequar às diversas formas de poder, embora seja, ao mesmo tempo, oriundo delas. As lutas e embates com as instituições têm papel primordial para definir o que *deve ser lembrado* e o que *deve ser esquecido*, e quais sentidos serão construídos e significados. Orlandi (1999), analisando o esquecimento provocado pela censura – não nos esqueçamos que *Lampião* circulou em um período de fim de ditadura no Brasil –, afirma que a mesma tem justamente a capacidade de silenciar sentidos, excluir, interditar, ocasionando furos, buracos na memória, sentidos que faltam, significados que desapareçem, apagados, interditados, excluídos. Um esquecimento produzido sobre o silêncio. Sentidos que nunca poderão ser ditos.

Pondo as cartas na mesa – análise de algumas cartas dos leitores

Devido à variedade e quantidade de cartas recebidas – durante toda a existência do jornal foram 299 (Albuquerque Jr e Ceballos, 2002) – não é possível que todas mantenham o mesmo viés discursivo. Algumas criticam o jornal, várias o aplaudem, outras tecem comentários breves, de apenas uma ou duas linhas, outras ainda comentam futilidades do cotidiano. É importante lembrar também que boa parte delas é tangenciada pelo panorama político do país, interceptado pela crise do governo militar, pelas dificuldades financeiras, pela falta de liberdade política. O crescimento do movimento homossexual organizado, em especial no início de 1980, traz uma pesada discussão política para as cartas dos leitores a partir desse ano, por exemplo. Na possibilidade de diálogo entre as missivas, busco perceber a construção das várias identidades homossexuais e das memórias discursivas.

Para analisar uma das primeiras cartas recebidas pelo jornal, torna-se relevante o trabalho de Sousa (1997), em que o autor analisa as cartas enviadas ao grupo *Somos – Grupo de Afirmação Homossexual*. O *Somos*, com sede em São Paulo, foi o maior grupo de liberação e afirmação da identidade homossexual do período que abrange o enfraquecimento da ditadura no Brasil, exercendo suas atividades de 1978 a 1984. Na análise do autor, as cartas dos homossexuais endereçadas ao grupo nessa época apresentam duas vertentes principais, dois modos de o indivíduo enunciar sua prática sexual, denunciando duas práticas de enunciação: o pedido de socorro e o testemunho militante.

No pedido de socorro ecoa o discurso médico-psiquiátrico oriundo da visão oitocentista burguesa. Sendo a homossexualidade considerada doença, sua expressão em primeira pessoa só era possível na clandestinidade. Cartas como a do próximo exemplo representavam a própria legitimação de que ser homossexual era portar uma insígnia maldita e que escrever uma missiva relatando a experiência poderia ser interpretado como um pedido de socorro, o reflexo da insatisfação com a sua própria condição sexual.

Uma segunda possibilidade de interpretação seria considerar o pedido de socorro como uma denúncia do preconceito. Como exemplo de um misto dessas duas vertentes possíveis, tem-se a carta publicada na edição n.0 de abril de 1978.

PINTOU O BODE

...Há dias em que tenho vontade de me matar. Meus irmãos debocham de mim, meu pai me detesta, minha mãe vive chorando pelos cantos, lamentando a minha doença. No colégio todos caçoam de mim, na rua assobiam quando eu passo. Estou ficando cada vez mais conhecido na minha cidade. Tenho vontade de fugir, mas não tenho meios. Além disso, sou menor, tenho 17 anos. Sinto-me a última das pessoas. Peguei um panfleto anunciando o jornal de vocês numa livraria daqui, decorei o endereço e joguei o panfleto no lixo, para que ninguém o descobrisse comigo. Agora estou escrevendo, mas nem sei para quê. Será que vocês podem me ajudar? Infante. Recife – Pernambuco (*Lampião*, n.0, Abr. 1978, p. 14).

Percebe-se nessa carta o pedido desesperado de ajuda do leitor. Por estar inserido em determinada formação ideológica e discursiva, reconhecer-se homossexual é motivo de desestabilidade social. O autor da carta vira motivo de deboche, desprezo e lamento, já que no contexto em que está inserido é portador de uma doença, um degenerado. O próprio fato de não assinar a carta com seu nome reflete a necessidade de esconder-se atrás do pseudônimo de *Infante*, assumindo um lugar de enunciação outro, constantemente silenciado pelo contexto em que vivia. A carta do leitor é a possibilidade de trazer a público sentidos que foram silenciados no âmbito do privado.

Esse exemplo de carta leva a algumas reflexões, já que as cartas são reflexos dos lugares de enunciação histórica do homossexual e das formações discursivas nas quais está inserido. Segundo Orlandi (1992), pode-se descrever dois diferentes modelos de enunciação, promotores de diferentes tipos de silenciamento sobre a homossexualidade em específico: o da medicina, centrado no objeto (a homossexualidade), e o da militância, centrado no sujeito (o homossexual). A correspondência em questão, embora mais centrada no sujeito que escreve, serviria como claro exemplo desse discurso médico – por não se encaixar em um modelo sexual preestabelecido, o sujeito sente-se deslocado, chegando a falar em suicídio. Sua inclinação sexual deve ser combatida, pois é ela a causadora de todo o processo de desequilíbrio emocional do autor da carta.

Na observância das missivas, o silêncio também aparece como condição importante de significação, a começar pelo uso de alcunhas, apelidos, pseudônimos ou abreviaturas em vez de nomes. Do n.0 ao n.6 são publicadas 81 cartas dos leitores, sendo que em 46 destas encontramos apenas o primeiro nome, abreviaturas do primeiro nome, siglas, apelidos, pseudônimos. É imprescindível, ao analisar o surgimento do discurso homossexual militante – tímido no início dos anos 60, calado pela ditadura e mais forte no fim dos anos 70 –, estarmos atentos à noção de silenciamento. Enquanto no discurso médico o objetivo principal era calar a fala do paciente, no período de circulação do jornal *Lampião*, o ato de silenciar dá-se pela censura, embora já em seu período de declínio. Um exemplo está no final da resposta à carta de Alfredo Rangel do Rio de Janeiro, publicada na edição n.4 de agosto de 1978: "Vamos passar um dever de casa pra você: medite sobre os vários significados que nos últimos anos teve a palavra democracia entre nós, e depois nos escreva sobre isso."

O silêncio aparece como condição importante de significação. Se o processo de construção da homossexualidade como objeto clínico é inseparável do ato de anular a fala do paciente, no campo da militância, a abertura de espaços pode associar-se à opção de um silenciamento estratégico. Para Souza (1997), essa dualidade nota-se pelo fato de que há um sujeito ao qual se outorga o direito à fala, mas, para que esse tenha voz, um outro sujeito deve ser calado. Essa divisão pode inclusive ocorrer até dentro do próprio jornal, que a princípio objetivava representar os homossexuais como um todo, como podemos observar na carta da edição n.4 de setembro de 1978.

O POVÃO, ONDE ESTÁ O POVÃO?

Vou ser franco: não gostei do jornal de vocês. Digo de vocês porque não acho que ele seja de toda a classe. É meio metido a intelectual, tem pretensões. Até aí tudo bem, porque tem muita boneca aí bancando a sabichona, indo a concerto na Sala Cecília Meireles de nariz emproado e lencinho na lapela. Mas e o resto? E o povão? Eu acho que vocês deviam fechar mais com o bicharéu, para não parecer um jornal muito elitista. Afinal, vocês podem ser até todos muito granfinos (sic), mas o jornal não pode dar bandeira sobre isso. Onde estão os travestis? Por que não tem uma no conselho de *Lampião*? Só tem professor e artista? Que democracia é essa de vocês, onde o povo também não vota? (...) J.C.L. Recife - PE (*O Lampião*, Set. 1978, p.19).

O discurso do autor da carta mostra, assim, alguns lugares de enunciação predeterminados. Há o lugar das *bonecas* que bancam as *sabichonas* e o lugar do *povão*, do *bicharéu* e dos travestis. Os termos usados para designar os homossexuais nesta carta estão vinculados à divisão do grupo por classes sociais. De um lado, homossexuais que conquistaram espaço tal na sociedade que podem escrever em um jornal do porte de *Lampião*. Do outro, o *bicharéu*, os homossexuais do tipo *povão* que não têm acesso aos bens de consumo e de lazer gerados pelo sistema capitalista. O autor da carta fala, indiretamente, de um possível silenciamento imposto aos homossexuais das camadas mais populares, excluídos assim duas vezes – por sua orientação sexual e por sua origem popular.

Cartas abertas, proferidas publicamente, enviadas tanto para jornais quanto para movimentos de militância, constituíram-se no cenário enunciativo para o surgimento do discurso militante homossexual contemporâneo. O mesmo objeto muitas vezes utilizado para a manutenção do privado – que se esconde atrás de um nome ou mesmo da alcunha *anônimo* – torna-se, a partir do envio para a redação de um jornal, objeto público. O silenciamento imposto dá lugar então à possibilidade de um silêncio opcional, em que se mesclam, de um lado, o desejo de se mostrar e reivindicar direitos através das cartas, mas, por outro, a necessidade de se esconder, quer seja da família, da sociedade como um todo, ou de si mesmo.

A noção de silenciamento, em relação a esta análise, está, portanto, fortemente vinculada à questão de identificar-se ou não como homossexual e assumir ou não publicamente essa identificação. Percebe-se em algumas cartas dos leitores a necessidade de se esconder para não confrontar os padrões sexuais da época e não enfrentar os próprios preconceitos. A postura, portanto, de assumir ou não a própria identidade sexual é, antes de mais nada, uma postura política. A discussão que tramita em várias cartas sobre a importância de assumir ou não assumir constitui-se reflexo vivo das mudanças nos modelos de sexualidade advindos das revoluções dos anos 60 e 70. A liberdade no exercício da sexualidade está relacionada à liberdade de expressão, num país que, à época, ainda se encontrava mergulhado no regime militar, embora este já desse mostras de estar enfraquecido.

Em 1979, as cartas tematizam a busca de maior identidade política. O processo judicial que o jornal sofria, o início do período de anistia, a insatisfação popular em relação ao governo militar, todos esses fatores eclodem nas cartas como a que se segue, publicada no n.11, em abril de 1979:

Garis em luta – I

Não tenho o mínimo interesse no que gente tipo o ministro Mário Henrique Simonsen, o presidente Ernesto Geisel, o prefeito Faria Lima fazem ou deixam de fazer com a vida deles. Autoproclamados representantes do povo, só posso dizer que a mim não representam. Deles

nada peço. Mas sinto, cada vez com mais impaciência, a abusiva interferência de figuras desse tipo na minha vida.
Teve a greve dos lixeiros aqui no Rio. Eles alegam que passam fome com pouco mais de Cr$ 1.500,00 que ganham. Acredito: só de aluguel estou pagando Cr$ 7 mil por mês. (...) Agora vem o ministro e futuro ministro Simonsen dizendo pelos jornais que vai tirar 5 a 10% do imposto de renda a mais do meu salário porque "todo mundo tem que pagar pela calamidade". Qualé ministro? Eu acho que antes tem muito escritório caro, muita construção suntuosa, muito telefone, telefonema, telex, carro com motorista, ar-condicionado, mansões na beira do lago Paranoá, viagens ao exterior, jatinhos praqui e pralá e os inumeráveis e inomináveis etc que podem ser cortados se estão numa de fazer dinheiro para os desabrigados das enchentes. (...) Júlio César Montenegro – Rio (*O Lampião*, n. 11, Abr.1979, p.18).

A presença de tal carta mostra o reflexo de uma crise econômica que atinge também o homossexual como cidadão que sofre as conseqüências da política governamental vigente. O referido leitor fala do lugar da classe média da época. Não há em sua carta referências que o identifiquem como homossexual, mas percebe-se o tom da informalidade que afronta um regime em que se sabe que o "ministro" será também "futuro ministro", que se beneficiará de altas vantagens financeiras, enquanto a maior parte da população luta para viver com o mínimo. A carta seguinte, ainda que abordando o mesmo tema, apresenta posições enunciativas diferentes:

Garis em luta II

Sou um leitor assíduo do **Lampião**, que é o farolito da minha obscura vida gay. Lendo-o, todavia, sinto-me mais lépido e afoito para a vida e a luta cotidiana. Como já divulguei amplamente na coluna "Broadway" da revista Show, acho que o movimento gay brasileiro é uma parada sem desfile! Os estudantes lutam por seus direitos; os garis da prefeitura lutam pelo aumento de seus salários. Eu cá, que não me responsabilizo pelo que der e vier, acho que podemos lutar sempre, para frente e para o alto. Guilherme Santarém – Rio (*O Lampião*, n. 11, Abr.1979, p.18).

Embora também mencione a greve dos garis, além do movimento dos estudantes, o autor não se aprofunda nas questões políticas, embora use metáforas relativas ao regime militar para falar da comunidade homossexual. Sua inserção no referido grupo bem pode ser registrada se tomarmos como referência as seqüências *Sou um leitor assíduo do Lampião, que é o farolito da minha obscura vida gay* ou então em *Lendo-o, todavia, sinto-me mais lépido e afoito para a vida e a luta cotidiana.* O leitor, porém, faz uso da afirmação *acho que o movimento gay brasileiro é uma parada sem desfile!* – citação que merece algumas considerações, já que é muito rica em termos semânticos. *Parada* é um vocábulo provavelmente relacionado ao regime militar, mas também pode estar vinculado ao verbo *parar*, portanto, o autor poderia estar considerando o movimento gay como algo estagnado, sem movimento. O ato de movimentar-se seria denotado pela palavra *desfile*, que nos remete aos glamourosos desfiles militares dos anos 70, em que as mazelas sociais eram camufladas, escondidas sob os imponentes uniformes e tanques de guerra em exibição. O desfile também é o ato de se mostrar, assumir-se, estar nas ruas mostrando-se para a população, como os desfiles de Miss Brasil Gay, que o jornal começa a noticiar em 1980. O leitor provavelmente aponta a necessidade de uma comunidade mais ativa, que não tenha vergonha de se mostrar: já que todos lutam por seus direitos, que os homossexuais também lutem sempre, *para a frente e para o alto*.

Outro fato que chama atenção nessa carta é o uso do adjetivo *obscura*, que atesta a permanência nas sombras ou as dificuldades que assumir uma identidade homossexual geraria na vida cotidiana. O leitor, porém, reconhece o jornal como um elemento que mostra o fato de assumir identidade(s) homossexual(ais) como um ato positivo, que o incentiva a enfrentar as adversidades diárias. Apesar de ter uma vida obscura, o jornal é alento: *Lendo-o, todavia, sinto-me mais lépido e afoito para a vida e a luta cotidiana*.

O I Encontro Nacional de Gays e Lésbicas, em 1980, antecedido pela semana de minorias na USP, em 1979, em que o meio acadêmico quis ouvir os negros, as mulheres e os homossexuais, e o anúncio do I Ebho – Encontro Brasileiro de Homossexuais – dão a tônica do discurso do jornal neste ano. São numerosas páginas enfocando as lutas das mulheres e dos homossexuais e a inserção da chamada *luta menor* – a emancipação feminina, a luta contra o machismo, o reconhecimento dos homossexuais, negros e índios enquanto vozes que necessitavam de representação dentro da *luta maior*, a saber, a luta dos movimentos de esquerda contra o governo. Além desse tópico, a insatisfação de muitos leitores com a falta de novos rumos expressa pelo jornal é latente.

> Depois de dois anos acompanhando e incentivando este jornal, venho fazer minhas queixas (...) Minhas queixas são a respeito da tolice infantil com que *Lampião* vem tratando a esquerda, que, embora não militando nela, atinge-me, pois no país é a única que se tem preocupado com o pobre, o explorado, situação na qual me encaixo. Não coloco aqui a questão do poder, posto que ele é sempre a meta dos políticos de qualquer credo filosófico (...)
>
> Quando *Lampião* veio à luz, veio com propostas revolucionárias, e dois anos depois é desconsolador ver que houve antes um retrocesso, pois as matérias que andam publicando, talvez ainda possa ser chocante às margens do Jequitinhonha ou em Biafra, mas aqui em São Paulo, ele só é mais revolucionário que a Veja, mas pode ser lido tranqüilamente depois da novela das oito e antes da Malu Mulher (...). Valdir Luís de Albuquerque – SP (*O Lampião*, n.30, Nov. 1980, p. 19).

As cartas dos leitores, espaço maior de socialização do jornal, tornam-se embates dos vários discursos que lutam entre si para "tomar o poder", já que o aparato militar dava claras mostras de exaustão. O jornal é criticado ora por ser considerado dirigido a um grupo homossexual elitista, ora por não ceder maior espaço às mulheres ou ainda pelos embates em relação à esquerda brasileira. As crises entre os movimentos de esquerda e os movimentos homossexuais organizados eram cada vez maiores. Segundo Trevisan (2002), o objetivo dos grupos de esquerda era cooptar membros dos movimentos homossexuais organizados como forma de aliança e elemento numérico, mas sem dar, porém, maior espaço a estes grupos ou à possibilidade de que alguns de seus membros assumissem a liderança dos partidos de esquerda. A necessidade de assumir ou não posturas identitárias homossexuais torna-se ainda mais uma questão política. Há em 1980, além do enfrentamento social, o embate com a esquerda brasileira.

Ainda que seja contraditório, muitas das mesmas questões que impulsionaram o surgimento do jornal foram também as responsáveis pelo seu fechamento. Além da crise estrutural e financeira e da dificuldade em competir com outros jornais, a inserção em movimentos políticos e a criação dos vários movimentos homossexuais organizados criaram um racha na própria redação do jornal. O periódico que sempre buscara conscientizar os homossexuais de sua postura política e de cidadão perante o governo e a sociedade viu seus esforços ruírem com a crescente queda nas vendas e a dificuldade cada vez maior de arcar com compromissos financeiros.

Lampião publica sua última edição em julho de 1981. Outros jornais surgiram depois – a imprensa voltada para o público homossexual é hoje crescente no Brasil –, mas nenhum outro periódico conseguiu o reconhecimento e o destaque de *Lampião*. Este circulou em um momento único de nossa história, abrindo espaço para a intervenção desse(a) cidadão(ã), cujo discurso é muitas vezes calado e esquecido pela memória oficial. A possibilidade de (re)pensar e (re)construir as identidades homossexuais fez do jornal uma ponte entre os modelos de homossexualidade existentes até então e o panorama de diversidade identitária que temos hoje.

Referências bibliográficas

ACHARD, Pierre. Memória e produção discursiva de sentido. In: _____ et al. *Papel da memória*. Campinas: Pontes, 1999. p. 11– 17.

ALBUQUERQUE Jr, Durval Muniz de; CEBALLOS, Rodrigo. Trilhas urbanas, armadilhas humanas: a construção de territórios de prazer e de dor na vivência da homossexualidade masculina no Nordeste brasileiro dos anos 1970 e 1980. In: SANTOS, R.; GARCIA, W. (orgs). *A escrita de adé*: perspectivas teóricas dos estudos gays e lésbicos no Brasil. São Paulo: Xamã; NCC/SUNY, 2002. p 307-328.

FOUCAULT, Michel. *A ordem do discurso*. 9ª ed. São Paulo: Loyola, 2003.

LAURETIS, Teresa de. A tecnologia do gênero. In: HOLLANDA, H. B. de (org.). *Tendências e impasses:* o feminismo como crítica da cultura. Rio de Janeiro: Rocco, 1994. p. 206-242.

MACRAE, Edward. *A construção da igualdade*: identidade sexual e política no Brasil da abertura. Campinas: Editora da Unicamp, 1990.

MARIANI, Bethania. *O PCB e a imprensa:* os comunistas no imaginário dos jornais. Rio de Janeiro: Revan; Campinas: Ed. da Unicamp, 1998.

_____. Os primórdios da imprensa no Brasil (Ou: de como o discurso jornalístico constrói memória) In: ORLANDI, E. (org) *Discurso fundador:* A formação do país e a construção da identidade nacional. 2ªed. Campinas: Pontes, 2001. p. 31-42.

MOITA LOPES, Luiz Paulo. *Identidades fragmentadas:* a construção discursiva de raça, gênero e sexualidade em sala de aula. Campinas: Mercado de Letras, 2002.

NORA, Pierre. Entre memória e história: a problemática dos lugares. *Projeto História.* São Paulo, n.10, p. 7-28, 1993.

ORLANDI, Eni P.. *As formas do silêncio* – no movimento dos sentidos. Campinas: Editora da Unicamp, 1992.

_____. Maio de 1968: Os silêncios da memória. In: ACHARD, P. et al. *Papel da memória.* Campinas: Pontes, 1999. p. 59-67.

_____. Vão surgindo sentidos. In: _____ (org) *Discurso fundador:* a formação do país e a construção da identidade nacional. 2ª edição. Campinas: Pontes, 2001. p. 11-25.

_____. *Análise de Discurso*: princípios e procedimentos. Campinas: Pontes, 2002.

PÊCHEUX, Michel. *Semântica e discurso*: uma crítica à afirmação do óbvio. Campinas: Editora da Unicamp, 1988.

POLLAK, Michael. Memória e identidade social. *Revista Estudos Históricos.* Rio de Janeiro, v. 10, p.200-215, 1992.

REVEL, Judith. *Michel Foucault*: conceitos essenciais. São Carlos: Claraluz, 2005.

RODRIGUES, Jorge Luiz Caê. Somewhere over the rainbow: o primeiro lampião é aceso. In: LOPES, D. et al. (Orgs.). *Imagem e diversidade sexual*: estudos da homocultura. São Paulo: Nojosa, 2004. p. 281-287.

SILVA, Francisco Paulo da. Articulações entre poder e discurso em Michel Foucault. In: SARGENTINI, Vanice; BARBOSA, Pedro Navarro. *M. Foucault e os domínios da* linguagem: discurso, poder, subjetividade. São Carlos, SP: Claraluz, 2004. p. 159-179.

SIMÕES JR, Almerindo Cardoso. Memória, mídia e discurso - A homossexualidade masculina em questão. In: LOPES, D. et al. (Orgs.). *Imagem e diversidade sexual*: estudos da homocultura. São Paulo: Nojosa, 2004. p. 293-298.

_____. De sodomita a homoerótico: as várias representações para as relações entre iguais. *Revista Morpheus.* Rio de Janeiro, n.7, 2°sem. 2005. Disponível em: http://www.unirio.br/morpheusonline/numerosantigos.htm. Acesso em: 15 out. 2006.

SOUZA, Pedro. *Confidências da carne*: o público e o privado na enunciação da sexualidade. Campinas: Editora da Unicamp, 1997.

TREVISAN, João Silvério. *Devassos no paraíso:* a homossexualidade no Brasil, da colônia à atualidade. 5ª ed. Rio de Janeiro: Record, 2002.

Colunistas em campo pela tradição: as memórias da seleção brasileira na Copa de 2002

*Sérgio Montero Souto**

"Luiz Felipe Scolari sabe valorizar seu trabalho, sua profissão, seu triunfo. Durante toda a competição na Coréia do Sul e no Japão, ele disse que esta era uma Copa tática, uma Copa que não poderia ser conquistada por quem não estivesse em dia com as táticas do futebol, quem não apresentasse um esquema tático adequado, que não sobrepujasse o adversário no quesito da tática. Em outras palavras, ele queria dizer que era uma Copa do treinador, pois é este que imprime o padrão tático de sua equipe. O Brasil teve um padrão tático proporcionado por seu treinador – um bom padrão tático, digo eu, um padrão tático flexível, adequado, eficiente, mas não foi o padrão tático que ganhou esta Copa em que todos os times tinham o seu. Foi a qualidade do jogador – o jogador brasileiro (grifos nossos).

Assim, Fernando Calazans, principal colunista da editoria de Esportes de *O Globo* saudou, em sua coluna de 2 de julho de 2002, a vitória da seleção brasileira sobre a alemã por 2 x 0 que garantiu a conquista da Copa

---

* Graduado em Comunicação Social, habilitação em Jornalismo, pela Universidade Federal do Rio de Janeiro. Fez especialização em Comunicação e Espaço Urbano pela Universidade do Estado do Rio de Janeiro e é mestre em Comunicação pela Universidade Federal Fluminense. É doutorando do Programa de Comunicação da UFF. (sergio.souto@monitormercantil.com.br)

do Mundo de 2002, do Japão e da Coréia do Sul, transformando o Brasil no único país pentacampeão mundial de futebol. A opção do colunista por destacar a "qualidade do jogador brasileiro" em oposição ao "esquema adequado do treinador", realçado por Luiz Felipe Scolari, o Felipão, não se deveu, centralmente, às divergências que alimentara antes e durante a Copa – e mesmo depois – em relação à visão de Felipão sobre o futebol brasileiro. Essa visão se insere numa polarização mais ampla, em torno da disputa pela identidade da seleção brasileira de futebol.

Calazans também não é um exemplo isolado desprovido de porosidade social na sua defesa singular de uma determinada representação da seleção. Assim como ele, outros colunistas esportivos dos jornais brasileiros, como Tostão (*Jornal do Brasil*) e Juca Kfouri (*Lance!*), expressaram seu estranhamento com os valores defendidos por Felipão como representativos da identidade da seleção brasileira na Copa de 2002.

Kfouri dedica sua primeira coluna após a conquista do penta, "Nunca houve nada igual" (*Lance!*, 2/7/2002), a Ronaldo, a quem, pelos dois gols na final, deu "só 11, nota para extraterrestres". No texto, ele praticamente ignora Felipão, a quem só menciona uma vez, para reconhecer que o treinador fora o único a acreditar na capacidade de recuperação do atacante após a grave contusão no joelho sofrida antes do Mundial. Tostão, na última coluna antes da Copa[81], adota um tom premonitório, já a partir do título, "Grande dia de Ronaldinho" (*JB*, 30/6/20002). Na mesma coluna, embora admita que "as virtudes do treinador foram maiores do que os defeitos", ressalva que, "se o Brasil ganhar, os erros do técnico não irão desaparecer": "Torcerei bastante pela conquista do título. Mas como analista não serei o ufanista da vitória, nem o crítico do fato consumado", conclui, reafirmando que a disputa entre os dois campos não se encerra com a conquis-

---

[81] Esta foi a última crônica de Tostão no *Jornal do Brasil* durante o Mundial. Após a final, a coluna não foi mais publicada pelo *JB*, periódico que, há anos, enfrenta graves problemas financeiros e administrativos, que culminaram na demissão de dezenas de profissionais e no afastamento da maioria dos seus principais colunistas das diferentes editorias. Tostão e Juca Kfouri passaram a trabalhar em jornais diferentes daqueles em que escreviam à época da Copa do Mundo de 2002. Quando referências fora a este período forem necessárias, se registrará o veículo em que ocorreram.

ta momentânea de um deles, embora, como mostra o discurso dos três, esta tenha desdobramentos importantes na luta pela hegemonia.

O que se busca aqui é traçar o papel da seleção brasileira de futebol na formação da identidade nacional a partir do ponto de vista de sujeitos que ocupam um território privilegiado na imprensa: os colunistas esportivos. Para isso, foram escolhidos três dos principais colunistas brasileiros[82], representativos da "comunidade interpretativa" dos jornalistas e filiados a uma corrente que defende a representação dessa identidade a partir de valores ligados "à tradição". Por conta dessa visão, explicitam seu estranhamento com os novos paradigmas que comandam a representação simbólica da seleção no imaginário nacional a partir de valores de "mercado".

O recorte escolhido é a Copa do Mundo de 2002, do Japão e da Coréia do Sul. Essa foi a única vez em que essa competição foi sediada por mais de um país, o que também fornece uma pista emblemática da influência do "mercado" sobre as decisões dos que comandam o futebol mundial. Para acompanhar esse processo, foram analisadas as colunas escritas durante aquela Copa e, acessoriamente, as de períodos imediatamente anteriores e posteriores à competição, bem como as de outros momentos, quando se revelarem pertinentes para a melhor compreensão do objeto escolhido.

---

[82] Numa analogia à tese de "jornal principal", desenvolvida nos estudos sobre o jornalismo desde os anos 50, adotou-se um misto de "jornal principal" com "colunista principal" para justificar as escolhas dos sujeitos. Como todo recorte do objeto tem algum grau de subjetividade, procurou-se minimizar esse nível de arbitrariedade, combinando a importância do veículo para o qual o colunista escreve com o reconhecimento deste por seus pares. Também foram descartados colunistas que, embora se encaixassem nesse perfil, passaram a exercer o ofício de forma bissexta, como Armando Nogueira. Optou-se por colunistas de jornais cariocas, por facilitar o acompanhamento do comparecimento deles em outros veículos. A escolha de Juca Kfouri, que, além de escrever num jornal que circula no Rio de Janeiro e em São Paulo, comandou durante um período que incluiu o Mundial de 2002 o programa "Bola na rede" (RedeTV!), exibido nacionalmente, amplia em algum nível a geografia do universo investigado. Ressalve-se, porém, que a escolha de colunistas de outros estados e veículos filiados ao campo da "tradição", provavelmente, não implicaria diferenças significativas nos discursos, na medida em que a essência dos valores reivindicados é a mesma.

Para autores como Hymes (1980), o conceito de "comunidade interpretativa" define um grupo unido pelas suas interpretações partilhadas da realidade. Outros pensadores, como Maffesoli (1988) e Traquina (2002), preferem usar, ainda que com o mesmo sentido, o termo tribo, por entender que, pelo seu sentido metafórico, explicita melhor a idéia de os integrantes da "comunidade interpretativa" serem "homens e mulheres de ação". Tal opção dá margem a uma percepção do jornalismo como uma espécie de sociologia de segunda linha, o que implica cobranças deslocadas dessa comunidade e dos seus membros. Tais percepções diferenciadas revelam nuanças sutis, porém importantes, entre olhares variados sobre o papel do jornalismo e dos jornalistas. Seu registro inicial, no entanto, busca propiciar uma visibilidade mais panorâmica do papel que se pretende atribuir aos sujeitos escolhidos para objeto deste texto.

Apesar das nuanças dos discursos e das especificidades dos veículos nos quais escrevem, os três colunistas compartilham o desejo de uma representação da seleção brasileira como símbolo da identidade nacional diversa da veiculada pelos que naturalizam o avanço da mercantilização do esporte e ignoram os valores "tradicionais". Para isso, vão produzir, usando a força dos jornais para os quais trabalham, um tipo de memória do passado que legitime a tentativa dessa apropriação singular do imaginário do público e dos demais setores da imprensa esportiva.

O que se examina neste texto é como a representação da seleção como símbolo nacional passa por um processo de apreensões e ressignificações nas colunas desses três sujeitos, que se reconhecem e se reivindicam representativos de uma visão do futebol que guarda forte relação com a ontologia da fusão futebol/nação. Uma polarização mais acirrada poderia nominar os defensores deste campo como "românticos" (ou defensores das "tradições") em oposição aos "modernos" (ou defensores do "mercado"). Ao adotá-las, não se perde de vista que essa taxionomia não dá conta da complexidade de interesses e simbolismos em jogo e eclipsa importantes nuanças. A apresentação antecipada dessas ressalvas pode permitir que se ganhe maior visibilidade dos campos em confronto, fugindo a um reducionismo. As aspas que cercam os conceitos não portam intenções pejorativas; limitam-se a indicar que ambos, longe de poderem ser naturalizados, são construções sociais, estando, portanto, sujeitos a apropriações bastante diversas em relação ao olhar dos diferentes atores sociais.

Não se trata aqui "apenas" de uma discussão sobre preferências futebolísticas. A questão condensa apropriações distintas sobre a constituição da identidade nacional e sobre estratégias diferentes, e mesmo antagônicas, na forma de lidar com o processo de globalização em curso, principalmente em seus aspectos culturais, a partir de símbolo tão emblemático para o imaginário dos brasileiros como sua seleção de futebol. O que se busca perceber é se a representação da seleção brasileira quase como uma função da identidade nacional continua, no essencial, intacta ou se se encontra borrada pelo estranhamento entre valores que se impõem a partir da crescente mercantilização do esporte e percepções mais "tradicionais", das quais os três colunistas se apresentam como defensores.

No final do século XX e no início do século XXI surgiram incontáveis estudos acerca do fortalecimento dos fundamentalismos. Quase sempre, no entanto, esse conceito é associado ao discurso religioso em suas várias facetas. Continuam minoritários os trabalhos que se detêm sobre o fundamentalismo de "mercado", quando este é construtor e realimentador de alguns dos principais mitos da contemporaneidade, como a eternização da beleza e da juventude, para ficar em apenas dois de alta centralidade também nos meios de comunicação (Sarlo, 2000).

Aqui se trabalha com a hipótese central de que Calazans, Kfouri e Tostão são uma expressão no campo jornalístico do estranhamento experimentado por largos setores da sociedade pelo desenvolvimento desse processo de ressignificações. Eles vocalizam essa reação a partir de um aspecto singular e extremamente rico da constituição da identidade nacional: a apropriação da representação da seleção de futebol, o que faz com que o objeto seja entendido como extrapolador de comportamentos individuais para se tornar relevante socialmente. O fulcro da investigação se concentra no desenvolvimento contínuo e crescente de uma clivagem na identidade do futebol brasileiro que, grosso modo, teria como protagonistas polares, de um lado, os últimos treinadores da seleção nacional, como Luiz Felipe Scolari e Carlos Alberto Parreira, bem como seus vocalizadores na imprensa, e, de outro, os três colunistas mencionados, expoentes representativos da visão "tradicional".

Não se investiga nem se afirma aqui que a seleção brasileira de futebol deixou de ser um dos principais símbolos nacionais, o que, aliás, segue sendo reconhecido por largos segmentos da sociedade brasileira. A investigação se concentra no que se identifica como um processo, ainda em desenvolvimento, de reelaboração dessa representação. Em outras palavras, admitido que o futebol em geral e a seleção brasileira em particular são símbolos nacionais relevantes, o que se propõe discutir é a disputa sobre os diferentes ressignificados dessa representação a partir do papel desempenhado pelos três colunistas mencionados. Processo que, conforme anotado por um deles poucos meses antes do início da Copa de 2002, levou torcedores a afirmar que, pela primeira vez, não torceriam pelo Brasil naquela competição. Embora crítico da seleção comandada por Felipão, o colunista admitiu serem recorrentes críticas à seleção em Copas anteriores, mas anotou ser "a primeira vez que, em muitos anos, como colunista, recebo um número crescente de mensagens de leitores informando que torcerão contra a seleção brasileira" (Calazans, *O Globo*, 4/5/2002).

O resultado líquido da mudança

Ao abordar de forma crítica o paradigma da sociedade dirigida por "um mercado auto-regulado", construído por leituras recorrentes do desenvolvimento do capitalismo, Polanyi (2000) se recusa a naturalizar um processo até então estranho à história da humanidade. Também os colunistas demonstram seu estranhamento com o paradigma do "futebol globalizado", veiculado como um dado de realidade, e não como um processo socialmente construído, a partir de uma articulação complexa entre "mercado" e imprensa.

Fugindo ao senso comum que aponta os freios apostos ao ritmo da revolução industrial inglesa como expressões de "reacionarismo" e "antiprogresso", Polanyi se insurge contra as considerações "em última instância" abraçadas pelas correntes liberais da teoria econômica que pregam o julgamento daquele movimento histórico como se sua ocorrência numa economia de mercado fosse autojustificatória. Para aquele pensador, embora possa soar natural na contemporaneidade, essa suposição é injustificável, por não considerar a economia de mercado uma estrutura institucional que, "como sempre nos esquecemos", nunca comparecera antes do nosso tempo, "e, mesmo assim, ela estava apenas parcialmente presente". Para ele, além disso, as considerações "em última instância" não se sustentam de per si: "Se o efeito imediato de uma mudança é deletério, então, até prova em contrário, o efeito final também é deletério", defende (Polanyi, 2000, p. 56).

Depois de listar exemplos de "efeito deletério", como a destruição de casas e a eliminação de empregos no campo para a conversão de terras aráveis em pastagens, esclarece que o registro desse passivo dantesco não implica ignorar os efeitos do aumento das exportações sobre a renda dos proprietários da terra nem da geração de postos de trabalho em função do aumento do suprimento local de lã. O ponto central da sua argumentação, e que se pretende reter aqui – e, por dedução, se aplicar ao exame do discurso dos colunistas –, é que a comparação entre o ritmo imposto à mudança e o ritmo do ajustamento permitido é o verdadeiro fator decisivo para se julgar o "resultado líquido da mudança".

Polanyi considera, por exemplo, que, no coração da revolução industrial, no século XVIII, na Inglaterra, a intervenção dos Tudors e dos primeiros Stuarts para diminuir o ritmo do processo econômico, desacelerando a velocidade dos cercamentos no campo, ajudou a tornar o desenvolvimento mais suportável socialmente. Isso ocorreu, argumenta, por utilizarem o poder do governo central para "socorrer as vítimas da transformação, tentando canalizar o processo de mudança de forma a tornar o seu curso menos devastador" (p.57). Por analogia, pode-se indagar se a ação dos colunistas na sua defesa de valores, que enxergam vinculados à "tradição", em lugar de indicar "reacionarismo" e "romantismo deslocado", não procura também socorrer as vítimas da transformação do "futebol de mercado", tentando canalizar o processo de mudança, de forma que tenha curso menos devastador.

As especificidades do universo do futebol, reforçadas pelo aumento do relevo da preparação física, principalmente a partir da década de 1990, criaram nas editorias de Esporte, mais do que em qualquer outra, terreno ainda mais favorável à mitificação da juventude, em contraponto a uma velhice incômoda. Aliada à valoração dos vencedores, em oposição aos derrotados, ela funda uma espécie de paradigma do descartável. Nesse modelo, a objetividade jornalística considera natural que jogadores que não se enquadrem nesse perfil sejam desqualificados pela ausência de "qualidades", agora renomeadas por novos paradigmas como "força" e "pegada". A ascensão desses "novos" valores produz estranhamentos e os colunistas acusam e reverberam esse sentimento, que tem ressonância em numerosos segmentos do público.

Ao se analisar o papel dos colunistas, também se trabalha com a concepção de que eles exercem o papel de guardiões da "tradição", atuando como construtores da memória de uma determinada época, num processo de permanente reelaboração. É importante registrar que a trajetória da seleção brasileira ao longo dos anos, bem como sua representação identitária, é, em grande medida, forjada pela imprensa. E que esse processo se dá, ora pelo lado do silêncio, ora pelo da lembrança de determinados fatos e acontecimentos, que vão sendo construídos, em sintonia com uma visão de mundo, num processo não-estático e dialético. Tanto o esquecimento quanto a lembrança são construções que ajudam a referendar o poder simbólico e real da imprensa na sociedade e, neste caso, dos colunistas em particular.

Para Polanyi, por exemplo, a ação da Coroa no sentido de mitigar, e mesmo retardar, os efeitos devastadores das transformações trazidas pelo novo modelo nada tinha de conservador: "Se a inovação faz o revolucionário, eles foram os revolucionários do seu tempo. Seu compromisso era com o bem-estar da plebe, glorificada no poder e na grandeza do soberano" (p 57)", avalia. Ele aduz, no entanto, que o futuro pertencia ao constitucionalismo e ao Parlamento e que a Coroa, ao ser despojada pela revolução política conduzida pela nova classe ascendente, "já esgotara todas as suas faculdades criativas" e "sua função protetora já não era mais vital para o país que já vencera a tempestade da transição" (p 57).

O esgotamento do papel da Coroa e o anacronismo que passa a marcar suas ações a partir de então não invalidam, na sua opinião, o reconhecimento do papel jogado na transição para uma sociedade de mercado, reduzindo os horrores do avanço da modernidade, como largamente descritos e documentados por historiadores e escritores de distintas filiações políticas e ideológicas. Polanyi considera, no entanto, que a razão do apagamento desse feito se deveu ao fato de os capitalistas e empregadores da classe média ascendentes terem sido as principais vítimas das atitudes protecionistas da Coroa. Em outras palavras, por antagonismo de classe, os novos responsáveis pela narrativa daqueles acontecimentos, quando se tornaram predominantes na imprensa e nas outras formas de narrativas, não tinham razões objetivas para reterem e propagarem aqueles feitos.

E observa que, dois séculos após, quando a Inglaterra voltou a desfrutar de uma administração social efetiva e bem ordenada, como a que fora destruída, o tipo de governo paternalista anterior já não se fazia mais necessário. Ele ressalva, no entanto, que essa ruptura "causou um dano finito", por ajudar no processo de apagamento da memória da nação "os horrores do período dos cercamentos" e "as realizações do governo para superar o perigo do despovoamento" (p 57). E lamenta que esse processo de obliteração coletiva tenha impedido que, cerca de 150 anos depois, se compreendesse a natureza real do que qualifica de "uma catástrofe similar, sob a forma de Revolução Industrial" e que voltou a ameaçar a vida e o bem-estar social. E lembra que escritores de todas as opiniões e partidos foram unânimes, ainda que com variações, ao se referenciarem às condições sociais da Revolução Industrial "como um verdadeiro abismo de degradação humana" (p 58).

Três séculos depois, pode soar deslocado recuperar o papel da Coroa no sentido de mitigar um processo que se apresenta avassalador e cuja memória à luz do paradigma hegemônico contemporâneo é visto pelo "resultado líquido" da mudança. Ou seja, o progresso obtido – ainda que se reconheçam contradições e assimetrias maiores ou menores, conforme as unidades de medidas a que recorram os diferentes autores – resultou num movimento de avanço para a humanidade. Ou para usar qualificativo mais contemporâneo, em "mais modernidade".

No entanto, ainda que muito distante das pretensões deste texto uma historiografia sobre a Revolução Industrial, essa visita ao passado pode guardar analogias interessantes com o objeto em análise. Assim como as visões liberais produziram uma interpretação pouco rica daquele período histórico por insistirem em julgá-lo a partir de um muito específico ponto de vista econômico, a análise da identidade nacional expressa na seleção a partir, exclusiva ou centralmente, de valores de "mercado" produz apagamentos e invisibilidades de elementos vinculados à "tradição", bem como promove hierarquizações que causam fortes estranhamentos em parcelas importantes do público.

Lendo Garrincha

Se é verdade que a imprensa ocupa papel central na constituição dos personagens como elementos fundadores da memória de um grupo, os colunistas desempenham função singular nessa operação. Ao expressar seu estranhamento com o tratamento dado pela mídia em geral e do próprio jornal em que escreve ao encontro de Pelé e Maradona, na estréia do programa do segundo, "La Noche del Diez", na TV Argentina, Calazans explicitou logo no título, "O fim de Garrincha" (*O Globo*, 17/8/20005), um aspecto emblemático do "caráter imutável" de uma memória tão cara ao campo a que é filiado. A crônica, que teve chamada pouco usual na primeira página do jornal – "Discordo da primeira página do *Globo*" –, protesta contra a qualificação de Pelé e Maradona como "os dois maiores jogadores de todos os tempos", como quase toda a mídia local e internacional se referiu ao encontro dos dois ex-craques: "Quer dizer: quem existiu antes de Maradona foi *pro* espaço! Teve apagada sua passagem pela face da Terra. Foi desterrado para sempre da memória dos homens", questionou o colunista.

Calazans, que em mais de uma coluna já se declarou fã do ex-craque da Argentina, atribui ironicamente o "apagamento" de Garrincha da historiografia dos maiorais do futebol a uma "insuspeitada e fortíssima influência argentina sobre a opinião pública brasileira". Num tom entre o compreensivo e o jocoso atribui a afirmação "dos meus companheiros da primeira página e da editoria de Esportes" ao fato de a "imensa maioria não ter visto Garrincha jogar", mas ressalva: "Explica, mas não justifica". Para sustentar a ressalva, cita outro amigo, identificado apenas como "também jornalista do *Globo*", que reagiu ao "atropelamento" de Garrincha por Maradona numa frase qualificada por Calazans como "de grande sabedoria, que jornalistas mais jovens deveriam seguir": "Eu não vi o Garrincha. Mas *li* o Garrincha" (grifo do colunista): "Se, além de ler, ouvissem os jornalistas que viram Garrincha jogar, não o condenariam ao esquecimento e ao desterro" (grifos nossos).

Ao reivindicar para "os jornalistas que viram Garrincha jogar" e para "a leitura de Garrincha" o estatuto de um dos lugares de memória, o colunista nos remete ao conceito concebido por Pierre Nora[83]. A tentativa de Calazans de

---

[83] Para Nora, o passado seria reatualizado em lugares de memória, cuja característica material, funcional e simbólica faz deles elementos fundamentais na reorganização de uma dada memória da sociedade. Na medida em que não existiria mais uma memória espontânea, seria preciso registrar, em profusão, a própria vida presente e relembrar o passado a cada instante, mas, sobretudo, criar a todo o momento lugares de memória, de natureza eminentemente material (arquivos, monumentos) ou da ordem do simbólico (comemorações e datas nacionais, por exemplo) (Nora,1984).

recuperar a memória de Garrincha – um personagem exemplar dos predicados reivindicados pelo campo da "tradição" – opera na direção de conferir aos colunistas a capacidade de constituírem seus espaços nos jornais em lugares de memória, havendo nesse movimento um poderoso investimento afetivo dedicado ao ex-ponta-direita do Botafogo e da seleção brasileira, como símbolo sintetizador de uma maneira coletiva de enxergar um determinado universo.

A preocupação com a "leitura" que as novas gerações fazem da memória do campo da "tradição" não se limita aos movimentos para revivificar os principais ícones desse universo. Ela se articula com a reafirmação de valores essenciais do campo, como o combate à violência, como revelam duas colunas, de 1 e 3 de abril de 2007 – significativamente intituladas "Futebol doente (1)" e "Futebol doente (2)" –, dedicadas pelo mesmo colunista às críticas dos presidentes da Federação Internacional de Futebol Associado (Fifa), Joseph Blatter, e da União Européia de Futebol Associado (Uefa), o ex-jogador Michel Platini, à "violência crescente com que vêm sendo disputados os jogos de futebol". Depois de comemorar na primeira coluna o aval recebido por duas das principais entidades do futebol mundial à temática desenvolvida por ele "há anos" e apenas "com a ajuda esporádica de um ou outro companheiro, mas quase que solitariamente", Calazans dedica a segunda parte a um chamamento "aos caros amigos da imprensa", para "darem uma mãozinha ao Blatter e ao Platini": "Porque a verdade é que a imprensa, como os dirigentes até agora, não tem contribuído nada", provoca.

Nessa disputa pela hegemonia de paradigmas no interior do universo da imprensa esportiva, Calazans faz questão de fazer "distinção pertinente" entre "antigos e jovens" jornalistas. Para ele, a indiferença entre os "antigos" em relação ao combate à violência seria "mais grave", já que os "jovens" chegaram aos estádios e às redações numa época, que localiza nos anos 90, na qual 'o futebol já tinha perdido em civilidade e ganhado em brutalidade": "Quem há de convencer os jovens de que nem sempre o futebol foi assim?", indaga, para fortalecer a necessidade de os antigos jornalistas romperem com a indiferença até agora demonstrada.

Para reafirmar que o mundo do futebol e do jornalismo esportivo não é dissociado do espectro social mais amplo, Calazans identifica aproximações entre a indiferença e a banalização de valores representativos da "modernidade", como a violência, no primeiro universo, com movimento semelhante na sociedade brasileira, principalmente nos grandes centros urbanos. Mas ressalva ver distinção fundamental entre os campos: "A imprensa que faz a cobertura das cidades parece querer despertar para a necessidade de combate à violência. A imprensa que faz a cobertura dos campos de futebol parece que ainda não."

Esse movimento vai ao encontro do conceito de Nora (1984), para o qual o principal objetivo do lugar de memória é "parar o tempo, bloquear o ato de esquecer, estabelecer um estado de coisas, imortalizar a morte, materializar o imaterial". Tudo isso, acrescenta, para capturar o máximo de significado com o menor número possível de signos. Para Nora (1984, p. 16), a existência dos lugares de memória se assenta "na sua capacidade de metamorfose, de uma reciclagem incessante de seu significado e de uma imprevisível proliferação de suas ramificações".

A operação de reciclagem e metamorfose desenvolvida por Calazans para reelaborar a memória de Garrincha e reinscrevê-la no topo dos "maiores do mundo de todos os tempos" é emblemática. Pela irreverência do seu estilo, Garrincha, sob certos ângulos, mais do que Pelé, se presta à mais perfeita síntese e torna-se um dos principais ícones dos "anos dourados" do futebol brasileiro, tal como este é idealizado pelo campo da "tradição". Sua evocação remete a uma sensação de pertencimento a um tempo que se pretende de alguma forma estabilizado, ainda que sujeito a adaptações.

O objetivo dessa revisita ao passado não se esgota na (re)lembrança de um ícone nem no aspecto revigorante que a manutenção de um aspecto da memória de um grupo assegura. A rememoração de Garrincha é, principalmente, estratégica, permitindo que, pelo recurso a um caso exemplar, os colunistas estabeleçam um paradigma de qualidade a partir do qual sua autoridade para criticar os ícones e valores engendrados pelo "mercado" adquira um valor moral mais elevado e ganhe em densidade. No enfrentamento com Felipão e os que reverberam suas posições na imprensa, que se esboçará antes, durante e permanecerá mesmo depois da Copa de 2002, a revisita à memória do passado permite aos colunistas um *continuum* no presente do paradigma que defendem.

Como recorda Polanyi, uma economia de mercado se reivindica um sistema auto-regulável de mercado, ou, ainda, "uma economia dirigida pelos preços do mercado e nada além dos preços do mercado" (p. 62). Ele ironiza essa definição, observando que um sistema que lograsse organizar o conjunto da vida econômica sem carecer de qualquer ajuda ou interferência externa mereceria a qualificação de "auto-regulável". Ele considera essas condições preliminares suficientes para revelar "a natureza inteiramente sem precedentes de um tal acontecimento na história da raça humana" (p. 62).

Analogamente, os colunistas sustentam que, embora elementos de "mercado" não fossem inteiramente estranhos ao futebol brasileiro até os anos 80 do século passado, até recentemente eram claramente minoritários e, principalmente, subordinados aos valores da "tradição", que constituíam o paradigma dominante. Nessas condições, eram mais explícitas, inclusive, as diferentes apropriações do mesmo esporte em territórios diferentes, como a América do Sul e a Europa. Em sua coluna de 12 de junho de 2002, Tostão explicita uma visão fortemente indicativa do seu pertencimento à mesma "comunidade interpretativa", à qual estão filiados seus dois colegas. Uma ilustração desse "grupo unido pelas suas interpretações partilhadas da realidade" já é indicada no emblemático título de "Futebol globalizado", para um texto que começa por lembrar que, "no passado, era nítida a diferença entre as escolas européias e sul-americanas" (grifos nossos).

Após conceituar o "futebol europeu" como "mais defensivo, tático, disciplinado, cintura dura", o contrapõe à "escola sul-americana", caracterizada como aquela na qual predominava "o toque de bola curto, o virtuosismo, a habilidade, a criatividade, a imprevisibilidade e os dribles". Depois de expor os paradigmas que diferenciavam as duas escolas, lamenta que o futebol tenha ficado "todo igual". E como numa defesa preventiva à "acusação" de "romântico", ressalva que "a solução para melhorar a qualidade do futebol não é voltar ao passado", mas buscar a união entre "as qualidades positivas do presente e do passado": "Criatividade, habilidade, talento e disciplina tática e preparo físico não são antagônicos. Complementam-se", argumenta, numa espécie de antropofagia futebolística.

A presença de Tostão como colunista, legitimada por seus pares, devido ao seu texto bem mais articulado do que a média dos assinados por ex-jogadores de futebol que desempenham a mesma função e à sua "visão fora das quatro linhas", agrega valor fundamental à corrente dos "românticos"[84]. Incensado pelos diver-

---

[84] Para um ensaio sobre a trajetória de Tostão, ver "O médico e o jogador" em Souto, 2000.

sos grupos que brigam pela apropriação do imaginário da seleção, seu ingresso na "comunidade interpretativa" fornece um caso exemplar: o do que não apenas praticou o "futebol arte", como o defende com elegância. Com isso, fornece uma espécie de "argumento moral" na disputa que seu grupo trava com os que o acusam de ser composto por "românticos" ou "teóricos", em contraponto aos que "põem a mão na massa" e "vivem o presente", como os treinadores contemporâneos, que têm suas posições vocalizadas por outros setores do campo jornalístico. O ingresso de Tostão na comunidade também reforça a percepção de que os valores defendidos pelos "modernos" não deitam raízes na gênese da escola brasileira de futebol, ao contrário, lhe seriam estranhos.

Polanyi destaca ainda o que considera ser a descoberta central das pesquisas históricas e antropológicas: a de que a economia da humanidade está submersa nas relações sociais. Para ele, não existe um 'homem economicus' em estado puro, que se moveria nesse campo pela defesa de interesses individuais na posse de bens materiais, mas, sim, para assegurar "sua situação social, suas exigências sociais, seu patrimônio social" (p. 65). Ou seja, o homem, na verdade, defende seus bens materiais enquanto estes servem a seus objetivos sociais. E aduz que nem o processo de produção nem o de distribuição guardam relação com interesses econômicos específicos em relação à posse de bens: "Cada passo desse processo está atrelado a um certo número de interesses sociais, e são estes que asseguram a necessidade daquele passo" (p 65), destaca, acrescentando considerar natural que os interesses variem enormemente conforme a complexidade das sociedades, mas que, em qualquer dos casos, "o sistema econômico será dirigido por motivações não-econômicas" (p 65.).

Ele considera que, se se olha a questão do ponto de vista da sobrevivência, a explicação é relativamente simples. Numa sociedade tribal, por exemplo, é incomum o interesse econômico individual ser prevalecente, porque a preocupação primeva daquele agrupamento é evitar que qualquer um dos seus integrantes padeça de fome. Ao mesmo tempo, porém, a manutenção dos laços sociais é indispensável, determinando, não apenas a marginalização do indivíduo que infringe os códigos de honra e generosidade, como a sobrevivência do grupo, porque, no longo prazo, as obrigações sociais são recíprocas e sua obediência assegura maior suporte aos interesses individuais envolvidos no dar-e-receber.

Nessas circunstâncias, a noção de lucro e de riqueza não comparece, exceto a que consiste em objetos que ressaltam o prestígio social. Numa sociedade mais complexa como a nossa, no entanto, a questão do prestígio social é mais suscetível de ser encharcada por valores de "mercado". A necessidade, presente desde os primórdios da imprensa esportiva nacional, de criar e suportar mitos, quando se torna muito permeável a valores econômicos, promove confusões sobre as reais intenções dos discursos jornalísticos. Seria a necessidade de promover o "milésimo gol" de Romário, por exemplo, um acontecimento midiático que se assenta na epopéia dos heróis rumo ao Olimpo, o que justificaria certa necessidade de imprecisão e recolhimento da sempre reivindicada objetividade jornalística? Ressalve-se que como a necessidade de ídolos, ainda que por razões diferentes, é a base que move os dois campos, não é incomum que, às vezes, os colunistas se vejam tentados a circular discursos e a promover valores que, em tempos de menor escassez de oferta simbólica, mereceriam tratamento mais discreto, ou mesmo seriam destinados ao esquecimento. Essas contradições criam pontos de interseção com o discurso dos valores de "mercado", como aconteceu no episódio do "gol mil" de Romário[85].

Durante a Copa de 2002, as colunas também não foram totalmente impermeáveis ao discurso avassalador do "mercado" na sua necessidade permanente de espetacularizar e amplificar o acontecimento para potencializar ganhos financeiros e/ou simbólicos. De modo geral, porém, buscaram sustentar um discurso que se contrapusesse a fundamentalismos de "mercado". Em sua coluna de 23 de junho de 2002, escrita após a vitória do Brasil sobre a Inglaterra por 2 x 1, que pôs a seleção na semifinal, Tostão, apesar do título "Brasil perto do título", buscou evitar ser envolvido pelo ufanismo que tomava conta de parte da imprensa, principalmente, das transmissões televisivas.

---

[85] Depois de tratar com ressalvas – registrando tratar-se "das contas do jogador" – e até ironizar o projeto do "milésimo gol" de Romário, grande parte da mídia, vanguardeada pela TV Globo, adotou o acontecimento reivindicado pelo jogador, transformando uma não-notícia em ocorrência jornalística, mesmo com o atacante tendo admitido que contabilizara 77 gols do tempo de amador e 19 de "jogos festivos". A necessidade de "reproduzir" a epopéia de Pelé, ainda que banalizando ou rebaixando o feito, foi mais bem explicitada pelo locutor Galvão Bueno: "O importante não é o número de gols marcados, mas a homenagem ao Romário" (TV Globo, 11/4/2007).

Já na abertura do texto, considera que Brasil e Inglaterra "fizeram uma fraca partida, muito abaixo da *tradição* das duas seleções" (grifo nosso). E explicita a diferença de visão dos dois campos: "Se você for um analista bastante racional, pragmático, que não valoriza a beleza do espetáculo, mas somente o futebol de resultados, deve ter achado que foi um bom jogo tático, prático e objetivo". Numa espécie, porém, de concessão ao discurso do outro campo, admite que, da mesma forma, o jogo entre os mesmos adversários na Copa de 70, "considerado por muitos como uma das grandes partidas do futebol, foi um jogo amarrado, com poucas chances de gol".

Essa aproximação entre os dois paradigmas, no entanto, não impede Tostão de "fazer o advogado do diabo". Embora o Brasil fosse favorito, "a causa não está ganha, nem será fácil"; "nenhum resultado será surpresa". E ironiza: "É difícil entender uma seleção campeã do mundo com Edmílson no meio-campo. Depois, terei de tirar umas férias para assimilar essa nova situação do futebol".

Essa operação discursiva do colunista lhe permite, embora admitindo como forte a possibilidade da vitória, reafirmar restrições à forma como se daria essa conquista. Assim como Polanyi sustenta que as motivações econômicas têm origem no contexto social, é possível considerar que um mesmo fato – a conquista da Copa de 2002 – tenha diferentes apropriações e percepções.

Ao analisar a vida de uma comunidade na Melanésia Ocidental, Polanyi observa que etnógrafos coincidiram na conclusão de que, entre aqueles habitantes, inexistia a motivação pelo lucro, do princípio de trabalhar para fazer jus a uma remuneração, bem como qualquer organização isolada e baseada em motivações meramente econômicas. Diante da ausência desses elementos-chave numa sociedade de mercado, ele se interroga sobre as razões que asseguravam a ordem na produção e na distribuição. E aponta como resposta dois princípios não-associados, basicamente, à economia: reciprocidade e redistribuição. Para aqueles ilhéus, a reciprocidade cumpria papel central principalmente em relação à organização sexual da sociedade, entendido esse princípio como ligado à família e ao parentesco. Já a redistribuição se referia fundamentalmente a todos que tinham uma chefia em comum e, com isso, um caráter territorial indispensável para garantir a sobrevivência da comunidade.

Guardadas as devidas proporções e, principalmente, particularidades dos universos simbólicos, esse tipo de organização social guarda aparentamentos com certas características "primitivas" do torcedor, que o leva, apesar da necessidade de permanentes reelaborações na fruição da relação com os ídolos, a sustentar fortes laços com a "tradição". Os colunistas jogam importante papel na reafirmação e no reforço desses vínculos, contribuindo, a exemplo do caráter das relações identificado por Polanyi na comunidade de ilhéus, para "uma superabundante motivação não-econômica em cada ato executado no quadro do sistema social como um todo". O pesquisador ressalta, no entanto, a necessidade da presença de padrões institucionais para sustentar a aplicação de princípios de comportamento, como a reciprocidade e a redistribuição. E enxerga esses padrões na simetria e na centralidade que regem a sociedade por ele estudada.

Para Polanyi, enquanto a sociedade mantém sua rotina, não existem motivos para interferências de ordem econômica individual nem é preciso temer perdas do esforço individual. Nesse cenário de normalidade, a divisão do trabalho se encontra assegurada, as obrigações econômicas são desempenhadas com correção e, principalmente, ficam assegurados meios materiais para "uma exibição exuberante de abundância em todos os festivais públicos": "Numa tal comunidade, é vedada a idéia do lucro: as disputas e os regateios são desacreditados; o dar graciosamente é considerado como virtude; não aparece a suposta propensão à barganha, à permuta e à troca" (p 69), advoga, acrescentando que, em tais condições, o sistema econômico é mera função da organização social. Ele refuta a idéia de que a aplicação de tais princípios socioeconômicos se restrinja a produtores primitivos ou comunidades reduzidas e ainda que o funcionamento de uma economia sem lucro e sem mercado seja, necessariamente, simples. E sustenta que todos os sistemas econômicos registrados pela história humana até o desaparecimento do feudalismo na Europa Ocidental tinham como forma de organização os princípios da reciprocidade ou da redistribuição, ou da domesticidade, "ou alguma combinação dos três".

E argumenta que o circuito Kula, da Melanésia Ocidental, instituído na base da reciprocidade, constitui "uma das mais completas transações comerciais já conhecidas pelo homem". Mais importante aqui do que reproduzir o intrincado sistema de funcionamento da sociedade descrito por

Polanyi, é registrar sua observação etnográfica de que, naquele grupamento social, o que predomina, "não é a propensão à barganha, mas à reciprocidade no comportamento social" (p. 70). E que, na história humana dos diferentes sistemas econômicos até o fim do feudalismo, uma grande variedade de motivações individuais, vinculadas a princípios gerais de comportamento, foi determinante para assegurar formas ordenadas de produção e distribuição. E, entre as motivações registradas, o lucro não ocupava lugar hegemônico.

Essa remuneração fora de padrões de "mercado" nos remete à relação ídolo/fã, cujo desenvolvimento e aprofundamento é alimentado fortemente pela imprensa. A relação com o ídolo, no entanto, tem apropriações distintas e, não raro, antagônicas pelos diversos atores do universo do futebol. O campo da "tradição" processa essa relação com uma simbiose que alimenta valores e visões que não se esgotam na representação da identidade da seleção brasileira, embora esta ocupe papel de destaque nesse paradigma, como mostra a coluna escrita por Calazans, em 31 de maio de 2002, no dia da abertura da Copa. Sob o título "Técnico 24 horas", observa que a Copa do Mundo "operou algumas mudanças em Luiz Felipe Scolari". Considera que o treinador, que, antes do início do mundial, investira contra valores bastante caros para o campo da "tradição", "está mais consciente da dimensão do seu cargo, mais consciente da dimensão da seleção brasileira, da tradição do futebol brasileiro": "Provavelmente as viagens, a passagem por outros países até chegar à Coréia, o contato com estrangeiros e com a imprensa internacional – tudo isso o tornou um ser mais sociável", ironiza.

Ao mesmo tempo que reafirma valores essenciais do campo ao qual é filiado, o colunista deixa claro seu estranhamento com visões que, na sua concepção, borram, quando não revogam, os pilares da "tradição", como a defesa do "futebol de resultados". Em coluna produzida quatro anos depois da Copa de 2002, expressaria mais abertamente a demarcação entre os dois campos, explicitando, inclusive, que essas fronteiras se estendem para além da representação oficial da seleção brasileira, ao deixar claro que não se reconheceria numa identidade hegemoneizada por valores de "mercado".

Com o título "Nada de lero-lero", o colunista investe contra o que considera o amesquinhamento das "tradições" do futebol nacional, anunciando que não torceria por uma seleção adepta de valores antagônicos aos que defende, mesmo que fosse a brasileira: "Porque se for time de lero-lero, de conversa fiada, futebol de resultados, eu não torço mesmo, seja ou não brasileiro" (*O Globo*, 27/6/2006). Embora a coluna tivesse como alvo a equipe dirigida por Carlos Alberto Parreira, na Copa de 2006, na Alemanha, Calazans mirava um campo mais amplo, como mostram, no mesmo texto, as fortes críticas destinadas a Felipão, que, naquele mundial, comandava a seleção de Portugal, e aos defensores deste treinador na imprensa: "Mas baixaram o sarrafo com inusitada selvageria, machucando uns aos outros sem dó nem piedade, enquanto Felipão vibrava com o espetáculo, se é que se pode chamar assim, e era enaltecido justamente por aquele incitamento."

Polanyi sustenta que o simples exame do esboço dos sistemas econômicos e dos mercados, tomados isoladamente, revela que, até a irrupção do capitalismo, a idéia de "mercado" era apenas acessória para o desenvolvimento da vida econômica. Como regra, aduz, o sistema econômico era absorvido pelo sistema social e, independentemente do modelo de comportamento predominante na economia, o padrão do mercado em vigor era compatível com ele. Também no universo do futebol, mesmo que descontado algum nível de idealização dos valores do campo a que são filiados, os colunistas têm como sustentar que, até o início dos anos 90, os valores de "mercado" eram acessórios, embora já existissem indicações mercantilistas anteriormente, principalmente, a partir dos anos 80. E que, portanto, as tentativas de naturalizar sua aceitação sem freios nem questionamentos constituem um processo estranho ao universo do futebol brasileiro, pelo menos, em cerca de 80% da história dessa impressionante manifestação da identidade nacional.

Somente na Copa de 1994, nos Estados Unidos, pela primeira vez, a seleção brasileira teve mais "estrangeiros" – como a imprensa nomeia os brasileiros que jogam em times do exterior – entre os 23 convocados pelo treinador Carlos Alberto Parreira. Essa correlação assimétrica se acentuou fortemente com o tempo, principalmente, com as graves crises econômico-financeiras enfrentadas pelos clubes brasileiros, fortemente agravadas pelo fim da Lei do Passe, que retirou das agremiações sua principal fonte de receita. Mas nem sempre esse foi um valor "natural". E mesmo em universos mais fortemente encharcados por valores de "mercado", esse processo não se desenvolve sem resistências, obrigando o paradigma hegemônico a fazer concessões aos princípios da "tradição". Na Inglaterra, cuja liga de futebol organiza o campeonato nacional mais rentável do mundo, quando o

Arsenal, campeão invicto de 2004, entrou em campo, em fevereiro do ano seguinte, para jogar com o Crystal Palace, pela Premier League – equivalente à Primeira Divisão –, com 11 jogadores não-britânicos "provocou polêmica e revolta no país" (*O Globo*, 17/2/2005)[86].

Como se vê, a visão compartilhada pelos três colunistas guarda fronteiras bem mais largas do que as demarcadas por seus espaços físicos e territoriais. Os valores que fundam o campo que integram fazem com que a noção de tempo e espaço compartilhada seja extremamente diversa da percebida pelos que habitam o universo fundado por valores de "mercado". As fronteiras que os separam decorrem de embates mais amplos entre a visão do Estado nacional e a tentativa de substituí-lo pelo "mercado". Ressalve-se, porém, que sua transposição para a polarização aqui observada não comparece de forma mecanicista nem se faz presente sem uma forte representação simbólica e marcada por complexas nuanças. Tentar acompanhá-la no campo em estudo já exige suficiente capacidade de observação e análise para que se ceda à tentação de tecer uma historiografia sobre o Estado nacional e o "mercado", o que também escaparia em muito ao alcance deste texto. Para os fins aqui buscados, é suficiente registrar a existência dessa tensão permanente como pano de fundo que informa a polaridade entre os dois campos aqui examinados.

Referências bibliográficas

HYMES, D. H. *Language in education*: ethnolinguistic essays. Washington D. C.: Center for Applied Linguistics, 1980.

---

[86] Comandado pelo treinador francês Arsene Wenger, o Arsenal entrou em campo com atletas de sete nacionalidades: França (5), Brasil (1), Espanha (1), Holanda (1), Costa do Marfim (1), Alemanha (1) e Camarões (1). No banco de reservas, dois espanhóis, um suíço e um holandês. Apesar de golear o Crystal Palace por 5 x 1, o clube foi duramente criticado. Ex-jogador do Arsenal, o inglês Paulo Merson classificou a atitude de Wenger de "palhaçada". Já o presidente da Associação dos Jogadores Profissionais (PFA), Gordon Taylor, afirmou que a "legião estrangeira" do Arsenal representa "uma preocupante tendência de diminuição de oportunidades para jogadores ingleses" (*O Globo*, 17/2/2005).

MAFFESOLI, M. *Le temps des tribus*: le declin del'individualisme dans les societes de masse. Paris: Librarie des Meridiens, Klincksieck & Cie, 1988.

NORA, Pierre. *Les lieux de mémoire*. Paris: Gallimard, 1984.

POLANYI, Karl. *A grande transformação*: as origens da nossa época. Rio de Janeiro: Campus, 2000.

SARLO, Beatriz. *Cenas da vida pós-moderna*: intelectuais, arte e videocultura na Argentina. Rio de Janeiro: Editora UFRJ, 2000.

SOUTO, Sérgio Montero. *Os três tempos do jogo – anonimato, fama e ostracismo no futebol brasileiro*. Rio de Janeiro: Graphia, 2000.

TRAQUINA, Nelson. Uma comunidade interpretativa transnacional: a tribo jornalística. Media & Jornalismo, v.1, n.1, 2002. Disponível em: www.revcom2.portcom.intercom.org.br/index.php/mediajornalismo/issue/view/93.

Censura e silenciamento no discurso jornalístico

*Carla Barbosa Moreira**

Este texto[87] pretende tecer algumas considerações acerca de um processo de produção do discurso jornalístico sob censura que acena para um silenciamento, ou seja, considerando a dimensão política do silêncio. É nesta perspectiva que sentimos a necessidade de retomar um momento histórico em que poderemos dizer um pouco mais de um movimento discursivo. Para isso, discorreremos sobre um movimento censório e político que pretendia mesmo silenciar, apagar, evidenciar, produzir a informação e, sobretudo, controlar os efeitos de sentidos com o fim de fabricar um imaginário social.

Estamos nos referindo ao período da ditadura militar no Brasil e, mais especificamente, à promulgação do AI-5, em 13 de dezembro de 1968,

---

* Licenciada em Letras pela Universidade Federal de Minas Gerais e mestre em Lingüística pela mesma universidade. Atualmente, faz Doutorado com bolsa da Capes no Programa de Pós-graduação em Letras da Universidade Federal Fluminense. Dedica-se ao estudo da censura e do discurso jornalístico, que tem demandado uma pesquisa aprofundada nos arquivos da ditadura, especialmente do Dops. É nesta linha que vem divulgando seu trabalho em congressos e outros eventos científicos. (carlabmor@uol.com.br)

[87] Ele é parte de uma pesquisa de Doutorado em Análise do Discurso que está em andamento, na Universidade Federal Fluminense, sobre discurso da censura e sob censura.

cenário em que a censura à imprensa passa a ser mais incisiva, oscilando entre as práticas de vigilância, controle e punição. Posicionando-nos no campo teórico da Análise de Discurso de corrente francesa, centrada nos processos discursivos de significação, mobilizaremos também a Lei de Segurança Nacional, doutrina da Escola Superior de Guerra (ESG) e decretos que nos possibilitarão entender mais sobre as normas censórias de um momento sócio-histórico em que o regime se articulou – através de estratégias políticas e militares – para fazer predominar seus interesses e interferir nas condições de produção do discurso jornalístico.

A censura, no que diz respeito à imprensa, pode ser concebida, entre outras, a partir de uma posição de justificação, como podemos encontrar no discurso que respaldava e buscava legitimar as ações do Regime Militar, como a Lei de Segurança Nacional, ESG, documentos oficiais produzidos pelos militares etc. Realçando o caráter punitivo e analítico da censura, Fidelis (1979, p. 122) a considera como condenação, crítica; a palavra aparece em diversos dispositivos legais, com ênfase no Decreto-lei n° 1.077, de 26 de janeiro de 1970, na Lei n° 5.536, de 21 de novembro de 1968 – quando se cria também o Conselho Superior de Censura – e outras portarias. O autor cita também a Lei de Imprensa (Lei n° 5.250, de 9 de fevereiro de 1967), que é "o diploma legal que regula a liberdade de manifestações do pensamento e de informações".

As posições ideológicas referentes a matérias que tratam da censura na imprensa estão normalmente atreladas a essas leis, atos e decretos. No caso da censura à imprensa, trata-se principalmente dos Decretos 314/67, 510/69 e 898/69, que representam uma incursão na legitimação da censura e inscrevem-na no campo da produção jornalística. Sobre o constante nessas leis, lembramos que os crimes de manifestação do pensamento constituem o ponto nevrálgico, considerando que a quase totalidade dos processos movidos com base na Lei de Segurança, depois da revogação do AI-5, refere-se a crimes de manifestação do pensamento (Fragoso, 1980).

Localizamos a censura no mesmo território de diversas práticas instituídas pelo regime, o qual não pretendia predispor uma imagem abusiva, autoritária, repressiva. Em parte, isto explica os vários Atos Institucionais e decretos instituídos na ditadura militar brasileira a partir de 1964.

De qualquer forma, foi com uma orientação repressivo-ideológica que o Estado fez imperar a censura, não só nos meios de comunicação. No jornalismo, entretanto, como espaço discursivo privilegiado de incursões das relações de poder, a censura incidiu de forma bastante incisiva. Além disso, foi interesse do Regime, considerando os ideais, leis, decretos e atos por ele instaurados, impedir que os mais variados mecanismos de resistência atuassem na contramão da ordem vigente.

Isto posto, cabe discorrer sobre a natureza desses impedimentos presentes neste campo discursivo. Para interromper a circulação dos sentidos não condizentes com os da ideologia do Regime, considerados subversivos da ordem, o governo procede à institucionalização da censura, que afetou de diferentes modos as matérias jornalísticas, a produção e circulação das informações. Na prática, ela era exercida pelo Dops (Departamento de Ordem Política e Social), um segmento da Polícia Política, que cumpria a função de vigilância. Mas as orientações censórias vinham de instâncias superiores, como o Exército e a Censura Federal, vinculada à Polícia Federal.

Censura: um poder ideológico, um poder discursivo

Dada a gravidade dos atos cometidos e outras razões ideológicas, não era intenção do Regime deixar-se ver, quer dizer, permitir que o povo relacionasse o governo à violência, à censura, à repressão. Então, ele agia de forma a omitir, silenciar ou transferir suas práticas abusivas de poder, buscando impor um único sentido, o seu sentido, atos pelos quais podemos considerá-lo como predominantemente autoritário. Mas entre a função primeira de produção e divulgação da informação e a de construir um imaginário social, pode-se dizer que a censura, na sua extensa rede de intenções, buscou reger o funcionamento do discurso, que ordena, entre outros, posições ideológicas a serem ou não ocupadas pelos sujeitos nos discursos dos jornais. Nesta perspectiva, estamos fazendo referência ao sujeito da Análise de Discurso, não o empírico, mas aquele interpelado pela ideologia, descentrado e heterogêneo. O sujeito, nesse sentido, ocupa posições que advêm de um jogo de imagens historicamente construídas. Orlandi (2003, p. 40) explica que essas imagens resultam de projeções que permitem ao sujeito passar da situação (empírica) para a posição (discursiva). É ela – a posição discursiva – que significa em relação ao contexto sócio-histórico e à memória.

Desse modo, um primeiro aspecto importante no fenômeno da censura de que estamos tratando foi indicado por Orlandi (1995, p. 78), quando considerou que, no mecanismo de censura, dada a mútua constituição do sentido e do sujeito, proíbe-se que o sujeito ocupe certas "posições" de sujeito. Quer dizer que, censurando-se certos sentidos, censurando-se certos dizeres, censurando-se o deixar de dizer, censuram-se também certas posições do sujeito. Mas não apenas isto. Podemos dizer que como a ideologia é a condição para a constituição de sentidos e sujeitos, na censura há uma tentativa de neutralização do sujeito, que é mesmo condicionada a um certo modo de conceber e representar a ordem social, ou seja, assim como pretendia o Regime. Na teoria do discurso, a ideologia estabelece um modo de recortar e atuar sobre a realidade. Assim, a censura, instrumento de um mecanismo ideológico fundamentalmente controlador e manipulador, impõe-se sobre a ordem do discurso e, principalmente, da realidade.

Tratando dos regimes totalitários e da censura, Novinsky (2002, p. 31) indica o que subsiste a esse controle:

> A uniformidade ideológica e a luta contra qualquer dissidência constituem a base para centralização e o fortalecimento do poder totalitário. Para instaurar uma verdade oficial, é necessário o controle da sociedade em todos os níveis. (...) Um sistema político totalitário menospreza a expressão "verdade". Só existe uma verdade, a oficial. E uma verdade oficial não admite qualquer pluralidade de pensamento.

O silenciamento como fato de linguagem, utilizado pela censura no discurso jornalístico, na sua inevitável relação com a verdade, com a fabricação desta, com a falta, pode também ser entendido a partir da doutrina que consta na ESG (1981, p. 169):

> Na boa doutrina democrática, porém, a propaganda – mesmo como arma de guerra psicológica – não deve utilizar idéias falsas; poderá, isso sim, *omitir a verdade*, quando esta revelar ao inimigo conhecimentos que obstaculizem a consecução dos Objetivos Nacionais. Omitir a verdade não significa ocultar a verdade. No caso em ques-

tão, omitir significa *deixar de dizer, não mencionar, preterir, postergar* (grifo meu).

Embora não estejamos tratando aqui de uma avaliação da produção da verdade, ao abordarmos o falseamento da realidade, concebemos que ambos constituem a preocupação primeira do universo censório. Então, o controle e a manipulação dos dizeres, dos sentidos, dos lugares, não são imunes à fabricação da verdade e do falseamento da realidade e, por assim dizer, é no discurso mesmo que se constituem, no interior de uma Formação Discursiva (FD). É ela que determina o que pode e deve ser dito, condição de origem dos sentidos possíveis. Em meio a essas considerações, destacamos a importância da função da FD para a produção de sentido. Conforme as FDs em que aparecem, as palavras assumem sentidos diferentes, e é a interceptação de FDs, além da memória discursiva, que possibilita a construção de sentidos, o reconhecimento do que faz ou não parte de uma FD. Apoiando-se na concepção discursiva da ideologia, a Formação Discursiva é o lugar não só de constituição de sentido, mas de identificação do sujeito.

Retomemos, com Orlandi (1995, p. 79), o sujeito do discurso para estabelecermos algumas considerações que nos servirão acerca da FD e da censura:

> Assim concebida, a censura pode ser compreendida como a interdição da inscrição do sujeito em formações discursivas determinadas. Conseqüentemente, a identidade do sujeito é imediatamente afetada enquanto sujeito-do-discurso, pois, sabe-se (Pêcheux, 1975), a identidade resulta de processos de identificação segundo os quais o sujeito deve-se inscrever em uma (e não em outra) formação discursiva para que suas palavras tenham sentido. Ao mudar de formação discursiva, as palavras mudam de sentido.

É desta censura que estamos tratando. Segundo Orlandi (1995, p.109), é aquela visível, uma dimensão da interdição do domínio da formulação porque é o traço do formulável, mas proibido, em certas condições. Como já ressaltado, a outra dimensão da interdição é a do impossível. Toca a dimensão mesma da história: é o historicamente não-dizível.

Estabelecer o que pode e não pode ser dito passa a ser regulado pela censura. Mas podemos pensar que dizível historicamente preenche um espaço discursivo junto ao dizer imposto pelo mecanismo controlador da censura. Isto porque não há como ignorar o interdiscurso – o todo das FDs –, não há como ignorar os outros discursos cujo funcionamento é afetado pela censura, é o já-dito que está abrindo lugar para o dizível, que não poderia decerto surgir do nada. No discurso, nada se apaga completamente, as palavras também não brotam do nada porque assim não seria possível produzir sentidos.

Dito isto, quando nos referimos a um movimento censório é para lembrar que há modos de silenciamento que têm a imposição de um poder político como fator predominante, já que ele pode ser estabelecido pela moral, pelo aspecto econômico etc. Então há de se atentar sempre para um deslocamento neste campo censório, bem como é preciso ocupar-se do deslizamento no funcionamento discursivo para o fato de que a comunhão de ambos deixa sempre fissuras.

Tanto as normas censórias que seguem, direcionadas à Editora Abril, quanto as que encontramos no acervo do Dops, e que datam justamente de 18 de dezembro de 1968, cinco dias após a promulgação do AI-5[88], fundamentam o movimento histórico que tem efeitos no funcionamento do discurso, porque as regularidades, o que pode ou não ser dito – antes previstos sócio-historicamente, são alterados de acordo com os interesses do Regime, do que as normas censórias determinam como e o que não deve ser dito. Consideramos, entretanto, que o movimento discursivo que abre espaço para novos dizeres que se impõem não significa uma compensação do que não deveria ser dito. Estamos dizendo que, no silenciamento, embora a imposição do dizer estabeleça automaticamente uma imposição do não-dizer, deixando marcas de tangência, a necessidade de impor certos dizeres não se justifica ou se resume necessariamente – nem somente – na necessidade de proibir e regular outros dizeres; é preciso, pela análise, problematizar a particularidade de suas funções.

Para abordar teoricamente esse movimento histórico que se dá com o recrudescimento da censura no campo discursivo, acenamos para uma in-

---

[88] Estas normas, emitidas pelo I Exército e enviadas ao Dops-MG, tinham a *finalidade de:* "a. Obter da imprensa (falada, escrita e televisada) o total respeito à Revolução de Março de 1964, que é irreversível e visa à consolidação da Democracia; b. Evitar divulgação de notícias tendenciosas, vagas ou falsas".

terferência na ordem da FD, que também atinge as que a interceptam. O controle da imprensa é, nesse sentido, fundamental para pôr em evidência dizeres que não estavam previstos ou seriam realçados naquela FD. O mecanismo censório trabalha com um movimento que se pretende imperceptível, portanto tênue no nível discursivo; também por isso, entre outras razões, a maior parte dos leitores não o percebia. Além desse movimento, outras formas de impedir esta percepção da interferência censória na produção e circulação da notícia aconteciam previamente. Em Marconi (1980, p. 211) encontramos uma Comunicação Interna enviada, em 21/02/1974, pelo diretor-geral do Departamento de Polícia Federal a Edgar S. Faria, diretor da Editora Abril:

> É proibido dar aspecto da matéria censurada: Não pode haver 'substituição inadequada', quando qualquer matéria sofrer "corte" parcial ou total. Os 'diabos', constantes de pág.22 da rev. VEJA n° 285, evidenciou CENSURA DE MATÉRIA. O preenchimento do 'espaço censurado' poderá ser efetuado c/fotos relativas à matéria divulgada, porém de teor neutro. Não se justifica que abaixo da notícia s/ o Min Passarinho e ao lado da inauguração de 2000km de asfalto apareçam duas figuras "demoníacas".
>
> Outro exemplo de "substituição inadequada" está na pág.46 c/Leonardo da Vinci. A propósito, o GA. Bandeira já determinou novos contatos junto à direção de jornal 'O Estado S.Paulo' no sentido de não mais divulgar "versinhos"... ou haverá apreensão... Aliás, o fato que chegou a atenção das autoridades do Min.Justiça e DPF/Brasília para as "substituições " apontadas, foi a pequena notícia de Jornal do Brasil (3ª.-19.2.74) ao falar das qualidades de pintor do Sr. Mino Carta... Era o que me competia informar."

Essas normas nos fazem pensar que uma das formas de resistir é tentar, em vez de atenuar, ressaltar e delatar a interferência censória. Aliás, esse período de intensa censura ressalta justamente a afirmação de que não há dominação sem resistência, ou seja, reprodução e transformação caminham juntas. É dessa relação que a memória histórica vai sendo construída. Entendemos, com Certeau (2006, p. 67), que os "fatos históricos" se constituem previamente pela introdução de um sentido na "objetividade" e enunciam "escolhas que lhes são anteriores, sendo, portanto, "falsificáveis", graças a um exame crítico. Por isso se diz que a compreensão advém de uma inscrição do sentido na história, sentidos variáveis, ligados à historicidade que interpõe, ao analista, não o conteúdo, mas os efeitos de sentido que advêm da sua inscrição na história. Na censura, essa inscrição é controlada. Se isso impõe conseqüências para a produção de efeitos de sentidos, esse controle não garante jamais o sentido único, ilusão de completude; pois os sentidos resvalam.

O jogo da censura no nível discursivo é mesmo o de naturalizar forçadamente sentidos, porque não estavam previstos, evidenciar dizeres que, necessariamente, não correspondem ao já-aí constituído no interdiscurso. O sentido – e estamos considerando-o no escopo de uma *imposição* de poder político – também se produz neste território em que o funcionamento da historicidade está abalado, em que o sujeito não só é impedido de ocupar certas posições, mas também é forçado, até certo ponto, a ocupar outras determinadas. O silenciamento é o sinal da tentativa de institucionalização de *um* sentido, do literal. Não é sem motivo que a censura busca justamente apagar as possibilidades de movência dos sentidos, de transitoriedade, de abertura para a polissemia, de ambigüidade. Enfim, a censura caminha na contramão da incompletude, da falha, da contradição, que constituem o real da língua.

Observa Mariani (1999, p. 106), porém, que a linguagem não pode ser considerada como um código transparente e neutro, cujos sentidos estariam sendo continuamente manipulados. Os traços histórico-sociais nas matérias publicadas não podem ser completamente apagados "porque linguagem e história se constituem mutuamente e os sentidos precisam ser pensados na sua historicidade". Há, sim, predominância de sentidos. Podemos dizer que, para que um sentido domine, é preciso que ela – a censura – estabeleça as condições de produção, que são normalmente acionadas pela história.

Para Orlandi (2003, p. 30), as condições de produção, em sentido estrito, referem-se ao contexto imediato; em sentido amplo, ao contexto ideológico e sócio-histórico, que determinam a reunião de certos tipos de textos a partir de certas restrições consideradas estáveis. As condições sócio-históricas fazem com que as palavras signifiquem diferentemente, porque elas estão vinculadas a certas redes de significância. É assim que temos sentidos disponíveis pelos já-ditos no discurso jornalístico sob censura que não se estabeleceram predominantemente pelas redes de significância produzidas sócio-historicamente, mas foram determinados pela imposição de poder político. Como já dito, esse espaço discursivo de dizeres e efeitos de sentido que se impõem também precisa ser pensado na sua historicidade, e é isso também que nos reporta para a contradição. Podemos então retomar outros momentos de imposição de um poder político e encontrar justificações, designações e sentidos que têm ressonância histórica, como é o caso do que ocorreu, em momentos diversos, em torno de *comunistas, subversivos*, daqueles advindos da censura com base moral etc.

Censura: fazer propaganda psicológica, silenciar propaganda subversiva

Orlandi (1995) aborda detalhadamente a produção dos sentidos sob a perspectiva do silêncio. A diferença entre o silêncio fundador e a política do silêncio nos autorizará a discorrer sobre a censura ressaltando seu caráter político. Uma das importantes considerações que a autora faz em sua obra é fundamental para trabalhá-la nessa dimensão política: "A política do silêncio produz um recorte entre o que se diz e o que não se diz, enquanto o silêncio fundador não estabelece nenhuma divisão: ele significa em (por) si mesmo" Orlandi (1995, p. 75). O silêncio fundador é, portanto, constitutivo de um funcionamento próprio da inscrição das palavras no discurso; o silêncio *é* porque os dizeres possíveis, as regularidades, estão previstos pelo trabalho da historicidade. Mas a política do silêncio produz um recorte entre o dizer e o não-dizer que é dado por um trabalho ideologicamente político, e neste sentido estamos tratando da censura, ou, como expôs Orlandi (1990, p. 49):

> O silêncio é local: do tipo da censura e similares; esse silêncio é que é produzido ao se proibir alguns sentidos de circularem, por exemplo, numa forma de regime político, num grupo social determinado de uma forma de sociedade específica etc.

A forma de produção desse silêncio – silenciamento – se dá pela imposição de um poder político para que certos sentidos não possam circular. Antes de tratarmos especificamente da censura concebida como um silêncio local, abramos um espaço para discorrer sobre um tipo específico da política do silêncio que envolve o discurso jornalístico, mas que não poderia ser concebido como silêncio local. O comentário de Marcondes Filho (1989, p.39) nos põe diante de um silenciamento que não se dá no nível da proibição, mas de posições ideologicamente assumidas:

> Na elaboração da notícia atua uma censura formal, externa e interna (autocensura), assim como *formas de pensamento censurado*, que não se confundem com os tipos de censura formal. (...) Caracterizo basicamente três formas de falseamento ou encobrimento das notícias como pensamento censurado, formas essas que concentram o mais importante do que se conhece sobre a manipulação noticiosa. São elas: a visão fragmentada e personalizada dos processos sociais, o uso da técnica e da lingüística e a sonegação das informações "indesejáveis".

O autor considera que a censura à imprensa é exercida fundamentalmente em dois níveis: a partir do aparelho de Estado (censura prioritariamente política) e a partir dos próprios jornais (censura prioritariamente econômica, moral etc.). Nesta, o autor se refere não mais aos interesses do Estado, mas da Organização. A realidade construída pelos jornais interfere na construção da memória social e está condicionada, neste último nível, ao controle da Organização na sua relação com o poder, principalmente econômico.

Como assumimos, com Orlandi (1995, p. 55), que a dimensão política do silêncio se estabelece na medida em que o silêncio recorta o dizer, precisamos reconhecer que as práticas jornalísticas – censura feita *pela* imprensa – mobilizam sentidos também através da política do silêncio, na medida em que selecionam, recortam, consagram, aumentam os fatos que devem ser lembrados e tendem a afastar da memória aquilo que pode colocar o equilíbrio da organização em perigo (Ferreira, 2005, p. 95). Há uma imposição ideológica predominando, e muitas vezes não podemos dizer quão menos branda ela é daquela que estabelece o Estado. Apontamos então um grau de silenciamento nesta prática, que não se constitui de uma proibição imposta pelo Estado, mas acaba por impedir certos dizeres e por institucionalizar certos sentidos. Obviamente estes modos de censura à imprensa geram também a autocensura, já que esta é uma das formas de a empresa jornalística escapar das perseguições, dos prejuízos financeiros etc.

Feita a observação, concentremo-nos na questão da censura na dimensão da política do silêncio imposta pelo Estado, que é a que nos interessa para ressaltarmos uma forma de trabalhar o modo como os sentidos são produzidos no discurso jornalístico sob censura. Estamos tratando então de uma censura em que o silenciamento se dá por uma imposição ideológica do poder político que atende a interesses específicos ao Regime. Estamos também nos referindo a um momento em que era preciso produzir um clima de equilíbrio social, econômico, sem luta de classes, sem contradições ideológicas, porque o Regime Militar brasileiro arquitetou uma estrutura social de forma repressiva e violenta, mas muitas vezes silenciosa, garantindo, enfim, sua permanência no poder por 20 anos. Esses ideais e essas práticas se fundamentavam na doutrina da ESG, podendo-se mesmo afirmar que, agindo como se estivesse em situação de guerra, provocou uma situação em que o extremismo, a repressão, a censura produziam também formas diversas de resistência.

As formas de resistência eram designadas todas como subversões, que precisavam ser contidas. Mas foi preocupação do Regime criar justificações para suas ações. Criar um campo discursivo para que essas justificações e práticas pudessem adquirir sentido, para que a palavra subversão adquirisse o sentido pretendido, era a razão maior para a institucionalização da censura. Atravessar o discurso desses materiais nos ajuda a visualizar as condições de produção do discurso jornalístico sob censura e o processo discursivo no qual podemos ver funcionar os efeitos de sentido.

Apresentamos então aquilo que mais nos importa do Decreto-Lei 314, de 13/03/67:

> Art. 3º A segurança nacional compreende, essencialmente, medidas destinadas à preservação da segurança externa e interna, inclusive a prevenção e repressão da *guerra psicológica adversa* e da guerra revolucionária ou *subversiva*. Art. 33. Incitar publicamente: I – à guerra ou à subversão da ordem político-social; II – À desobediência coletiva às leis; III – à animosidade entre as Forças Armadas ou entre estas e as classes sociais ou as instituições civis. Art. 38. Constitui, também, *propaganda subversiva*, quando importe em ameaça ou atentado à segurança nacional: *a publicação ou divulgação de notícias ou declaração; a distribuição de jornal, boletim ou panfleto* (grifo meu).

Salientamos que os principais impedimentos de *guerra psicológica adversa, guerra subversiva, propaganda subversiva*, constam como justificações para o estabelecimento da censura à imprensa e estão previstos na Lei de Segurança Nacional e na doutrina da ESG. O art. 42 da Lei de Segurança Nacional esclarece o sentido que atribui à propaganda subversiva:

"I – utilizando-se de quaisquer meios de comunicação social, tais como jornais, revistas, periódicos, livros, boletins, panfletos, rádio, televisão, cinema, teatro e congêneres, como veículos de propaganda de guerra psicológica adversa ou de guerra revolucionária ou subversiva; II – aliciando pessoas nos locais de trabalho ou ensino; III – realizando comício, reunião pública, desfile ou passeata; IV – realizando greve proibida; V – injuriando, calculando ou difamando quando o ofendido for órgão ou entidade que exerça autoridade pública, ou funcionário, em razão de suas atribuições; VI – manifestando solidariedade e quaisquer dos atos previstos nos itens anteriores.

Em seu Manual Básico, a ESG (1977, p. 11) reconhece uma Doutrina que tem um sentido específico: orientar a ação de emprego e destinação do Poder. Sobre a propaganda subversiva ressalta a importância de se neutralizarem os antagonismos. Para conter a difusão dos atos que considera subversivos, indica medidas apropriadas de Mobilização[89]. No Campo Psicossocial, a Mobilização se configura, principalmente,

através da *integração* e, mesmo, do *controle* dos diferentes órgãos de comunicação social, a fim de colocá-los *a serviço* dos objetivos que se pretenda atingir, seja esclarecendo, seja orientando a opinião pública, com vistas ao fortalecimento deste campo. Há, portanto, que *motivar o público interno, para apoiar as ações governamentais e facilitar a neutralização da guerra psicológica adversa* (1977, p. 351) (grifo meu).

A ESG (1981, p. 169), citando "A guerra Psicológica e os Meios de Comunicação, na Guerra Revolucionária", de Luiz Carlos Hosken[90], assu-

---

[89] A mobilização, segundo o Manual (p. 345), visa à realização de ações de emergência excepcional em proveito direto da Segurança Nacional.

[90] No livro não há referência sobre esta obra, que também não encontrei.

me que a "propaganda pode ser entendida como uma deliberada ação para persuadir, convencer e induzir pessoas a aceitar idéias, símbolos, sentimentos ou valores com o propósito de mudar atitudes, hábitos, crenças e decisões. Enfim, fazer o que o seu manipulador deseja que as pessoas façam, comprem ou aceitem. Seu fim é dominar os meios muitas vezes subservientes". Complementa, com Harold Laswell, que na práxis política a propaganda é "a disseminação de informação para influenciar a opinião pública"[91]. A doutrina (1977, p. 116) considera que os meios de comunicação de massa constituem um instrumento poderosíssimo para a padronizada difusão de idéias, criação de estados emocionais, alteração de hábito e atitudes e que "bem utilizados pelas elites, constituir-se-ão em fator muito importante para o aprimoramento dos Componentes de Expressão Política".

Nesse sentido, não poderíamos deixar de considerar que em torno da imposição censória ao discurso jornalístico deve-se pensar em efeitos de sentido, privilegiando-se, como já mencionado, o silenciamento como um dos determinantes do movimento dos sentidos, até porque a ESG doutrina que a primeira preocupação da fonte incumbida de deflagrar e conduzir a ação Psicológica, que propõe para conter a guerra psicológica, deve ser a adequação dos meios de comunicação a empregar. "Dentre estes, os mais explorados são os chamados "meios comunicação de massa", que incluem a imprensa, o rádio, o cinema, o teatro e a televisão" (1981, p. 167).

Finalmente, citamos a Lei 5.250, de 9 de fevereiro de 1967, que regula a liberdade de manifestação do pensamento e de informação, no seu art. 61, sujeitando à apreensão o material impresso que: "Contiver propaganda de guerra ou de preconceitos de raça ou de classe, bem como os que promoverem incitamento à subversão da ordem política e social; ofenderem a moral pública e os bons costumes". No parágrafo 6° impõe que os impressos que ofendam a moral e os bons costumes poderão ser aprehendidos imediatamente ou serem impedidos de circular.

Essas são algumas das legislações e doutrinas que tentaram dar legitimidade à prática censória. São justificações que acabaram por multiplicar os sentidos de subversão no que diz respeito ao discurso jornalístico. A censura política é uma

---

[91] Também não há referência para esta citação.

estratégia para efetuar a propaganda psicológica e conter a propaganda subversiva, nos sentidos dados pelos doutrinadores. Com o foco voltado para os meios de comunicação, essas concepções nos ajudam a compreender como se dá a criação de um espaço discursivo em que os efeitos de sentido precisam ser trabalhados problematizando-se o modo pelo qual o dizível, o não-dizível, o proibido de ser dito, o não-dito, nele se inscrevem. Porém, consideramos também que a complexidade disto está, muitas vezes, no fato de o limite entre eles ser muito tênue, momento em que o trabalho com a historicidade faz-se necessário. É este o espaço movediço que a censura produz, e é o mesmo espaço em que se podem explorar as possibilidades de dizer/não dizer a partir de certa ideologia política, organizacional etc. Enfim, é neste espaço discursivo que vem à tona as relações de identificação e contra-identificação, reprodução e transformação social.

Movimento censório, movimento discursivo

A propaganda psicológica e a propaganda dita subversiva – realizadas na e pela imprensa – criaram a razão maior de ser da censura no discurso jornalístico e nele se materializaram através da propaganda política, que podemos encontrar através de notícias postas em evidência na primeira página, à custa do silenciamento de outras; um funcionamento discursivo que vai construindo uma imagem de governo favorável aos interesses do Regime Militar. De fato, é o que almeja a doutrina da ESG (1977, p. 268): "Os órgãos governamentais deverão, assim, dar maior importância às atividades de Relações Públicas, em todos os níveis, visando a aprimorar a ação governamental e a criar e manter uma corrente ponderável de opinião pública voltada para o interesse nacional e imune à ação subversiva."

Enfim, não foi à toa que estabelecemos para a análise as matérias de primeira página de jornal. Pensamos mesmo naquilo que concerne a ela: evidência; notícias em evidência, postas em evidência, evidenciar para silenciar, silenciar para pôr em evidência, trabalhando com a ilusão da "evidência" dos sentidos das palavras, com a "evidência" da realidade. As matérias de primeira página tendem a se transformar em notícias de interesse do leitor, independentemente do seu grau de importância na vida das pessoas. Do mesmo modo, assuntos que podem não ser tão relevantes podem passar a ter importância para os leitores, por estarem na primeira página.

Aquilo a que estamos chamando de propaganda política são dizeres que têm o fim de construir uma imagem positiva do Regime, bem como de suas ações decorrentes do AI-5, através de referência constante a este Ato Institucional; uma imagem de perfeita ordem democrática, de força e positividade nos diversos setores. Esta é a base da temática que pretendemos ressaltar e, como veremos, está representada pela primeira página do jornal. Lembramos também que falar de um movimento censório é considerar que já havia censura antes, um certo modo de controle dizível/não dizível. Mas o que inaugura a moção de que estamos tratando é a promulgação do AI-5, em 13/12/1968, na qual podemos, já no seu Preâmbulo, encontrar as prerrogativas daquilo que precisava estar em evidência e ser silenciado. Enfim, na análise elas contribuem para a compreensão dos efeitos de sentido, produzidos e silenciados. Pensemos, principalmente com este material publicado em primeira página, que, para produzir sentidos esperados, algo foi necessariamente dito, bem como dizeres foram silenciados. Vejamos parte do preâmbulo do Ato.

O PRESIDENTE DA REPÚBLICA FEDERATIVA DO BRASIL, ouvido o Conselho de Segurança Nacional, e CONSIDERANDO que a Revolução brasileira de 31 de março de 1964 teve, conforme decorre dos Atos com os quais se institucionalizou, fundamentos e propósitos que visavam a dar ao País um regime que, atendendo às exigências de um sistema jurídico e político, assegurasse *autêntica ordem democrática, baseada na liberdade, no respeito à dignidade da pessoa humana, no combate à subversão e às ideologias contrárias às tradições de nosso povo, na luta contra a corrupção, buscando, deste modo, "os meios indispensáveis à obra de reconstrução econômica, financeira, política e moral do Brasil, de maneira a poder enfrentar, de modo direito e imediato, os graves e urgentes problemas de que depende a restauração da ordem interna e do prestígio internacional da nossa pátria"* (grifo meu).

Assim, tentamos ver como o Regime Militar pôde, através do discurso jornalístico, construir um imaginário social, estabelecendo uma propaganda política, materializada através do funcionamento parafrástico, do repetível, o qual nos reporta para relações de sentido que se dão no interior da Formação Discursiva. Identificado o movimento político em que se intensifica a prática censória, procuraremos compreender o que entrava para a nova ordem do dizível. Nas palavras de Mariani (1999, p. 109), concordar, discordar, repetir, resistir e/ou transformar o sentido de palavras, expressões e textos são mecanismos lingüísticos que expressam a luta pela materialidade dos sentidos.

Sobre a análise

Foram, assim, analisadas as seqüências discursivas em que ocorrem regularidades enunciativas, ou seja, através de relações co-textuais, na dimensão interdiscursiva. Enfim, como propõe Orlandi (1995, p. 97), trata-se finalmente de compreender a censura enquanto fato de linguagem, na medida em que o silenciamento advém de uma declinação política da significação. Para isso, apontamos para formas segundo as quais, no interior de uma formação discursiva, tópicos discursivos são retematizados, com o fim de naturalizar sentidos e efeitos discursivos que buscam criar uma hegemonia ideológica dentro de uma Formação Discursiva, na linha seguida por Indursky (1997). Por este material, poderemos compreender como a imagem do governo e da importância do AI-5 foi sendo construída nas primeiras páginas do jornal *Estado de Minas*.

Selecionamos um período discursivo do jornal compreendido entre o dia 1/12/1968 e 31 de dezembro de 1968. Trata-se do maior jornal de referência em Minas Gerais, já naquele período. Até o ano de 1994 não havia edição às segundas-feiras, o que exclui do nosso recorte os dias 2, 9, 16, 23 e 30 de dezembro. A ausência da edição do dia 26 foi justificada pelo fato de não ter havido redação no dia 25, Natal, de acordo com o exposto pelo próprio jornal do dia 25/12/1968.

Depois que classificamos todas as matérias de primeira página entre os dias 1º e 31/12/1968 por temas (subversão, crise política externa, Apolo 8, propaganda política etc.), tentamos encontrar os novos temas/dizeres que são postos em evidência a partir da promulgação do AI-5 e que pudemos configurar como propaganda política, segundo tema de maior ocorrência, perdendo apenas para a ida da Apolo 8 à Lua (27 ocorrências). Há também notícias específicas sobre o AI-5 (nove ocorrências), que enfatizam especificamente o poder do Ato e acontecimentos dele decorrentes, mas que não consideramos como propaganda política. Por outro lado, percebemos que aquilo que o regime pretendeu evidenciar de seu governo – que estamos designando como propaganda política – era, em sua maioria, acompanhado por uma referência ao AI-5, na tentativa de produzir uma boa imagem deste Ato.

Estamos atentos para o fato de que a retematização implica dizeres silenciados, que serão trabalhados mais especificamente em outro momento. Mas para introduzi-la, apontamos uma censura neste processo quando, a partir do 13/12/1968, entram em cena o tema *Ato Institucional e Ato Complementar* (as nove ocorrências), o tema sobre a *Apolo 8* (27 ocorrências), o tema *propaganda política* (quatro ocorrências antes do dia 13/12 e 18 ocorrências a partir do dia 13/12), a *guerra do Vietnã* (uma ocorrência no dia 7/12 e sete ocorrências entre os dias 19 e 27/12), outro tema sobre o *exército* (quatro ocorrências a partir do dia 17/12) e outro sobre a *Rússia* com produção de imagem negativa (duas antes do dia 13/12 e seis ocorrências a partir do dia 13/12). São silenciados temas como notícias sobre *a votação do processo do deputado Márcio* (12 ocorrências apenas entre os dias 7 e 14/12). Outro aspecto interessante é um processo de silenciamento sobre a *política interna* (até o dia 12/12 com 12 ocorrências e a partir do dia 13/12 com apenas sete ocorrências). Finalmente, sobre o processo de silenciamento, destacamos o tema *estudantes* (sete ocorrências até o dia 12/12 e três entre os dias 13 e 18/12). É preciso lembrar que as normas censórias foram baixadas no dia 18/12/2007. Para todas essas ocorrências será preciso considerar não só os efeitos de sentido desses dizeres que pretendemos compreender, mas as normas censórias do dia 18/12/1968.

Referente ao que mais nos importa aqui, propaganda política, encontramos 22 matérias e, para trabalhá-las, consideramos o que consta do próprio AI-5, bem como as legislações e observações já feitas. Destas matérias, apenas uma é anterior ao dia 13/12/1968, data de promulgação do AI-5; outra é do dia 15/12, e as demais a partir do dia 18/12/1968. Como manchete mesmo, em letras garrafais, apenas uma: "Governo em ataque frontal à inflação". Passamos a apresentar algumas seqüências que compõem as famílias parafrásticas em torno da temática *propaganda política*.

Grupo 1 - Situação de ordem e normalidade

Sd1: *"Ao povo de minha terra, posso afirmar que o Brasil está* **tranqüilo** *e a* **ordem** *é inteiramente mantida pelo governo federal".*

Ssd2: *"A obra não é minha, mas de todos os brasileiros. A nação inteira compreendeu, na expressão máxima do povo brasileiro, aceitando os* **fatos sem qualquer perturbação e continuando normalmente** *seu trabalho".*

Sd3: *"Só a* **ordem** *promove a liberdade. Sem liberdade pode haver* **ordem**, *mas sem* **ordem** *não há liberdade."*

Grupo 2- Progresso

Sd1: *"É a oportunidade* **para que nos transformemos**, *agora, na grande potência que a nossa juventude e a nossa geração reclama"* – *acentuou o chefe do Executivo.*

Sd2: *"***Atingiremos nossa meta**, *quer queiram ou não aqueles que querem diminuir a marcha do nosso país* **para o desenvolvimento***".*

Sd3: *Uma série de fatos que comprovam a* **grandeza dos empreendimentos brasileiros**, *no presente, é o que focalizamos, hoje, em caderno especial, que não pode ser vendido separadamente do jornal do dia. Trata-se de uma iniciativa da direção nacional dos diários e Emissora Associados, "para que o leitor não fique por fora do* **progresso brasileiro***".*

Sd4: *O que se pretende, isso sim, é* **melhorar os vencimentos** *daqueles que trabalham, que são úteis ao governo.*

Grupo 3 – AI-5 como base para melhorias e transformações

Sd1: *O titular da pasta do Interior salientou* **que após a edição do AI-5 foram abertas os caminhos das reformas**, *pois foram afastados obstáculos legais, adquirindo o governo*[92] *a força necessária para a promoção das transformações sociais.*

Sd2: *O ministro informou que está mantendo vários contatos com outros Ministérios como os do Interior e Agricultura para, dentro em breve,* **acelerar o processo de uma reforma agrária do nordeste**, **onde**

---

[92] Nas citações das seqüências discursivas, expressões e termos do jornal, a ortografia original foi mantida.

pretende aplicar a força do Ato Institucional para fazer uma reforma há muitos anos esperada por todos.

Sd3: *O ministro Hélio Beltrão do Planejamento afirmou ontem que "é hora de atacarmos resolutamente a inflação" – pois entende que se deve aproveitar o aumento do poder do governo para a adoção, **com base no Ato Institucional n. 5, de uma série de medidas** que antes não podiam ser tomadas com a mesma facilidade e rapidez.*

Grupo 4: Democracia

Sd1: *"**O nosso país democrático** está atingindo surpreendentes metas administrativas e decepcionantes no campo político, porque existem aqueles que não querem altos valores políticos e sociais, impedindo que o Estado consolide a revolução.".*

Sd2: *"O presidente Costa e Silva nesta hora grave em que vive o Brasil está atravessando um drama – o drama de cumprir seu dever, ao mesmo tempo em que se mantém na firme decisão de respeitar o direito de todos, conforme **sua formação democrática**.".*

Grupo 5 – reconstrução da imagem "verdadeira" de governo

Sd1: *(...) aceitar a colaboração de todas as classes, assim como suas associações no planejamento das campanhas de relações públicas, tendo em vista o seu apoio à **formação de uma imagem verdadeira do governo**.*

Sd2: *(...) **Isso é o Brasil de hoje. Para mostrá-lo ao leitor, dentro de rigorosa linha informativa**, editamos a mensagem de confiança e otimismo, que é o tablóide que integra esta edição.*

As seqüências que representam o **grupo 1**, *Situação de ordem e normalidade*, remetem a um imaginário de clima social em que a *nação, o povo, o Brasil* encontram-se em perfeita *tranqüilidade*, e a *ordem* imperava porque teria sido alcançada pelo governo. Para o Regime era uma imagem importante a ser construída, à medida que todo indício de resistência deveria ser encoberto, ocultado. Como, sem ordem, não há progresso, **o grupo 2**, *Progresso*, acena para a transformação e desenvolvimento, *progresso* possível pelo governo da Revolução. Esta possibilidade de reformas e as promessas de melhorias que encontramos neste grupo estavam, muitas vezes, vinculadas à força do AI-5, produzindo um efeito de sentido que condicionava a possibilidade de um futuro promissor à sua promulgação e aos atos subseqüentes do governo. Encontramos neste grupo construções verbais que justamente nos projetam para o futuro: *atingiremos, transformemos, pretende-se melhorar, vamos adotar, deverá ser* etc. No **grupo 3** temos a imposição do AI-5 como base, fundamento, possibilidade, para melhorias e transformações nas diversas áreas. Nas seqüências que compõem o grupo encontramos repetidamente a palavra *reforma (y)* atrelada ao *AI-5 (x)*, através de marcas discursivas que estabelecem relação de dependência: *após x, y; x para y; y com base em x, y de acordo com x* etc. Trata-se de uma relação de dependência altamente recorrente, provocando um efeito de sentido que expressa a necessidade de vincular este Ato Institucional a aspectos e mudanças que seriam positivas para a sociedade.

Na representação do **grupo 4**, *Democracia*, vemos esta palavra vinculada ao país, ao próprio presidente, enfim, ao governo. Esta repetição também se justifica pela contradição, por aquilo mesmo que significou o Ato Institucional n°5, tolhimento dos direitos, da liberdade de expressão, da luta de classes, quer dizer, da *democracia*. **Com o grupo 5**, *re(construção) de uma imagem "verdadeira" de governo*, chegamos ao ponto de comunhão da razão de ser da propaganda política: *mostrar o Brasil de hoje*, para *formar uma verdadeira imagem do governo*.

Mas de quem eram as vozes que construíam essa imagem? Nestes grupos, o presidente Costa e Silva, ministro, governador e outros representantes do governo ocupam a posição sujeito, os propagandistas do Regime. Mas ela é também ocupada pela direção do jornal, que se identifica com os ideais do Regime, não só pela propaganda intensa que reproduziu, silenciando dizeres antagônicos da primeira página, mas também conforme o expresso na Sd2, grupo 5, e Sd3, grupo 2. Usando da sua imagem de veicular "fatos" e, portanto, a "verdade", favorece a reprodução dos sentidos que destacamos nos cinco grupos, conforme constam da matéria intitulada *Fatos que comprovam o progresso do Brasil*, do dia 31 de dezembro, no final da primeira página e dentro de um quadrado. Encontramos, no seu espaço intradiscursivo, marcas que provocam efeitos de sentido em torno da verdade comprovada:

*Uma série de **fatos** que **comprovam** a grandeza dos empreendimentos brasileiros, no presente, é o que focalizamos, hoje, em caderno especial (...). Assim, e sem qualquer lance de ufanismo, atualmente se pode dizer que o Brasil figura em lugar de destaque entre os grandes países. As projeções **realísticas** indicam muitos **dados** importantes* (grifo meu).

Finalmente, destacamos o uso predominante do discurso relatado – direto e indireto – nas matérias que constituíam a *propaganda política, o qual*, não obstante carregar a ilusão da verdade, constituiu modos de dizer e estabelecer sentidos basicamente através de autoridades do governo. No total dos grupos, podemos dizer que sentidos de força, desenvolvimento, democracia, ordem e progresso foram os que o Regime Militar pretendeu construir acerca do seu próprio governo.

Em síntese

A prática censória, nesse sentido, é um dos modos mais estratégicos pelos quais se pode compreender a intenção de se naturalizarem sentidos através da tentativa de um controle discursivo – principalmente dos meios de comunicação – na constituição de um imaginário lingüístico. Os sentidos foram sendo organizados por um efeito ideológico que se favoreceu da ilusão da transparência da linguagem, dos esquecimentos, os quais, sabemos, contribuíram para que o imaginário social pretendido pelo regime fosse sendo construído. Mas na linguagem, tudo tem limite, ou não há limites para a linguagem. Não há controle total, nem ideológico, nem discursivo; há sempre escapatória porque a incompletude da linguagem inscreve o sujeito na contradição.

Na análise, buscamos então desnaturalizar esses sentidos, que não estão colados nas palavras, mas também não brotam do nada. Encontramos retematizações *impulsionadas*, não pela ordem da história, mas por uma reconfiguração na ordem do discurso em sua relação dizível/não-dizível, em que sentidos *deveriam* ser (re)construídos e evidenciados. Este deslizamento dos temas, na medida em que alçava dizeres, silenciava outros. Então, podemos dizer de uma institucionalização de temas e sentidos que deveriam entrar no discursivo dos jornais e de outros que deveriam sair, que autoriza esse gesto de desnaturalização dos sentidos como um modo de produzir o imaginário do governo de Costa e Silva e do AI-5.

Mas o que significa, discursivamente, esse deslizamento? O regime militar procurou silenciar, apagar ou denegrir a imagem do governo anterior ao seu e, ao mesmo tempo, evidenciar positivamente a sua imagem, principalmente a partir do AI-5. Há, nesta relação silenciamento/evidenciamento, um marco histórico – a promulgação do AI-5 – que teve essa função não só de buscar legitimar todas as ações do regime, como de construir uma imagem de positividade, ao relacioná-lo à propaganda política, à possibilidade de mudança – do pior para o melhor, do impossível para o possível. Na língua, chegamos a marcas discursivas desse marco pela relação de silenciamento/evidenciamento traduzida na relação antes/depois AI-5. Assim, encontramos, como se pode esperar, o aspecto verbal que marca o futuro, com verbos como *serão adotadas, continuará, possibilitará, transformemos, eliminará, reprimirá, lançará* etc., vinculados ao AI-5.

Também se verificou o evidenciamento de um futuro promissor, de mudanças, que era anunciado pelo regime como possibilidade jamais existente, já que só o Ato poderia garantir, como indicam o conteúdo semântico dos verbos encontrados: *possibilitará, propiciar, permitir, promover* etc., além de expressões que marcam condição e a introdução do marco histórico (depois): *"**com base** no Ato Institucional, **ao editar** o Ato Institucional, **com a edição** do novo Ato Institucional, **depois** da decretação do Ato Institucional, **com base** nos poderes do Ato Institucional, **com apoio** do Ato Institucional, **nos podêres** imanentes do Ato Institucional, **após** a edição do A.I. 5, **através** da edição do A.I.5."*

A imagem positiva dava-se por um evidenciamento de melhoria alcançada desde 1964, que se firmava e que deveria continuar: a grandeza dos empreendimentos, *"no presente, está agora com 215 mil, mais do dôbro, atualmente se pode dizer que o Brasil figura em lugar de destaque, a partir de 1964, é a oportunidade para que nos transformemos agora, desde a revolução de 1964, agora que o país já retomou o seu desenvolvimento, só agora, com maiores podêres conferidos ao Executivo, pela primeira vez na história republicana, pela primeira vez define-se o espírito das relações entre o Estado e os estabelecimentos de ensino, pela primeira vez promove-se uma rearticulação geral entre a escola superior e a média."*

O silenciamento é marcado por advérbios de tempo e expressões que remontam a um passado (antes) cuja imagem o governo pretendia manchar: *"até há pouco área-problema, **tínhamos menos de 9 milhões**, o curso médio só abrigava 1.800 mil jovens, **matriculou apenas** 103 mil rapazes e môças, de 1930 até 1964, foram feitas apenas 130 mil, **não voltaremos ao tempo em que** os índices inflacionários atingiam até 100% ao ano, **que até então** sempre haviam ficado impunes, acobertados pelo seu poderio econômico."*

Enfim, mais que um apagamento de sentidos, podemos dizer uma (re)configuração dos sentidos já-ditos, na medida que outros dizeres, recorrentes a partir principalmente do AI-5 – evidenciamento –, buscaram mesmo marcar negativamente o *antes* e realçar positivamente o *depois*. Foi pelo interdiscurso que trabalhamos o estabelecimento da propaganda política pelo movimento no espaço do dizível e, portanto, do não-dito. O estudo continua, até porque há elementos disponíveis para trabalhar o silenciamento por outro viés, pelas normas censórias que especificam o proibido, deslocando e focando nosso olhar no não-dizível. Também podemos centrar nosso olhar na transformação, visando à heterogeneidade das formações discursivas, trabalhando um sujeito que resiste, que não se identifica, acenando para a necessidade de pensar a censura na medida em que ela regula, mas não completamente. Fato é que, como forma de poder, ao impor, ela produz. Foi assim que, nos jornais, a resistência à censura inaugurou outros modos de dizer e provocou outro movimento na ordem do discurso.

Referências bibliográficas

CERTEAU, Michel de. *A escrita da história*. Rio de Janeiro: Forense Universitária, 2006.

ESCOLA SUPERIOR DE GUERRA.. *Complementos da doutrina*. Rio de Janeiro: ESG, 1981.

ESCOLA SUPERIOR DE GUERRA. *Manual básico*. Rio de Janeiro: ESG, 1977.

FERREIRA, Martins. *Organização e poder*: análise do discurso anticomunista do Exército Brasileiro. São Paulo: Annablume, 2005.

FIDELIS, Guido. *Lei de Segurança Nacional e censura*. São Paulo: Sugestões Literárias, 1979.

FRAGOSO, Heleno Cláudio. A nova Lei de Segurança Nacional. In: *Lei de Segurança Nacional:* uma experiência antidemocrática. Porto Alegre: Revista de Direito Penal, n. 30, 1980.

INDURSKY, Freda. *A fala dos quartéis e outras vozes.* Campinas: Editora da Unicamp,1997.

MARCONDES FILHO, Ciro. *O Capital da Notícia*: jornalismo como produção social da segunda natureza. São Paulo: Ática, 1989.

MARCONI, Paolo. *A censura política na imprensa brasileira.* São Paulo: Global Editora, 1980.

MARIANI, Bethânia. Sobre um percurso de análise do discurso jornalístico: a Revolução de 30. In: INDURSKY, F. *Os múltiplos territórios da análise do discurso.* Porto Alegre: Sagra-Luzzato, 1999. p. 102-121.

NOVINSKY, Anita. Os regimens totalitários e a censura. In: CARNEIRO, Luiza (org.). *Minorias silenciadas.* São Paulo: Editora da Universidade de São Paulo; Fapesp, 2002. p. 25-35.

ORLANDI, Eni. *Terra à vista* - Discurso de confronto: velho e novo mundo. São Paulo: Cortez, 1990.

_____. *As formas do silêncio*: no movimento dos sentidos. Campinas: Ed. Unicamp, 1995.

_____. *Análise de discurso*: princípios e procedimentos. Campinas: Pontes, 2003.

Quem é o leitor?
Uma reflexão sobre o discurso de divulgação científica para crianças

Angela Corrêa Ferreira Baalbaki*

De modo geral, define-se divulgação científica como uma atividade que busca informar ao público leigo as descobertas científicas. A divulgação pode ocorrer em diferentes suportes, tais como jornais, revistas, exposições em museus, projeções cinematográficas, transmissões radiofônicas, apresentações televisivas, livros, conferências, almanaques... cada qual com sua especificidade. Em relação à mídia, Silva (2002) indica que a presença da ciência pode ser verificada sob três aspectos, a saber: 1º) a existência de publicações (ou programas de rádio e televisão) específica/os; 2º) a existência de espaços próprios dentro das publicações diárias; 3º) a "irrupção" do acontecimento científico no noticiário diário.

A presente reflexão busca analisar algumas imagens do leitor de divulgação científica em uma revista infantil que se enquadra no primeiro caso exposto acima. Trata-se da revista *Ciência Hoje das Crianças*, uma publicação do Instituto Ciência Hoje vinculado à SBPC.

---

[*] Mestre em Letras pela Universidade do Estado do Rio de Janeiro, doutoranda do Programa de Pós-graduação em Letras da Universidade Federal Fluminense e bolsista da Capes. Atua como professora substituta auxiliar do Departamento de Estudos da Linguagem da Uerj. (angelabaalbaki@hotmail.com)

A fundamentação teórica desta reflexão segue as orientações da escola francesa de Análise de Discurso (AD) inaugurada por Michel Pêcheux na década de 1960. Tal proposta teórica convocava três regiões do conhecimento científico, a saber: 1) o materialismo histórico, como teoria das formações sociais; 2) a lingüística, como teoria dos mecanismos sintáticos e dos processos de enunciação; e 3) a teoria do discurso, como teoria de determinação histórica dos processos semânticos. Todas atravessadas e articuladas por uma teoria da subjetividade (Pêcheux, 1997), sendo a psicanálise, portanto, solicitada a intervir nos três campos.

No âmbito dos estudos da linguagem, a AD promove um deslocamento conceitual, uma vez que atribui à exterioridade papel constitutivo da linguagem. Sua preocupação não se limita ao dito, estendendo-se à relação que esse dito instaura com o não-dito, porém já dito antes em outro lugar. Esses dizeres se entrelaçam a outros e constroem uma rede de sentidos.

Essa escola busca romper os efeitos de evidência, de obviedade e de naturalização dos sentidos. A AD, através do funcionamento da linguagem, observa a relação dos sujeitos e dos sentidos afetados pela língua e a história.

A revista *Ciência Hoje das Crianças*

A revista *Ciência Hoje das Crianças* é uma publicação do Instituto Ciência Hoje – uma organização social de interesse público sem fins lucrativos, vinculada à Sociedade Brasileira para o Progresso da Ciência (SBPC) –, cuja principal meta é a divulgação da ciência para a sociedade.

Encarnação (2001, p. 110) aponta a revista como sendo a única dedicada ao público infantil. "No Brasil, são raros os espaços na mídia com o propósito de construir uma ponte entre a ciência e o público infantil. O único periódico integralmente voltado à divulgação científica para crianças é a revista *Ciência Hoje das Crianças*".

A revista, doravante CHC, tem periodicidade mensal e é composta por "três artigos grandes sobre diferentes temas da ciência; experiências; jogos; contos; resenhas (sobre livros, discos, filmes, peças de teatro, televisão, brinquedos); cartaz (patrimônio natural, cultural, e histórico) e uma seção de cartas com os palpites e as contribuições do público" (Sousa, 2000,

p. 75). Ao considerar as publicações dos três últimos anos, as seções mais recorrentes são: matérias e artigos; experiências; os porquês; jogos e passatempos; quando crescer vou ser...; galeria de bichos ameaçados; bate-papo e seção de cartas.

A revista caracteriza-se por ser multidisciplinar e publicar temas relativos às ciências humanas, exatas, biológicas, da terra, ao meio ambiente, à saúde, às tecnologias e à cultura. Esse espaço destinado à cultura – difusão do patrimônio histórico, artístico e cultural, folclore e literatura – busca integrar os saberes que a ciência produz e os saberes nos quais ela é produzida (Sousa, 2000).

O objetivo da revista é promover a aproximação entre cientista e público infanto-juvenil, incentivando o fazer e o saber científicos; estimulando a curiosidade infantil para fatos e métodos da ciência; e acrescentando, segundo Encarnação (2001) e Sousa (2000), doses de humor e diversão. Tal proposta tem como finalidade levar a criança a construir suas próprias explicações para os fenômenos que a cercam a partir do conhecimento científico apresentado nos artigos.

As matérias científicas, produzidas por pesquisadores da comunidade científica brasileira, são enviadas espontaneamente[93] ou encomendadas pela equipe. Para que os artigos sejam publicados, algumas etapas são realizadas. O material recebido é avaliado por um comitê e, uma vez aprovado seu conteúdo, é encaminhado à redação para que os jornalistas façam uma "adaptação da linguagem"[94]. Finalizado, o texto é novamente submetido ao comitê e ao autor. A versão editada, já autorizada pelo autor, passa para a edição de arte, que busca dar ao texto uma apresentação gráfica atraente para as crianças.

---

[93] De acordo com Sousa (2000), são poucas as matérias enviadas espontaneamente por cientistas/pesquisadores.

[94] Encarnação (2001) aponta que, na tentativa de tornar os artigos e matérias mais leves e palatáveis para os pequenos leitores, recursos lingüísticos como comparações e metáforas são extremamente utilizados. Esse fato também foi constatado por Zamboni (1997), que, ao analisar os recursos metalingüísticos específicos na divulgação para crianças (em um cartaz da CHC), notou que as comparações buscam equivalências no conhecimento prévio das crianças, no mundo de sua vivência diária.

Embora as matérias sofram algumas "transformações", elas são, em geral, assinadas pelos cientistas. Algumas, contudo, são produzidas e assinadas por jornalistas. Nas revistas mais recentes, é possível identificar matérias assinadas por jornalistas e cientistas. Ressalta-se que as entrevistas concedidas por cientistas também servem de material para produção de matérias

Inicialmente, a CHC circulava encartada à revista *Ciência Hoje*. Esta estrutura foi mantida até 1990. De fato, sua formatação indicava que se tratava de uma publicação destinada aos filhos dos leitores da revista *Ciência Hoje*. Vale lembrar que um esboço da revista foi elaborado em 1984, mas que somente em maio de 1986 a revista[95] foi criada. Segundo Sousa (2000), várias revistas de divulgação para crianças de outros países foram consultadas, tais como: *Billiken* (revista argentina), *Wapti* (revista francesa), Chispa (revista mexicana), *Highlights for children* (revista norte-americana), entre outras.

Em 1989, após uma avaliação técnica realizada por uma comissão nomeada pela diretoria da SBPC, decidiu-se, favoravelmente, pela independência do projeto da CHC. A revista passou a contar com um conselho editorial próprio e, a partir de setembro de 1990, foi transformada em uma revista independente. Não se pode olvidar, no entanto, um outro fator preponderante na colaboração para a independência editorial da revista: a compra de vários exemplares pela FAE. Como lembra Sousa (2000, p. 238), "a aquisição, pela Fundação de Apoio ao Estudante – FAE, vinculada ao Ministério de Educação – MEC, de 50 mil exemplares de coleções, em dezembro de 1989, destinadas ao projeto Sala de Leitura, foi um indicador da possibilidade da revista se consolidar como material paradidático".

Em termos estritamente estruturais, a revista passou a ser publicada com 24 páginas, sendo as oito páginas de cartaz reduzidas a quatro e fixadas em seu interior. A mudança ocorreu em função de duas ordens distintas: a) facilitar a coleção e a encadernação; b) possibilitar a venda regular da revista ao Fundo Nacional de Desenvolvimento da Educação – FNDE – para o programa Sala de Leitura.

---

[95] O primeiro encarte, o número zero, foi publicado em maio de 1986. O encarte continha 16 páginas, sendo oito em formato de revista e oito em formato de cartaz.

É importante ressaltar que a revista não só mudou sua forma de circulação (de bancas de jornais para bancos escolares), mas também seu público-alvo. Se, em sua fase inicial, os leitores eram os filhos dos leitores de *Ciência Hoje*, com a entrada na escola, via "Sala de Leitura", a revista passou a ter como leitores tanto alunos quanto professores de escolas públicas de vários municípios brasileiros. A inserção da CHC se deu como o único paradidático adotado e distribuído pelo MEC. É possível constatar essa mudança nos dizeres de Sousa (2000, p. 77): "A revista Ciência Hoje das Crianças foi criada para ser adquirida em bancas e por assinatura, mas, ao longo de sua história, foi penetrando na escola, adquirindo caráter paradidático, não pensado anteriormente". Deve-se registrar que a maior parte dos recursos financeiros da CHC é oriunda do Ministério da Educação, responsável pela compra de mais de 180 mil exemplares que são distribuídos todos os meses em cerca de 60 mil escolas públicas de todo o país.

O discurso de divulgação científica e o efeito leitor

A divulgação científica é reconhecida, no seio de teorias vinculadas à perspectiva discursiva, como uma prática de reformulação, em cujo conjunto se inserem outras operações, tais como a tradução, a resenha e tantas outras que tendem a adaptar um determinado conteúdo a um determinado público.

A divulgação é considerada, por muitos teóricos, como um processo de difusão de pesquisas e teorias em âmbito geral. Essa perspectiva pressupõe, na produção de enunciados, a reenunciação de um discurso-fonte (D1) elaborado por "especialistas" e destinado a seus pares em um discurso segundo (D2) reformulado por um divulgador e destinado ao "grande público".

A reenunciação teria a função de condensar termos científicos específicos que se apresentam como obstáculos ao entendimento global do discurso-fonte. Em linhas gerais, pode-se considerar que o discurso de divulgação busca propiciar ao leitor o contato com o universo científico, caracterizado por apresentar um discurso hermético, por meio de uma linguagem que lhe seja mais simples, familiar. A "colocação" de vocabulário diversificado seria, segundo Fuchs (1982), um processo explicativo necessário, pois aquilo que é redundante para o cientista pode ser esclarecedor para o leigo.

Authier-Revuz (1998) aponta que a principal função destinada à divulgação é o estabelecimento da comunicação ciência-público, ou seja, é colocar de forma acessível ao público os novos conhecimentos resultantes das pesquisas científicas. A autora destaca que a divulgação está inserida em um conjunto mais amplo que compreende outros tipos de reformulação, como a tradução, o resumo, a resenha, os textos pedagógicos etc. Contudo, o que a distingue das demais práticas de reformulação é a "(auto) representação do dialogismo, ou seja, ao mesmo tempo em que se faz a divulgação científica, mostra-se esse fazer" (Zamboni, 1997, p.114).

Como a "língua" dos cientistas acaba por se tornar uma "língua estrangeira" para o grande público, há, no discurso de divulgação científica (DDC), uma prática de reformulação de um discurso-fonte (D1) por um discurso segundo (D2) – em função de um leitor, "receptor" diferente daquele a quem se endereçava o discurso científico.

O discurso de divulgação científica é considerado um lugar privilegiado de reformulação explícita do discurso. Explícita porque mostra sistematicamente toda a maquinaria da reformulação. Diferentemente, por exemplo, do que ocorre na atividade de tradução. Com efeito, na tradução, é possível que seu produto substitua o texto D1 como equivalente, sem, no entanto, que se mostre o trabalho de reformulação; o que já não ocorre para o DDC, pois o seu produto dá-se explicitamente como um trabalho de reformulação.

Segundo Authier-Revuz, os DDC distinguem-se dos demais "gêneros" de reformulação exatamente pelo quadro da estrutura enunciativa – o D1 não é apenas fonte, mas, sobretudo, o objeto mencionado de D2. Em tais discursos, funciona uma dupla estrutura enunciativa, na qual duas situações, dois cenários enunciativos ficam interligados: por um lado, os interlocutores (cientistas e seus pares) e o quadro enunciativo de D1 e, por outro, os interlocutores (divulgador e público em geral) e o quadro enunciativo de D2.

Há, desta forma, uma remissão explícita a um discurso primeiro, assim como no quadro global do discurso relatado, com menção da enunciação de D1 em D2.

A dupla estrutura enunciativa, constitutiva de toda reformulação sob forma do discurso relatado, reveste-se aqui, nos dois níveis, D1 e D2, de um caráter fortemente explícito. Lá onde o discurso científico dado pela fonte da DC produz uma dupla realização: D2 mostra a enunciação do D1 que ele pretende relatar, ao mesmo tempo em que se mostra em uma atividade de relato" (Authier-Revuz, 1998, p. 114).

O DDC representa uma ação de colocar em contato dois discursos, uma vez que é constituído pelo discurso científico e pelo discurso cotidiano, no próprio desenrolar da atividade, por meio de um fio heterogêneo. É um trabalho pelo e no discurso. Por estarem sistematicamente em contato em um trabalho de reformulação, várias operações possibilitam a passagem de um discurso a outro, sendo as principais a justaposição por recurso de colocação em equivalência (equivalência metalingüística) e o emprego de signos de "distância metalingüística".

Os textos de DDC são marcados pela intensa passagem de um texto a outro. É este contínuo retorno da relação interior/exterior que marca a alteridade do DDC – ora a palavra científica é designada como um corpo estrangeiro em relação à "língua" do receptor, ora o contrário, as palavras familiares suscitam um distanciamento da "língua científica". Desta forma, a maquinaria visível das operações no fio do discurso é interpretada por Authier-Revuz como manifestações da heterogeneidade mostrada.

Diferentemente de Authier-Revuz, Orlandi (2001, 2005), com base nos preceitos da AD, promove um deslocamento da caracterização do discurso de divulgação científica do aspecto da reformulação para a questão do efeito-leitor. A autora inicia suas reflexões destacando a questão da produção e circulação da ciência nas cidades contemporâneas. A escrita científica é entendida como um fato da linguagem humana e, independentemente de onde ela esteja, significa o espaço da urbanidade. Neste espaço, a ciência precisa se representar e acaba por sair de seu meio, ocupando um lugar social e histórico no cotidiano da vida social. O discurso de divulgação científica situa-se neste lugar em que se produz o efeito de exterioridade da ciência.

> O movimento da significação que caracteriza a divulgação científica confirma a presença pública da ciência, ou seja, ela publiciza a ciência, e isso é fundamental. Como veremos, pelo que designo como *'efeito de exterioridade'*, a publicização significa a própria possibilidade de se fazer ciência em uma formação social como a nossa. A

divulgação científica, nessa perspectiva, é um índice da presença da ciência na nossa formação social (Orlandi, 2005, p. 133).

Orlandi considera o DDC como um "jogo complexo de interpretação"[96]. Não se trata, para a autora, de tradução, uma vez que a divulgação relaciona diferentes formas de discurso na mesma língua. São, portanto, "discursividades diferentes". Desta forma, o jornalista-divulgador não traduz o discurso científico para o jornalístico, ele trabalha no entremeio desses dois discursos. Conforme afirma Orlandi (2001, p.23), "o jornalista lê em um discurso e diz em outro". Entende-se que ocorre um duplo movimento de interpretação neste jogo interpretativo complexo: uma interpretação de uma ordem de discurso que deve produzir um lugar de interpretação em outra ordem de discurso. "Produz-se aí uma *versão*. A divulgação científica é uma versão da ciência" (Orlandi, 2005, p. 134).

A forma específica de autoria produzida pelo DDC, entendido como uma versão – textualização jornalística do discurso científico –, imputa novos gestos de interpretação, os quais constituem um determinado efeito-leitor. Pode-se dizer que o efeito-leitor do DDC constitui-se de um fato discursivo particular, o de produzir um deslocamento: passa-se da metalinguagem da ciência (formulação científica, como fórmulas químicas, equações matemáticas) para a terminologia científica (termos seguidos de explicação do tipo "isso significa X").

O processo discursivo, do ponto de vista da significação, apresenta três momentos inseparáveis: o da constituição, o da formulação e o da circulação. Por conseguinte, no DDC, os três concorrem na produção de sentidos. Os dois discursos, o científico e o jornalístico, do ponto de vista da constituição, são diferentes e, do ponto de vista da formulação, são postos em relação. Na relação entre a constituição e formulação, o jornalista/divulgador realiza uma prática complexa, pois toma um discurso constituído em uma ordem e formula-o em outra, mantendo, contudo, efeitos de cientificidade. Ou melhor, a ciência, em seu lugar próprio, é produzida como conhecimento; quando se trata do DDC, a ciência desloca-se para a informação. Tal deslocamento indica que ocorre a produção de informação e não de conhe-

---

[96] Ao jogo complexo de interpretação, Orlandi inclui o efeito-leitor.

cimento. Informa-se o que a ciência faz, mas não se faz ciência. "Não é o discurso 'da', é o discurso 'sobre'" (Orlandi, 2001, p. 27).

Nesse deslocamento, não há soma ou substituição de sentidos, não há "transporte[97] de sentidos". O "transporte" implicaria que, ao passar do discurso da ciência para o discurso da divulgação científica, seria possível transmitir informações de um discurso a outro, como se os sentidos fossem literais ou colados às palavras. Trata-se, de acordo com Orlandi (2004), de "transferência de sentidos": o que significava na ordem do discurso da ciência desliza para produzir outros efeitos de sentido na ordem do DDC (sem que haja equivalência entre eles). Ainda segundo Orlandi (2004, p. 138), "na transferência de sentido trabalha-se pois com o efeito metafórico, ou seja, há uma historização do sentido de tal maneira que ela vai ressignificar em outro lugar, produzindo efeitos que trazem os sentidos que estão sendo produzidos para outra discursividade."

Como foi apontado acima, o jornalista apropria-se da metalinguagem da ciência e desloca-a para o espaço discursivo do DDC, (re)formulando o dizer da ciência, através de uma terminologia própria, de forma a torná-lo acessível ao leitor. Logo, o deslocamento ocorre em virtude do efeito-leitor. O DDC pode ser considerado – do ponto de vista da circulação – uma versão do texto científico:

> O que seria numa formulação científica, pela sua metalinguagem específica, significado na direção da produção da ciência é deslocado para uma terminologia que permite que a ciência circule, que se entre assim em um "processo de transmissão" (Orlandi, 200, p. 27).

Orlandi (2001, p. 26), ao retomar a noção de encenação tratada por Maingueneau, afirma que a relação intrínseca com o discurso científico é encenada no DDC. Mas como se dá tal encenação? O DDC, por meio da textualização jornalística, organiza os sentidos de modo a manter um efeito de ciência. Esse efeito é produzido na colocação em contato de termos do senso comum e da ciência. Os vários processos (descrições, sinônimos,

---

[97] O "transporte" de um sentido de um discurso para outro resulta em perda, caricatura (Orlandi, 2001).

equivalências etc.) deixam de forma visível, no fio do discurso, o processo de retomada do discurso científico; parte da encenação que dá credibilidade ao DDC. A leitura de textos de DDC é marcada por menções (do tipo "segundo x"), as quais encenam a fala do cientista para o leitor do DDC. Fala-se do lugar do outro. Encena-se, desta forma, a ausência de buracos como se o leitor estivesse em relação direta com a voz da ciência, na posição daquele que ouve o próprio cientista, como se não houvesse relações mediando esse processo, ou seja, "se há no real dessa discursividade uma distância irrecorrível, há também um mecanismo pelo qual o sujeito leitor é levado a 'sentir' que essa distância foi suturada, pela encenação" (Orlandi, 2005, p. 155).

A proposta de Orlandi, como foi dito no início da seção, é o deslocamento do aspecto da reformulação, que tem por objetivo tornar acessível ao público os resultados de pesquisas científicas, para a questão do efeito-leitor. Qual seria a razão deste deslocamento? Deve-se lembrar que o leitor da ciência exerce uma importante função nesta prática discursiva, já que garante o efeito da exterioridade da ciência. A ciência não está só lá onde é produzida, ela circula pelo social.

O leitor da *Ciência Hoje das Crianças*

Na perspectiva teórica tomada neste artigo, o leitor ocupa papel central em todo e qualquer discurso. Em relação ao discurso de divulgação científica, tal especificidade torna-se mais preponderante, visto que a função precípua desse discurso é tornar acessível ao grande público as novas descobertas científicas.

A produção do efeito-leitor se dá a partir da materialidade textual com sua relação com a discursividade e os diferentes gestos[98] de interpretação ali produzidos. A textualidade, portanto, já traz um efeito-leitor; todavia, como Orlandi aponta, a construção deste efeito[99] não ocorre apenas pelos gestos de interpretação de quem o produziu, mas também pela resistência material da textualidade e pela memória de quem lê. Constata-se que a

---

[98] Em AD, o gesto é considerado um ato no nível simbólico.
[99] Segundo Orlandi (1999), a noção de efeito supõe a interlocução na construção dos sentidos.

construção discursiva do efeito-leitor não se constitui exclusivamente por uma estratégia do sujeito autor, mas "pela memória e pela virtualidade da posição leitor inscrita no texto, porquanto esse traz em si um leitor idealizado, imaginado pelo autor, e também pelo leitor efetivo com sua memória" (Orlandi, 2005, p. 67).

No espaço constituído pela relação entre discurso e texto, há uma abertura que não é preenchida. Nessa incompletude jogam diferentes gestos de interpretação, possibilitando diferentes leituras. São, portanto, vários os efeitos-leitor produzidos a partir de um texto. A função-autor (ilusão de centralidade, unidade de sentidos) e o efeito-leitor (unidade imaginária de sentido lido) são funções do sujeito, as quais atestam que a unidade de construção do discurso é imaginária, existindo efeitos de sentidos dispersos, descontínuos.

Como o leitor é construído discursivamente? Não é possível falar do lugar de quem quer que seja, embora seja possível, pelo mecanismo de antecipação, projetar-se imaginariamente no lugar em que o outro o espera escutar. O imaginário "guia" o sujeito-autor que constitui, na textualidade, um leitor virtual que lhe corresponde (Orlandi, 2005). Em outros termos, a constituição do leitor só se dá na relação com a linguagem e com o autor – no caso do DDC, o jornalista-divulgador –, que, ao textualizar o seu dizer, projeta uma imagem do leitor.

A posição projetada discursivamente pelo autor, como salienta Orlandi (1999), produz um leitor virtual – leitor que faz parte da constituição do texto e é projetado por meio de formações imaginárias[100]. Por sua vez, o leitor real – aquele que efetivamente lê o texto –, ao produzir um gesto de interpretação, relaciona-se com o leitor virtual. Com efeito, ao ler qualquer texto, o leitor real interage com o leitor virtual ali construído.

De forma a identificar imagens discursivas dos leitores da revista CHC, três matérias foram selecionadas, e cinco seqüências discursivas foram recortadas. A primeira matéria relata a história da descoberta dos raios X (*Raios X!*), a segunda traz curiosidades a respeito das formigas (*O mundo*

---

[100] Formação imaginária (FI) pode ser entendida como a designação do lugar que cada um dos interlocutores atribui a si mesmo, ao outro e ao referente (Pêcheux & Fuchs, 1997).

curioso das formigas) e a terceira descreve os hábitos alimentares do candiru (O *peixe-vampiro*). A seguir, são apresentadas as seqüências discursivas que recorrem a determinadas estratégias interlocutivas que acabam por produzir imagens do leitor da CHC.

> SD1: *Hoje quanta coisa mudou! Quando o médico **nos** manda tirar uma radiografia nem **ficamos** surpresos ao ver a chapa. **Tampouco nos preocupamos** em saber o que eles são. Você, por exemplo, já se fez essa pergunta? Não? Então, prepare-se*... (*Raios X!*- CHC, n°145- abril de 2004)

Nessa seqüência discursiva, o divulgador aproxima (ou ao menos tenta aproximar!) o seu dizer ao das crianças. O uso da primeira pessoa do plural – identificada tanto no pronome pessoal do caso oblíquo (***nos***) quanto na desinência número pessoal (***ficamos, preocupamos***) – parece promover um movimento de inclusão do leitor, produzindo, sobretudo, um efeito de envolvimento: o divulgador e a criança são colocados como próximos, uma vez que ambos visitam ou já visitaram um médico. No entanto, esse envolvimento torna-se, ao longo da seqüência, um direcionamento, pois ao utilizar um advérbio de negação (***tampouco***), o divulgador assume que a criança não demonstrará surpresa ou curiosidade a respeito da radiografia, talvez por ser esta uma atividade comum na contemporaneidade.

O divulgador, no questionamento que segue, simula um diálogo com o possível leitor. Interpela-o diretamente pelo uso do pronome (***você***). No diálogo simulado, antecipa a resposta do seu leitor com uma pergunta negativa (***Não?***), como se a criança não pudesse interrogar sobre a descoberta dos raios X. Segue com um conselho, de fato, um conselho com "sabor" de expectativa (***prepare-se***). Por imposição do divulgador, o leitor deverá estar pronto para receber o conhecimento que lhe falta. A imagem do leitor parece ser daquele que não sabe, como também não teve curiosidade por saber; contudo, terá oportunidade de aprender com a ajuda do divulgador.

> SD2: *Hoje, os raios X estão presentes em aeroportos, indústrias, laboratórios de pesquisa (**leia Raios X, ao trabalho**!)... Mas, sem dúvida, sua aplicação mais conhecida é na medicina. Então, **vamos descobrir como, usando-os, dá para fotografar os ossos?!*** (*Raios X!*- CHC, n°145- abril de 2004)

Observa-se, na seqüência dois, que o verbo na forma imperativa (*leia*) busca direcionar o movimento da leitura. O leitor deverá ler, para melhor entendimento daquele trecho, um determinado boxe. A estratégia interlocutiva do questionamento (*vamos descobrir como, usando-os, dá para fotografar os ossos?*) é usada pelo divulgador como maneira de convidar o leitor a participar de uma descoberta. A imagem de leitor que se produz é daquele que precisa ser direcionado frente ao conhecimento científico.

> SD3: *Sendo que, desta vez, elas não estão de olho em um torrão de açúcar ou em uma folha bem verdinha: querem é carregar **você** e levá-lo a descobrir todos os seus segredos!* ***Topa acompanhar esses insetos e conhecer os bastidores do seu castelo?*** (*O mundo curioso das formigas* - CHC, n°154- janeiro/fevereiro de 2005)

Na seqüência três, a estratégia interlocutiva para interagir com o leitor também está centrada em um convite. O leitor, interpelado diretamente (*você*), é convidado a conhecer o mundo dos insetos, no caso, formigas e seu formigueiro. O convite, em linguagem coloquial (***Topa acompanhar***), torna-se um movimento para aproximar o leitor e produz, dessa maneira, um efeito de sedução.

O uso de metáforas (***descobrir segredos*** e ***os bastidores do seu castelo***) indicam uma transferência de sentidos: do mundo biológico dos formigueiros, o leitor é convidado, como se fosse personagem de um conto de fadas, a conhecer o interior de um castelo onde os segredos sobre insetos são guardados. Ou melhor, o discurso da ciência é transferido da área biológica para o cotidiano infantil (ou infantilizado!) do conto de fadas. O divulgador conduz o leitor a uma comparação de forma a associar o distante mundo da ciência ao mundo da criança. Com isso, projeta-se uma imagem de leitor como aquele que precisa de metáforas relacionadas a contos de fadas para entender o discurso científico. Os fatos da ciência são encenados com características ficcionais.

> SD4: *O candiru leva menos de um minuto para ficar com o **tubo digestivo** repleto de sangue. **Ou, se você preferir, com "a barriguinha cheia"**. Então, ele abandona o peixe que lhe proporcionou a refeição. Na natureza, quando não está se alimentando, ele costuma se enterrar **no lodo do fundo do rio**, provavelmente para escapar de pre-*

dadores. *Hábitos semelhantes aos daquele **famoso vampiro** que, reza a lenda, mora na Transilvânia e **também vive escondido, porém, em um caixão**... (O peixe-vampiro - CHC,n°151- outubro de 2004)*

Na seqüência quatro, o divulgador explica a digestão do candiru. Para tal, faz uso de uma comparação: o termo científico (***tubo digestivo***) é comparado à expressão cotidiana (***barriguinha cheia***). Observa-se que a conjunção ***ou*** indica a alternância entre o discurso científico e o cotidiano[101].

É interessante notar que, embora o divulgador coloque em equivalência dois termos de ordens distintas, acaba por deixar nas mãos do leitor (*se você preferir*) a escolha da expressão cotidiana. Por meio da estratégia de interpelação do leitor (uso do pronome ***você***), o divulgador cria um efeito de isenção: não se responsabiliza pela utilização da expressão cotidiana. Desta forma, a passagem de um discurso a outro estaria, ilusoriamente, a cargo do leitor.

Ainda na mesma seqüência, uma outra comparação é realizada. Desta vez, há a inclusão de um cenário de "filme de terror". O hábito do peixe é comparado ao do lendário Conde Drácula, uma vez que os dois vivem *escondidos*. No entanto, cada qual pertencendo a um mundo: o candiru ***no lodo do fundo do rio*** e o Drácula ***em um caixão***. A conjunção ***porém*** indica a oposição entre o esconderijo dos dois. Destaca-se, com esse paralelismo, que o divulgador estaria relacionado ao mundo biológico e o leitor, por sua vez, ao mundo da ficção.

> SD5: *Alguns dos peixes que são vítimas do candiru sabem se defender dos seus ataques. Um deles é o tambaqui, que pode medir mais de um metro. **Mas não pense** que ele **apela para alhos, cruzes ou estacas no coração, como os caçadores de vampiros**. A sua estratégia é muito mais simples: tentar, a todo custo, impedir a entrada do candiru. **Mas como fazer isso, se esse peixe é pequeno, fino e escorregadio, um verdadeiro mestre na arte de se enfiar em frestas?** O tambaqui, que não é bobo, força uma estrutura [...]. (O peixe-vampiro - CHC, n°151- outubro de 2004)*

---

[101] Pode-se dizer que a expressão "barriguinha cheia", de uso familiar (mais especificamente materno), é empregada para indicar que a criança comeu toda a sua refeição.

Na seqüência cinco, após uma rápida exposição sobre peixes que se defendem do candiru, o divulgador inclui a participação do leitor. Essa participação se dá na forma de antecipação, pois o divulgador constrói a imagem de leitor como aquele que, inserido em um mundo ficcional, pensa que a defesa do tambaqui é a mesma utilizada por *caçadores de vampiros*. A utilização da conjunção (*mas*) e do imperativo negativo (*não pense*) indica a refutação de um suposto pensamento. Em outros termos, o divulgador assume qual é o pensamento do leitor (*apela para alhos, cruzes ou estacas no coração, como os caçadores de vampiros*) e recusa-o, rejeita-o.

Em seguida, simula-se um diálogo. O divulgador se dirige diretamente ao leitor com um questionamento (*Mas como fazer isso, se esse peixe é pequeno, fino e escorregadio, um verdadeiro mestre na arte de se enfiar em frestas?*). Por meio dessa estratégia, o leitor é interpelado a sair do mundo ficcional e encontrar, com o auxílio do divulgador, a resposta que deve ser legitimada.

A partir da análise dessas seqüências discursivas, foi possível constatar que a construção do efeito-leitor é recorrente. O divulgador estabelece contato com o seu leitor, principalmente, por meio da interpelação direta (*você*) e pela simulação de diálogo. Convida-o a participar, a ler. No entanto, a leitura é promovida de forma orientada, como em uma visita guiada pelos corredores de um museu. O divulgador projeta-se, ao menos nessas seqüências, como um administrador de sentidos (cuidando, ilusoriamente, para que os sentidos não venham a deslizar e produzir efeitos outros), e o leitor é projetado como aquele que pode ser administrado.

Aparentemente, o divulgador se posiciona, pelo uso da primeira pessoa do plural, no mesmo lugar do leitor, contudo, constata-se uma assimetria. O divulgador sustenta a imagem de mediador do saber e projeta a imagem de um leitor que, por viver cercado pelo mundo-de-faz-de-conta e/ou inserido no mundo ficcional, precisa ter sua curiosidade aguçada para aprimorar seus conhecimentos científicos.

Palavras finais

Chega-se ao ponto que, tradicionalmente, é chamado de conclusão. No momento, entretanto, não é possível falar em considerações finais, sequer em conclusão, visto que se trata de uma reflexão inicial sobre o discurso de divulgação científica. Não sendo possível, portanto, falar em elaborações definitivas (se é que elas acontecem!)

Ao longo de nosso trabalho, duas caracterizações do discurso de divulgação científica foram trazidas. Do ponto de vista da prática da reformulação, sobretudo a partir dos trabalhos de Authier-Revuz, o DDC seria um discurso segundo, uma simplificação do discurso primeiro, diga-se, o científico. A divulgação estaria baseada em uma questão de comunicação, ou seja, as informações contidas no discurso hermético da ciência seriam passíveis de serem transmitidas, de forma simplificada, a um outro discurso.

Do ponto de vista da Análise do Discurso, Orlandi (2002, 2004 e 2005) caracteriza o DDC como um "jogo interpretativo" no entremeio dos discursos, mobilizando, sobretudo, a noção de efeito-leitor. A partir dessa noção, foi possível analisar cinco seqüências discursivas e identificar, sem a pretensão de fazer generalizações ou afirmações categóricas, algumas imagens atribuídas a um leitor que, no próprio título da revista, é designado como criança.

Referências bibliográficas

AUTHIER-REVUZ, Jacqueline. *Palavras Incertas* – as não-coincidências do dizer. Campinas: Unicamp, 1998.

ENCARNAÇÃO, Bianca. Criança e ciência: o relato de uma relação possível e de muito entusiasmo. *Ciência & Ambiente*. Santa Maria, n°23, p. 109-113, jul./dez. 2001.

FUCHS, Catherine. La paraphrase entre la langue et le discours. *Langue Française*: la vulgarisation points de vue linguistiques. Paris: Larousse, n.53, p. 22-33, fév., 1982.

ORLANDI, Eni P. *Discurso e leitura*. São Paulo: Cortez; Campinas: Editora da Unicamp, 1999.

_____. Divulgação Científica e efeito-leitor: uma política social urbana. In: GUIMARÃES, E. (org.) *Produção e Circulação do Conhecimento*. v.1. Campinas: Pontes, 2001.

_____. Linguagem, ciência, sociedade: o jornalismo científico. In: _____. *Cidade dos sentidos*. Campinas: Pontes, 2004._____. Divulgação científica e efeito leitor. In: _____. *Discurso e texto:* formulação e circulação dos sentidos. 2 ed. Campinas: Pontes, 2005.

PÊCHEUX, Michel.; FUCHS, Catherine. A propósito da análise automática do discurso: atualização e perspectivas. In: GADET, F.; HAK, T.(orgs.). *Por uma análise automática do discurso.* Campinas: Editora da Unicamp, 1997.

SILVA, Telma D. Jornalismo e divulgação científica. *RUA,* Campinas, n. 8, p.129-146, 2002.

SOUSA, Guaracira G. A divulgação científica para crianças: o caso da Ciência Hoje das Crianças. 2000, 305f. Tese (Doutorado em Química Biológica), Instituto de Ciências Biológicas, UFRJ, Rio de Janeiro.

ZAMBONI, Lilian. Heterogeneidade e subjetividade no discurso de divulgação científica. 1997, 200f. Tese (Doutorado em Lingüística), Instituto de Estudos da Linguagem, Unicamp, Campinas.

Características deste livro:
Formato: 14 x 21 cm
Mancha: 10,5 x 17,0 cm
Tipologia: Times New Roman 10/13,5
Papel: Ofsete 75g/m^2 (miolo)
Cartão Supremo 250g/m^2 (capa)
Impressão: Sermograf
1ª edição: 2007

Para saber mais sobre nossos títulos e autores,
visite o nosso site:
www.mauad.com.br